Schicksal und Lebenserfolg in Sternbild und Schrift

Eva Dietrich

Schicksal und Lebenserfolg in Sternbild und Schrift

Was Sterne und Handschrift
gemeinsam über Charakter und Chancen,
Herkunft und Zukunft eines Menschen verraten.
Ein neuer Weg, andere und sich selbst
zu beurteilen und zu verstehen.

Scherz

Sonderausgabe der unter
dem Titel »Astro-Graphologie« erschienenen Originalausgabe.

Schutzumschlag: Graupner & Partner

Inhalt

I
Zur Einstimmung in eine neue Erkenntnismethode

Es ist wahr ohne Lüge, gewiß und höchst wirklich,
daß das, was unten ist, dem gleicht, was oben ist,
und daß das, was oben ist, dem gleicht, was unten ist.

HERMES TRESMEGISTOS

Alle Wissenschaft ohne Selbsterkenntnis ist schädlich.

RUDOLF STEINER

Es heißt, der große Astronom und Astrologe Johannes Kepler habe den Augenblick, da er beim Studium der Gestirne einen gesetzmäßigen Zusammenhang zwischen ihren Konstellationen und dem Charakter und Schicksalsverlauf des Menschen erkannte, als die Sternstunde seines Lebens betrachtet. In späteren Jahren entdeckte er die Zusammenhänge zwischen arithmetischen und musikalischen Werten, zwischen kosmischer und irdischer Harmonie. Kepler war als typischer Steinbock ein Wissenschaftler mit einem geradezu hellsichtigen Blick für die Ordnung der scheinbar unüberschaubaren Vielfalt unserer Lebensbedingungen. Er war ein Mann der Synthese.

Viele Menschen mit großen Geistesgaben beschäftigen sich ihr Leben lang gleichzeitig mit mehreren Wissenschaften, Künsten oder Techniken – ohne jedoch die Gemeinsamkeit zwischen dem einen und dem anderen Bereich zu bemerken, ja sie empfinden die eine Beschäftigung sogar als wohltuendes Kontrastprogramm zur andern. So pflegen bekanntlich zahlreiche Naturwissenschaftler «zum Ausgleich» ihr musikalisches Talent – und sind, im Gegensatz zu Kepler oder Johann Sebastian Bach, gar nicht daran interessiert, das rationale Analysieren mit dem emotionalen Musizieren in Beziehung zu setzen. Noch weniger wollen sie davon wissen, daß sie sich ihr Hobby nicht «von ungefähr» ausgesucht, ihr Talent nicht nur so nebenbei entwickelt haben, nicht nur «zum Spaß» betreiben, sondern aus einem unbewußten Bedürfnis nach einer Synthese ihrer Fähigkeiten. Die Synthese, also der Versuch, die Bandbreite der eigenen Möglichkeiten zu erfassen und diese zu koordinieren, fällt vielen Menschen weitaus schwerer als das Analysieren ihrer Chancen. Wir leben im Zeitalter der Analyse. Um so wichtiger ist die Synthese.

In diesem Buch soll gezeigt werden, was die Synthese von Sternbild und Schriftbild über Wesen und Schicksal des Menschen verrät. Die gemeinsame, vergleichende und einander ergänzende Auswertung astrologischer und graphologischer Ergebnisse habe ich *Astro-Graphologie* genannt.

Die Kombination der beiden Erkenntnislehren Astrologie und Graphologie beruht auf der Annahme, daß der den ganzen Lebensablauf beeinflussende Stand der Sterne im Augenblick der Geburt eine Entsprechung hat in der persönlichen Ausdrucksform eines Individuums – am deutlichsten vielleicht in seiner Handschrift. Beim Vergleich jener Wesensmerkmale, die für die einzelnen Tierkreiszeichen typisch sind, mit den graphologischen Merkmalen der unter einer bestimmten Konstellation Geborenen ergeben sich verblüffende Übereinstimmungen oder bedenkliche Nichtübereinstimmungen: deutliche Anzeichen von Harmonie oder Disharmonie zwischen der Aussage der Sterne und der Aussage der Schrift. Sie geben Aufschluß über den Charakter und die Entwicklungsmöglichkeiten eines Menschen.

Lassen sich aus dem Horoskop die äußeren kosmischen Einflüsse ermitteln, so ist an der Schrift der innere, psychische Zustand einer Person ablesbar. Das bedeutet: Stimmen die Merkmale eines Sternzeichens mit den Merkmalen einer Handschrift nicht überein, schreibt z. B. ein Stier wie eine Jungfrau, so fehlt auch die Übereinstimmung zwischen seinem Wesen und dessen Verwirklichung. Es liegt eine Wesensdissonanz vor, und sie kann Ursache sein für seelische und körperliche Störungen, ja für eine tiefgehende Lebenskrise.

Dieses Buch gibt anhand anschaulicher Vergleiche zwischen Horoskop und Handschrift eine jedermann verständliche Anleitung, wie sich solche Entsprechungen oder Dissonanzen erkennen lassen – und zwar am eigenen Schriftbild und Sternbild ebenso wie an dem anderer. Die hier entwickelten und vielfach erprobten tierkreistypischen Schriftkriterien bieten die Möglichkeit, «Untypisches» zu erkennen und «Bruchstellen» einer Persönlichkeit oder einer Existenz aufzudecken.

Schließlich bedeutet das durch die Astro-Graphologie gewonnene Erkennen von Dissonanzen in der eigenen Schrift schon einen ersten Schritt zu einer möglichen Korrektur der Persönlichkeit.

Die graphische Schicksalsspur

Jedes Kind lernt seine Buchstaben nach der gesetzlichen Schulvorlage, wobei der Lehrer darauf achtet, daß diese Vorlage genau eingehalten wird. Sobald die Schüler das Alphabet technisch beherrschen, also wissen, wie die Buchstaben aussehen müssen und sie einigermaßen geläufig schreiben können, beginnt die persönliche Freiheit der Gestaltung. Sehen wir einmal von denjenigen ab, die bis ins hohe Alter korrekt vorlagegemäß schreiben – woraus sich leider schließen läßt, daß nie der Versuch unternommen wurde, individuelle Eigenschaften zu entwickeln –, so läßt sich sagen, daß nach einer vergleichsweise kurzen «Lehrzeit» kein Schriftbild mehr dem anderen gleicht. Denn die Auseinandersetzung mit seinem Ich findet eben auch ihren graphischen Niederschlag.

Kein Mensch kann sich dieser Auseinandersetzung entziehen, denn sie ist identisch mit dem, was man gemeinhin «leben» nennt. Die Entwicklung, die das Bewußtsein bei diesem inneren Lebensweg durchmacht, muß wesensgemäß ausgesteuert werden und dabei entsprechende Spuren hinterlassen. Insofern ist die Schrift eine graphische Schicksalsspur, ein Diagramm des Unterbewußtseins – ein Charakterspiegel.

Es gibt «Menschenkenner», die einen Charakter spontan, um nicht zu sagen, auf Anhieb, zu erfassen vermögen. Wie sie das machen, können sie nicht sagen; es geschieht instinktiv. Aber selbst der Instinkt kann sich nur nach Zeichen richten, die auf irgendeine Weise ***wahrnehmbar*** sind. Es muß darum Formeln geben für die Intuition, deren Kenntnis das Wesentliche hinter der Erscheinung erfaßt. Ein Hintergrund wird sichtbar, der sich durch alle Daseins- und Erscheinungsebenen abzeichnet und eine «Grammatik des Unterbewußtseins» enthüllt. Sie ist die Grundlage einer Art Universalsprache der Psyche, deren Formulierungen zwar frei gewählt erscheinen, jedoch einem Bedeutungskodex unterliegen und inneren grammatikalischen Gesetzen gehorchen müssen, um verstanden zu werden. So kann man sagen, daß jede Äußerung eines Wesens von einer Steuerungszentrale abhängt, die für jeden Ausdruck eine bestimmte Frequenz zur Verfügung stellt. Modulationen des Ausdrucks sind nur innerhalb des jeweiligen Frequenzbereichs möglich.

Wir wissen heute – und die Astrologen haben es immer gewußt –, daß der Mensch bei seiner Geburt keineswegs jener von dem englischen Aufklärungsphilosophen John Locke vermuteten *Tabula rasa* gleicht, einer «leeren Tafel», in die sich die Umwelt erst einschreiben muß. Er bringt vielmehr schon ein volles Programm mit, das durch seine Person verwirklicht werden kann. Jeder Mensch besitzt eine ganz bestimmte Quantität an Möglichkeiten, die unerkannt und unentdeckt in ihm schlummern, bis sie durch Handlungen zum äußeren Ereignis werden. Die unsichtbare Struktur jedes einzelnen, die im Geburtsmoment durch das Horoskop fixiert wird, kann in der Folge nur dann der Außenwelt sichtbar gemacht werden, wenn die gewissermaßen noch unlebendige Anlage im Dasein ***ausgelebt*** wird.

Das Ausleben und Verwirklichen eines solchen Programms kann indes nur in dem Rahmen geschehen, den das Charaktermuster des jeweiligen Tierkreiszeichens anbietet, in dem die Sonne zum Zeitpunkt der Geburt gestanden hat. Ein Stier, beispielsweise, sollte darum nicht sagen: «Ich bin ein Stier», sondern eher: «Ich verwirkliche mich wie ein Stier.» Das heißt, alle Anlagen, die in ihm stecken, ganz gleich, wie individuell sie sind, können nur durch die Verhaltens- und Handlungsmuster, die dem Stier zur Verfügung stehen, ausgelebt werden. Deshalb wird ein Stier-Geborener, graphologisch gesehen, Stier-Ausdrucksmerkmale benutzen, sein Schriftbild wird die Mechanismen seines Handelns zum Ausdruck bringen. Stimmt das Schriftbild mit der Charakteristik des Tierkreiszeichens nicht überein, so ist eine bestimmte Art eigener Anlagen offenbar unerwünscht und wird abgedrängt. Man sperrt sich, aus welchen Gründen auch immer, dagegen, sich zu geben, wie man ist, und wagt damit einen Kurs, der das Unterbewußtsein vom Oberbewußtsein trennt. Es kann ein Kollisionskurs sein.

Die «geschüttelte Seele»

Ein gutes Beispiel dafür ist Sigmund Freud. Am 6. Mai als Stier geboren, zeigt seine Schrift kaum entsprechende Stier-Merkmale. Sie ist unruhig, ausfahrend, voll spitzer und scharfer Striche. Das «Prinzip Stier» müßte jedoch seine Ruhe und Stabilität in umschließenden, runden Formen äußern, die fest abgegrenzt sind.

Der Stier stellt sich nur langsam und ungern auf neue Situa-

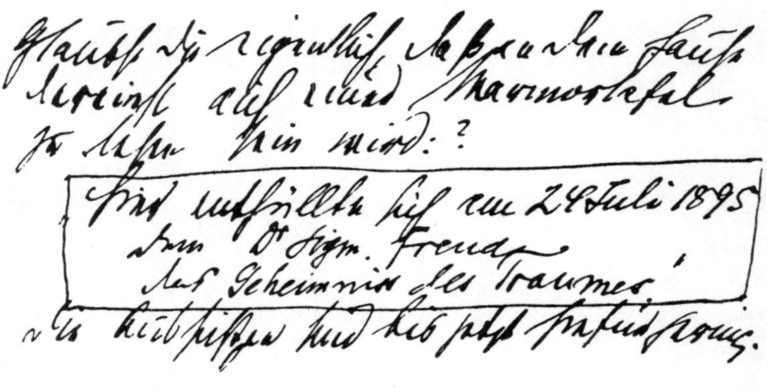

Sigmund Freuds Schriftbild im Alter von 44 Jahren (1900).

tionen ein. Weil er sich seine Karriere durch Beharrlichkeit sichern will, braucht er einen stabilen Lebens- und Wirkungskreis. Die Schrift Freuds spiegelt dagegen den Zusammenstoß mit einem permanenten Reibungswiderstand. Der Stier in ihm ist dadurch in seinem Mark getroffen, nämlich in seiner ruhigen Sicherheit. Er hat sich zu weit aus seinem Revier gewagt – was, auf das Leben Freuds bezogen, bedeutet, daß er Forderungen aufgestellt hat, die er mit seiner Stier-Mentalität nicht erfüllen, denen er sich aber auch nicht entziehen kann. Aus diesem Grund wird er – und das macht sein Sternbild deutlich – von Unruhe und Unsicherheit geradezu geschüttelt. Der Stier neigt nun einmal dazu, bei Störungen seiner geliebten Ruhe nervös zu werden und die Selbstkontrolle zu verlieren. Die Unfähigkeit Freuds, ruhig zu schreiben, ist darum das Zeichen einer Entfremdung von sich. Er gleicht einem Ruhelosen, der aus seiner Ruhelosigkeit eine Tugend machen und sich an ihr festhalten möchte, weil das Festhalten ja ein Stier-Prinzip ist. So wird die Schrift gehemmt vom Widerspruch zwischen Ruhelosigkeit und Festhaltenwollen.

Die Entdeckung dieses Widerspruchs in der eigenen Psyche hat den Psychologen Freud sicherlich nicht nur unbewußt zu seinem entschiedenen Engagement für die Psychoanalyse motiviert. Auch daß er, dessen übersteigerte Schamhaftigkeit in seinen Briefen dokumentiert ist, im Rahmen seiner Forschungen der Sexualität eine fundamentale, von vielen Zeitgenossen als übertrieben, ja schamlos empfundene Bedeutung zuschrieb, findet seine astro-graphologische Erklärung: In der Astrologie ist die Venus der Planet des Stiers. Freuds Schrift läßt indessen erkennen, daß er den Kontakt zum Mars bevorzugte.

Die mangelnde Übereinstimmung mit sich selbst (Identitätskonflikt) führte zwangsläufig zu einem Verfall seiner Kräfte noch in der Lebensmitte, denn keine der beiden Tendenzen – weder die ihm fremde Ruhelosigkeit (in diesem Fall Sexualität) noch das ihm gemäße Festhalten am Herkömmlichen (Reserven gegenüber dem Ausleben der Sexualität) – vermochte sich letztlich durchzusetzen. Die eine versperrte der anderen den Weg, so daß nie ein sich öffnender, entspannter Ausdruck (der Gefühle und der Schrift) entstand, der befreiend wirken konnte.

Sein Schriftbild zeigt eine Konfliktsituation, die sich zwangsläufig auf den Organismus übertragen mußte und Freuds spätere Krankheit ahnen läßt. Von der Gesamtschau der Person ausgehend, kann man annehmen, daß die in dem Schriftausdruck einfließende «geschüttelte Seele» Unbewußtes im Sinn warnender Vorzeichen ans Licht bringt. Mit fünfzig Jahren erkrankte Freud an Mundkrebs. Welchen rationalen Grund hätte er wohl genannt, wenn man ihn gefragt hätte, warum er es, entgegen seiner bisherigen Gewohnheit, von seinem zweiundvierzigsten Lebensjahr an vermied, seinen Vornamen Sigmund auszuschreiben? Er beschränkte sich auf die Abkürzung *Sigm.*

Der Fall Freud soll deutlich machen, daß jede Art mangelnder Übereinstimmung zwischen dem Innen und dem Außen zu einer Disharmonie des Ausdrucks führt, die sich immer nachteilig auswirken wird, und zwar in bezug auf die seelische *und* auf die körperliche Gesundheit.

Fehlschlüsse eines überzeugten Widders

Es ist zweitrangig, ob eine Schrift nach den graphologischen Kriterien negativ oder positiv zu bewerten ist. Es kommt darauf an, ob sie wesens-identisch ist oder nicht. Denn dadurch wird offenkundig, ob sich jemand zu seinem Leben bekennt oder hinter einer Maske verbirgt. Der Determinismus der Tierkreisprägung läßt genug Spielraum für die Möglichkeit, das persönliche Bewußtsein zu entwickeln. Das heißt, jeder entscheidet für sich, ob er von seinen Gestaltungsmöglichkeiten Gebrauch macht und sich zu seinem wie auch immer gearteten Wesen bekennt: ob er sein Leben lebt als Widder, Stier oder Wassermann, oder ob er sich aus Angst vor denkbaren Konsequenzen zu einer wesensfremden Haltung zwingt.

Es wäre allerdings verkehrt, anzunehmen, daß sich der Mensch möglichst mit sämtlichen Schriftmerkmalen äußern sollte, die seinem Tierkreiszeichen entsprechen. Das Repertoire der Merkmale entspricht vielmehr der Bandbreite der Möglichkeiten, die jedem zur Verfügung steht, um sich wesensgemäß auszudrücken. Wie dann die Schrift mit diesen Mitteln gestaltet wird, ist nicht vorhersehbar. Stets werden jedoch wenigstens einige der im wahrsten Sinne des Wortes «wesentlichsten» Kennzeichen in der Schrift vorhanden sein – und nun gilt es festzustellen, *welche* es sind: Zum Beispiel, ob ein Widder mit Druck schreibt und relativ spitze Formen gebraucht, in denen sich die widder-typische Aggression äußert. Fehlen ihm diese beiden Hauptmerkmale, so fehlt ihm der Aktionsrahmen für seinen natürlichen Trieb, sich auseinanderzusetzen. Er wird seine Aggression nach außen nicht los, sie wendet sich nach innen und zerstört ihn selbst. Es passiert das, was der frühverstorbene Schweizer Fritz Zorn in seiner erschütternden Autobiographie mit dem bezeichnenden Titel *Mars* beschrieben hat.

Er, der Widder, der in einer geheuchelt heilen, sterilen Welt ohne Möglichkeit der kritischen Auseinandersetzung aufwuchs, hatte erkannt, «daß die Schäden, die durch eine falsche Erziehung [und das folgende Fehlverhalten] hervorgerufen worden sind, so groß werden können, daß sie in ihren extremsten Formen sich auch als neurotisch bedingte Krankheiten, z. B. Krebs, manifestieren können». Zorn sah also ganz klar, daß das Grundübel für ihn war, immer dem Leben *gegenübergestanden,* aber nie im Leben *mittendrin gestanden* zu haben.

Soweit hatte er seine Widder-Rolle, der er sich sehr wohl bewußt war, richtig gesehen: nämlich, daß er sich mit der Welt nicht genügend auseinandergesetzt hat. Und der Widder braucht Kritik, ungeschminkte Wahrheit und die ungeheuchelte Zuwendung, im Unterschied etwa zur Waage, seinem Gegenzeichen, die, genau umgekehrt, versucht, Gegensätze auszugleichen und da zu nivellieren, wo die Wahrheit eine Disharmonie verursachen könnte.

Übrigens führte Zorn sein Krebsleiden darauf zurück, daß

seine Widder-Sonne im vierten Haus stand und das vierte Haus in seiner Bedeutung mit dem Tierkreiszeichen Krebs identisch ist. Eine solche Auslegung astrologischer Gegebenheiten ist zwar allzu vordergründig, für Zorn aber wiederum typisch, da er als Widder dazu neigte, voreilige Schlüsse zu ziehen.

Ferner erfahren wir aus der pessimistischen Lebensbilanz des jungen Schweizers, der sich widder-gemäß das Pseudonym «Zorn» zulegte, daß er in sogenannte «gute Verhältnisse» hineingeboren wurde – und die machte er, abermals etwas zu vordergründig urteilend, für seine Daseinskatastrophe verantwortlich. Man könnte hier Brecht zitieren: «Doch die Verhältnisse, die sind nicht so», nämlich nicht so ausschlaggebend, daß dem Hineingeborenen kaum noch etwas zu tun – an *sich* zu tun! – übrigbliebe. Die «Verhältnisse» setzen sich aus einer ganzen Reihe von Faktoren zusammen; man könnte sie grob in «äußere» und «innere» unterteilen. Wenn nun ein Mensch der Meinung ist, daß ihm die äußeren Verhältnisse aufgezwungen worden seien und der Widerstand gegen sie aussichtslos, so ist es nicht verwunderlich, wenn er jene inneren Verhältnisse, die in ihm vorgezeichnet sind, die Palette seiner Möglichkeiten, ebenso resigniert betrachtet. Gewiß mit Recht bezeichnen manche Psychologen die Resignation des Ichs, den Verzicht auf Selbstverwirklichung, als «Krebstumor in der Seele».

Für und wider das Ebenmaß

Die astro-graphologische Methode ermittelt nicht nur die «Vorgabe» zur Selbstverwirklichung, die jeder durch das Tierkreiszeichen, in dem die Sonne an seinem Geburtstag stand, erhält, sie gibt – wie wir schon hörten – aufgrund bestimmter Schriftkriterien auch Aufschluß darüber, inwieweit diese Vorgabe im späteren Leben genutzt wurde und noch genutzt werden könnte. Daß die Selbstverwirklichung nicht immer problemlos verläuft, liegt auf der Hand. Das Zusammenspiel jener Eigenschaften, die miteinander das «Wesen» ausmachen, ist nicht von vornherein harmonisch angelegt. Zum Glück gibt es in der Astrologie «kein Geburtsbild, das unbedingt ‹stimmt›, weil sonst keine Erleidensform darin Platz hätte» (W. Döbereiner) und damit keine Möglichkeit der Weiterentwicklung durch Hindernisbezwingung vorhanden wäre. Ebenso gibt es kaum eine Schrift, die gleich von Jugend an als ebenmäßig und als ausgeglichen bezeichnet werden könnte. Ebenmaß wird durch Spannungen zerstört, und Spannungen sind identisch mit Problemen. Die einzige Chance, sie zu bewältigen und aufzulösen, liegt darin, sie in gelebtes Leben umzusetzen. Wer sich durch Einschränkung seines Ichs diesem Auflösungsprozeß widersetzt, verfehlt sein Leben; er wird hart, wird verbittert und verständnislos allem Lebendigen gegenüber. Daß dieser Zustand eine immer größere Anzahl «Anhänger» findet, liegt daran, daß er eine momentane Befriedigung hervorruft. Man versucht krampfhaft, Enttäuschungen zu vermeiden; die seelischen Antennen werden eingefahren, wenn nicht abmontiert; alle Hoffnung wird auf wirtschaftliche Sicherheit gerichtet, die Entwicklung des Innenlebens vernachlässigt.

Das Ergebnis kann man heute der Sozialberichterstattung entnehmen: Viele alte Menschen, die eigentlich die Verkörperung der Lebenserfahrung «und ein bißchen weise» sein sollten, haben mit dem Abschluß ihrer Berufsrolle auch ihren Lebensinhalt verloren. Ihr Alter wurde nicht aufgebaut, weil sie sich nicht genügend dem Leben ausgesetzt haben. Sie sind nun in Gefahr, angesichts eines Abschlusses, der keine «Befreiung» bringt, zu zerbrechen. Gerade hier ist die Schrift ein Indikator für bewältigtes oder unbewältigtes Leben. Verglichen mit dem Ausdruck der Jugend muß sich im Laufe einer ganzheitlichen Entwicklung der Persönlichkeit eine Tendenz zum Ebenmaß zeigen. Die graphologische Entsprechung für das Schriftmerkmal «Ebenmaß» sind Gleichmut, Gelassenheit – Attribute, die früher allgemein dem Alter zugeschrieben wurden und jetzt mit schwindendem Schrift-Ebenmaß auch seltener ihre Verkörperung finden.

Es gibt bei den Querverbindungen zur Graphologie immer ein, zwei oder drei Hauptmerkmale, mit deren Auftreten die Schrift bereits als tierkreisidentisch betrachtet werden kann. Die übrigen angeführten Schriftkennzeichen runden das Wesensbild noch ab und erhöhen bei ihrem Vorhandensein den Identitätsgrad. Zugleich stellt sich etwas ein, was Ludwig Klages mit dem Begriff des Ebenmaßes zu erklären versuchte, in den meisten neueren Graphologiebüchern jedoch lieber weggelassen wird, da es zuwenig faßbar erscheint. Den Grad des Ebenmaßes in einer Schrift muß man nämlich erfühlen. Hohes Ebenmaß setzt nach Klages zweierlei voraus: rhythmische Verteilung der Schreibantriebe und Ausgewogenheit der erzeugten Formen. Beides ist weder erlern- noch erzwingbar. Zur Regelmäßigkeit kann man sich zwingen und mit entsprechender Willenskraft die Buchstaben gleichmäßig schreiben. Für das Ebenmaß hingegen braucht man innere Balance; das optische Gleichgewicht, das sich nicht nur im Schriftbild manifestiert, sondern auch im Verhältnis der beschriebenen zur unbeschriebenen Papierfläche.

Balance kann man nur haben, wenn man sich im Gebrauch seines Potentials sicher fühlt, und das bedeutet, wenn man sich seiner Veranlagung gemäß verhält. Die Prägung, die das Tierkreiszeichen verleiht, stellt den Fonds dar, aus dem man, in welcher Situation auch immer, dieses notwendige Potential bezieht. Niemand kann instinktiv handeln, niemand seine natürlichen Reflexe einsetzen, wenn nicht im Einklang mit seinem astrologisch definierbaren Verhaltensmuster.

Unser allgemeines Verhalten setzt sich zusammen aus diesen wesensgemäßen und organisch gewachsenen Vorstellungen, Überzeugungen, Antrieben – und all jenen Ersatzformen dazu, die machbar sind. Das, was gewachsen ist, kommt wie von selbst und erscheint uns wesentlich müheloser zu entstehen als das Gemachte, dessen Erwerbung immer mit größerer Anstrengung verbunden ist. Das Gewachsene hat seine eigene Gesetzmäßigkeit, deren Elemente das Leben liefert. Das Gemachte dagegen muß starr bleiben, weil es ein nicht eigenständiger, logisch konstruierter Lebens-Zusatz oder gar -Ersatz ist.

Trotzdem brauchen wir diese Zusatzform, um den Horizont unserer naturgegebenen Interessen zu erweitern. Wir brauchen den Geist, wenn er auch «Widersacher der Seele» (Klages) ist und unseren natürlichen Rhythmus in Gefahr bringt. Aber es liegt bei jedem selbst, wieviel er davon verkraftet, wieviel er sich einverleiben kann, ohne die eigene Ursprünglichkeit in Gefahr zu bringen.

Ebenmäßig schreibt deshalb sowohl derjenige, der über seinen Horizont noch nicht hinausgeschaut hat, als auch derjenige, der das Außerhalbliegende in sich zu integrieren vermochte. Die erste Schrift wäre aus Mangel an Empfänglichkeit als indifferent zu deuten. Aus der zweiten spräche die Gelassenheit eines Menschen, der den Kampf mit der Balance bereits ausgestanden hat.

Man kann noch einen Schritt weitergehen und sagen, daß eine Schrift, die nur die wesentlichen tierkreisspezifischen Merkmale besitzt – wie z. B. Druck und Spitzigkeit beim Widder –, im Hinblick auf das Ebenmaß und die Balance günstiger zu beurteilen ist als eine solche, die alle Merkmale aufweist. Wenn die Schrift mit den wenigen, aber wesentlichen Merkmalen rhythmisch verläuft, hat der Schreiber die Grenze seiner naturgegebenen Interessen und Bedürfnisse überschritten, ohne seine besondere Eigenart einzubüßen. Er hat Fremdes integriert, während der Schreiber, der mit *allen* Merkmalen seines Tierkreiszeichens versehenen Schrift unter Umständen andere Aspekte des Denkens, Fühlens und Wollens als die, die ihm ursprünglich «mitgegeben» wurden, noch gar nicht in Erwägung gezogen hat.

Zwischen diesen beiden Polen liegt das weite Feld, in das die Mehrzahl aller Schriften graphologisch einzuordnen ist. Es ist zugleich das mehr oder weniger kultivierte Terrain der Psyche, in dem es – nicht nur für junge Menschen – immer wieder Neuland zu entdecken gibt. Wer in solches Neuland vorstößt, sich neue Dimensionen zu erschließen versucht, betritt in der Regel schwankenden Boden, und dies wiederum findet verständlicherweise seinen Niederschlag in einer Unebenmäßigkeit,

Unausgeglichenheit der Schrift. Das ergibt graphologisch positive Werte, nämlich Aufgeschlossenheit und Empfänglichkeit für Neues, aber gleichzeitig negative Anzeichen der Unruhe und Irritierbarkeit und vor allem Mangel an innerer Harmonie.

Natürlich ist derjenige geschwächt, der auf sein angestammtes Potential verzichtet, um sich in Neuland vorzuwagen. Die Bewältigung dieser Aufgabe – in unserer Terminologie die Integrierung des Andersartigen – erfordert oft mehr Kraft, als er besitzt. Die Spannungen, die sich dabei ergeben, lassen Schwächen kraß hervortreten. Die Balance geht verloren.

Mit der Möglichkeit, den Grad des individuellen Gleichgewichts festzustellen, gewinnt die Schriftbeurteilung einen neuen Aspekt. Dabei schält sich sozusagen «der Mensch als solcher» heraus. Man sieht ihm an, wie ihm zumute ist. Da hiebei Kriterien wie Bildung, Begabung, Herkunft und gesellschaftliche Stellung nicht ins Gewicht fallen, ist eine gute Basis für Vergleiche gegeben. Man erkennt z. B., daß sich Thomas Mann sehr viel unwohler in seiner Haut fühlte als Richard Wagner – obgleich letzterer weitaus mehr äußere Schwierigkeiten im Leben hatte. Oder daß Napoleon trotz der ohnehin weiten Dimensionen, die ihm als Löwen zur Verfügung standen, entschieden über seine inneren Verhältnisse lebte. Er trieb Raubbau nicht nur mit Europa, sondern auch mit sich selbst. Er wollte einen hohen Ertrag, ohne auf die Erhaltung der Erzeugungsgrundlagen Rücksicht zu nehmen. Auch ohne deprimierende Verbannung wäre er gesundheitlich frühzeitig erschöpft gewesen. Andererseits wundert man sich über Casanova, weil er innerlich mit seinem abenteuerlichen und anstrengenden Leben immer Schritt zu halten vermochte. Der Beweis dafür sind seine im Alter verfaßten Memoiren, die keineswegs nur wegen ihres amüsanten Inhalts und erstaunlichen Umfangs zu den berühmtesten der Weltliteratur gehören, sondern auch wegen der souveränen Handhabung der Sprache, der Ausgeglichenheit seines Stils über Tausende von Seiten. Dieses Ebenmaß zeigt sich auch in seiner Schrift.

Deutsche Schrift und Preußens Gloria

Aber nicht nur das Individuum kann nach astro-graphologischen Kriterien beurteilt werden, sondern bis zu einem gewissen Grade sind sie auf ein ganzes Volk anwendbar. Ein «aufgeklärter» Wissenschaftler würde es als absurd ablehnen, den preußischen Pickelhelm und den Stechschritt mit dem zackigen deutschen Winkel-Schrifttyp in Verbindung zu bringen. Ihm fehlt die Denkvoraussetzung, daß hinter der Erscheinungswelt und ihren Merkmalen Inhaltsprinzipien stehen, die durch alle Daseinsebenen gehen. Wer, dem Trend unserer Zeit folgend, der Analyse den Vorrang gibt und darüber den Gesamtaspekt der Synthese vernachlässigt, wird es ungemein schwierig finden, hinter dem sogenannten Image eines Volkes seinen gemeinsamen Schriftcharakter zu erkennen. Aber so wie man Physik in der Schule lehrt, um das Verständnis für den Zusammenhang natürlicher Erscheinungen wie Blitz, Donner und Elektrizität zu vermitteln, sollte es möglich sein, die gemeinsamen Ursachen, Kräfte und Prinzipien verstehen zu lernen, die jedem Lebensausdruck – ob Handschrift, Mimik, Gestik usw. – zugrunde liegen und Spuren auf seinem Erscheinungsbild hinterlassen. Das gilt für eine Gruppe, für eine Gesellschaft ebenso wie für den einzelnen.

Astrologisch gesehen, entspräche das Erscheinungsbild des preußischen Staates einer Verbindung des Widder- mit dem Steinbock-Prinzip. Vom Steinbock stammt die Konzentration, die Tradition, die Geradlinigkeit und Festigkeit. Der Steinbock setzt Maßstäbe und hält sie ein, er repräsentiert die Form, die öffentliche Ordnung und das Gesetz. Der preußische Musterstaat des achtzehnten Jahrhunderts mit seiner nüchternen Sachlichkeit und Sparsamkeit, seinem pflichttreuen Beamtentum, dem gut kontrollierten Finanz- und vorbildlichen Schulwesen sowie dem König als erstem Diener des Staates ist ein Paradebeispiel möglicher Steinbock-Analogien.

Aber das allein reichte nicht aus, um Preußen zur europäischen Großmacht zu machen. Hinzu kam die vom Widder beigesteuerte Aggression, die Herausforderung und Durchsetzungskraft. Beispielhaft dafür sind die preußische Armee und ihr Offizierskorps, ihre Eroberungskriege und der zähe Widerstand gegen Angriffe von außen. Als unmittelbarer graphischer Ausdruck läßt sich diese Kombination aggressiver Stabilität in der deutschen Schrift wiedererkennen. Mit scharfen dynamischen Zügen fährt sie aus, schlägt zu und bleibt doch bei aller Impulsivität regelmäßig, kühl, geradlinig und fest. Graphologisch betrachtet, kennzeichnet sich auf diese Art ein Charakter, der seine Energie ausschickt, um Widerstände zu suchen, weil er Stabilität nur durch Konfrontation erreichen kann. Um sein inneres Gleichgewicht zu finden, ist er auf beständige Herausforderung der Umwelt angewiesen.

Der Energietyp Widder fand eine seiner markantesten Verkörperungen in dem Musterpreußen Otto von Bismarck. Mit starker Hand gestaltete Bismarck eine Schrift, die den für die Deutschen so typischen Kampf zwischen Antrieb und Hem-

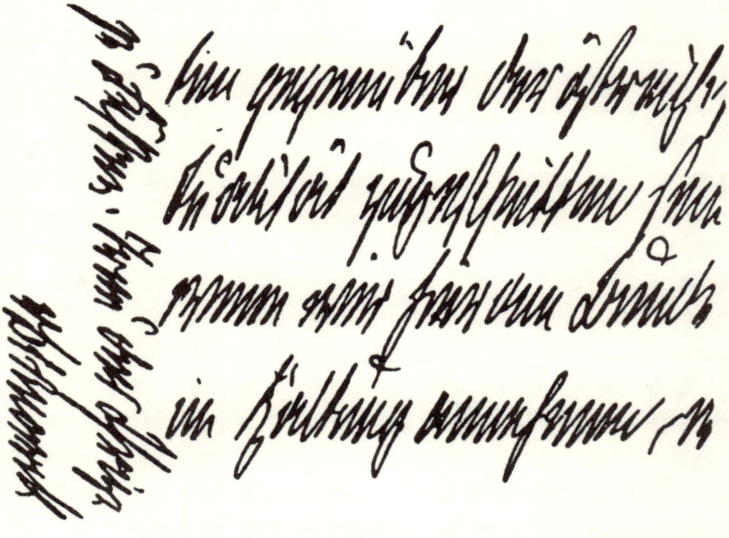

Otto von Bismarcks Schrift als Reichskanzler.

mung ausdrückt, mit einem unbeirrbaren Gefühl für das richtige Verhältnis zwischen Notwendigkeit und Freiheit.

Die graphologischen Hauptmerkmale des Widders, wie Eile, große Längenunterschiede, Druck und Linearität, sind in ausgeprägtester Weise vorhanden. Freilich kommt die sogenannte deutsche Schrift seinem Wunsch nach Geradlinigkeit sehr entgegen. Sie erlaubt festere und entschiedenere Formungen als beispielsweise die vollere, rundere lateinische Schrift. Nichts eignet sich besser zur Veranschaulichung der graphologischen Diagnose einer außerordentlichen Stoß- und Widerstandskraft als das energische Herauf und Herunter der in scharfen Winkeln miteinander verbundenen Buchstaben. Bismarck geht noch einen Schritt weiter und bringt auch die Rundformen in Winkelnähe. Damit wird dem Gefühl Einhalt geboten und die Bandbreite des «Empfangs», die Aufnahmebereitschaft eingeschränkt zugunsten souveränerer Handlungsfreiheit. Man spürt die Heftigkeit der Widder-Dynamik hinter der strengen Strichführung. Um diese Dynamik sicherer unter Kontrolle zu bekommen, hat er widder-untypische Merkmale wie Enge und Regelmäßigkeit angenommen. Sie zeigen, daß der Schreiber die Gefahren seiner Impulsivität kennt und sie zu bändigen bemüht ist mit einem Strich, der vor innerer Spannung vibriert.

Bei großer Erregung – so heißt es – ließ sich Bismarck manchmal ein Tablett mit Likörgläschen bringen, die er nacheinander an die Wand warf; danach hatte er sich wieder in der Gewalt. Genau das entspricht der affektgeladenen Unruhe, die das Schriftbild verrät. Aber die Abreaktion geschieht mit Haltung, die Emotionen sind bezwingbar. Trotzdem: Scherben sind scharf, ob es die Überreste eines Likörglases sind oder ein sogenannter «Haifischzahn» (z.B. im ersten Wort der Schriftprobe auf S. 22), ein scharf abgebogener Strich, der auf etwas Reißendes hindeutet. Bismarck war für seine Gegner ein gefährlicher Mann, voller Kampflust und Gerissenheit, der weder Finten noch Intrigen scheute und, wenn es die Durchsetzung eines Zieles verlangte, bis zum Rechtsbruch ging.

Welch ein Energiepotential ihm zur Verfügung stand, wird

daraus ersichtlich, daß er achtundzwanzig Jahre lang die Zügel der preußischen bzw. der gesamten Reichspolitik straff in der Hand hielt. Vor Beginn seiner staatsmännischen Karriere hatte er sich als Student und Landjunker bekanntlich in einer Weise ausgetobt, die ihm den Spitznamen «der tolle Bismarck» eintrug. Seine Schrift während dieser Zeit ist symptomatisch für einen jungen Widder, dessen Dynamik noch nicht auf ein festes

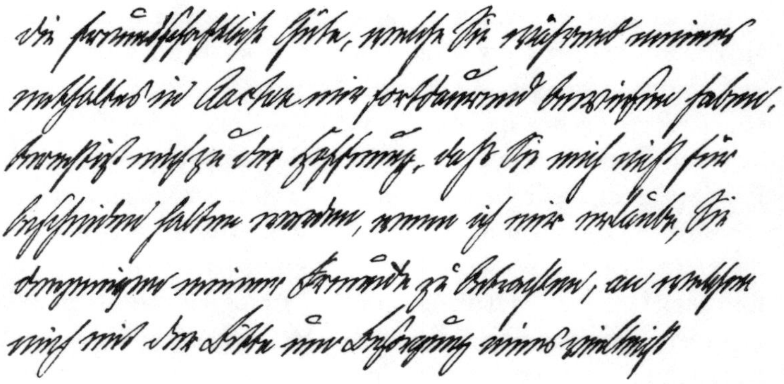

Bismarcks Schrift als Vierundzwanzigjähriger (1839).

Ziel gerichtet ist. Die Schrift des jungen Mannes wirkt im Vergleich zu der des ausgereiften noch harmlos. Später, durch die Politik und Diplomatie geschult, konzentriert er seine Kräfte. Er wappnet sich mit einer vom Mars bezogenen Energie. Aus dem «tollen Bismarck» wird der «eiserne Kanzler», für den große Fragen nicht durch Reden und Majoritätsbeschlüsse, sondern durch «Blut und Eisen» gelöst werden, der Einmischungsversuchen mit großer Entschiedenheit, ja Anmaßung entgegentritt.

Trotz aller Selbstdisziplin vermag er den Verlockungen der (Groß-)Macht jedoch nicht zu widerstehen. Seine unbändige Dynamik gewinnt immer wieder die Oberhand (unmotivierte Haken in der Schrift, z. B. in der Mitte der zweiten Zeile, S. 22).

So reizte ihn 1871 in Versailles, dem preußischen Hauptquartier nach dem Sieg über die Franzosen, die Situation zu sehr, den widerstrebenden König Wilhelm I. an Ort und Stelle zum deutschen Kaiser zu proklamieren. Ein unbedachter, folgenschwerer Widder-Schritt.

Was aber macht ein Widder mit seiner enormen Energie, wenn die großen Hindernisse beseitigt, die stärksten Widerstände gebrochen sind? Bismarcks Hauptziel war erreicht, die Außenpolitik für die nächsten Jahre klar und eindeutig. Die innenpolitischen Probleme indessen bedurften jetzt feinfühligerer Behandlung als es einem aggressiven Widder möglich ist. Kein Wunder, daß Wilhelm II., der neue junge Kaiser, den fünfundsiebzigjährigen Reichskanzler, der noch immer oder sogar mehr als je zuvor streitlustig auf der Suche nach adäquaten Gegnern und ihm gemäßen Aufgaben war, als unbequem empfand und ihn zur Abdankung zwang.

Bismarck schuf und verwaltete das Zweite Reich, den deutschen Kaiserstaat, nicht für sich, sondern für Wilhelm I., der achtzehn Jahre älter war – und ebenfalls Widder.

Zwei Widder in derart enger Verbindung, das müßte eigentlich zur Kollision führen! Daß dies nicht geschah, daß im Gegenteil Wilhelm I. auf ein Entlassungsgesuch Bismarcks nach fünfzehn Jahren Zusammenarbeit mit dem berühmten «niemals!» antwortete, scheint, rein astrologisch betrachtet, unerklärlich.

Das Geheimnis dieser Kooperation lüftet sich beim Vergleich der beiden Schriften: Im Unterschied zu Bismarck verwirklichte sich Wilhelm I. nicht widdergemäß (vgl. S. 26). Er entwickelte nur einen Hauch von der Energie seines Kanzlers und nutzte dieses Minimum mit großer Betriebsamkeit für Pläne und Reformvorschläge. Er spürte die Widder-Lust, Dinge in Gang zu bringen, es fehlte ihm auch keineswegs an Ideen, doch er hatte nicht die notwendige Vitalität, sie durchzusetzen. Zur Täternatur fehlte ihm der stabile Untergrund. Sein Selbstbewußtsein war kaum ausgeprägt (Schrift ohne Mittelzone, geringe Ausdehnung der Kurzbuchstaben). Er wurde mit den Realitäten der

Welt nicht fertig, scheute schwerwiegende Entscheidungen und versteckte seine Angst hinter Pflichttreue und gutgespielten zeremoniellen Auftritten (ein Übermaß an verbindlichen Schlenkern in der Schrift).

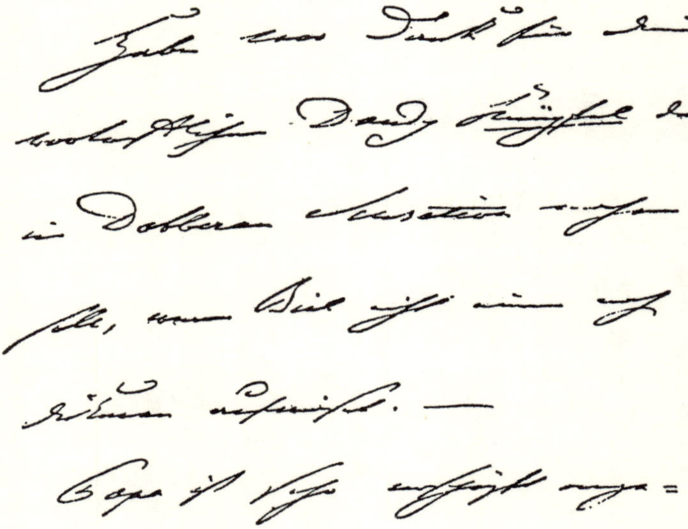

König Wilhelm I. von Preußen (ab 1871 Kaiser).
Schrift des jungen Monarchen (1834).

Den offensichtlichen Mangel an politischer Raffinesse kompensierte er durch eine geschickte Lebensregie. So wußte er heikle Situationen derart zu gestalten, daß kaum jemand auf den Gedanken kam, der Monarch stehe nicht fest auf den Füßen. Bei ernsten Auseinandersetzungen konnte sich eine solche Überkompensation fatal auswirken. Und so kam es 1862 zu einem Verfassungskonflikt, als Wilhelm I. die Reorganisation des Heeres in die Wege leitete, das Abgeordnetenhaus jedoch das Budget dafür nicht billigte. Ohne die notwendige Souveränität, seinen Standpunkt durchzusetzen, flüchtete er sich in eine Entweder-Oder-Situation, wobei das Oder die Androhung seiner Abdankung bedeutete. Hier wäre ein Widder um ein Haar an dem gescheitert, was die Schrift durch extreme Kleinheit, Drucklosigkeit, Überschrägheit und Fadenbindung verrät: an Labilität und Unselbständigkeit. Diese Symptome zeichnen sich stärker ab als die noch vorhandenen Widder-Merkmale der großen Längenunterschiede und der Eile, also die Kennzeichen der Täternatur mit weitgesteckten Zielen.

Wilhelm I. wäre als verbitterter König in die Geschichte eingegangen, wenn nicht ein mit allen erforderlichen Eigenschaften ausgestatteter Widder für ihn eingesprungen wäre. In Bismarck stand dem Monarchen ein energischer, eiserner Vertreter seiner angestrebten Politik zur Verfügung, der in dem Entweder-Oder-Konflikt die Initiative ergriff. Das verschärfte momentan zwar die Auseinandersetzungen, gab aber der Politik des Königs das notwendige Profil.

Sechsundzwanzig Jahre währte diese Widder-Gemeinschaft, bei der Bismarck nicht nur die Stütze, sondern mehr noch das Rückgrat Wilhelms I. war. Mit Aggressivität, Festigkeit und Ausdauer verfocht er eine Politik, von der Wilhelm allein nur hätte träumen können. Dank Bismarck war es ihm möglich, die Rolle zu spielen, in der ihn das Volk so gern sah, vor allem, sobald der Hohenzoller die Kaiserwürde angenommen hatte: als imposanten, väterlichen Heldengreis, frei von Schwäche wie von Überheblichkeit – kurz als Kaiser Wilhelm «den Großen».

Die moderne Geschichtsschreibung hat sich von der erhabenen Denkmalsfigur nicht beeindrucken lassen. So heißt es im *Kleinen Brockhaus* heute kurz und bündig: «Wilhelm I. war keine große Herrscherpersönlichkeit, aber er verstand es, bedeutende Männer an die führenden Stellen zu rufen und sie zu ertragen.»

Die Astro-Graphologie hätte den großen Wilhelm bereits vor hundert Jahren richtig charakterisiert: als einen standesbewußten Herrn mit tadellosen Manieren, aber geringem Energiepotential. Von einem ausgeprägten Innenleben ganz zu schweigen.

Die «Münchner Rhythmenlehre» als Denkanstoß

Kaiser Wilhelm I. wird sich seine im Grunde unbefriedigende Existenz kaum eingestanden haben, weil schließlich alles «so gut klappte». Dabei hätte ihm eine Konfrontation mit der Astro-Graphologie gutgetan als Mittel, das gestörte Verhältnis zwischen seinem Widder-Wesen und seiner allzu harmlos-verbindlichen Ausdrucksform sichtbar zu machen. Ein solcher Erkenntnisprozeß würde nämlich dazu beigetragen haben, einen Änderungswunsch zu wecken. So aber blieb sein Verhalten lebenslang von einem perfekt beherrschten Rollenspiel geprägt; der Anspruch auf individuelle Selbstverwirklichung wurde nie realisiert und verfiel mit der Zeit.

Wie wichtig ein Impuls von außen ist, damit eine innere Anlage geweckt und erfüllt wird, wie wichtig ein Denkanstoß ist, der den Menschen in Beziehung setzt zu der ihn umgebenden Erscheinungswelt und ihm dadurch erst das Verhältnis zu seinem eigenen Leben begreiflich macht, sehen Sie an diesem Buch. Erst das Konzept der «Münchner Rhythmenlehre», die 1952 bis 1956 von dem Astrologen Wolfgang Döbereiner entwickelt wurde, brachte die Autorin zu der Einsicht, in der Astrologie *nicht nur ein Instrument zur Ermittlung möglicher Ereignisse zu sehen, denen man hilflos ausgesetzt ist.*

Döbereiner sagt: «Schicksal in jedem Sinn ist nichts anderes als ein unterbewußt gesteuerter Ereigniswunsch und als solcher eine Revolte der angelegten Möglichkeiten im Menschen gegen seine vom Tierkreiszeichen angelegten Verhaltensmechanismen – nämlich dann, wenn diese seinen inneren Anlagen nicht gerecht werden. Die Münchner Rhythmenlehre unterscheidet bei diesen angelegten Möglichkeiten zwischen *Anlagen* und *Verhalten* und sieht im Horoskop die Anlage in den Planetenständen und deren Auswirkungen durch den *Aszendenten* symbolisiert. Alle unsere Anlagen sind, unlebendig und schlafend, auf das Verhaltensinstrumentarium angewiesen, um in Erlebnisse und Ereignisse umgesetzt zu werden. Wie im Märchen soll das, was verwunschen ist, durch Erlösung zum Leben erweckt werden. Das Verhaltensinstrumentarium aber symbolisiert die *Sonne* (Geburtstag); sie kennzeichnet das ‹Wie› des Erlebens. Durch das Verhalten fließt die Bewegung der angelegten Möglichkeiten und wird in der Schrift zum Ereignis.

Damit wird deutlich, daß das ‹Wie› des Lebens und Erlebens mit seinem Niederschlag sich unter anderem in der Schrift manifestiert, weil das ‹Was› der Person, ihre Anlage (Aszendent), nur über das ‹Wie› ihres Verhaltens (Sonne) im Rahmen der Tierkreiszeichen lösbar ist.»

Grundsätzlich gesehen gibt es, entsprechend den 12 Tierkreiszeichen, 12 Ereignisprogramme oder Prinzipien, die mit individuellen Modulationen angereichert sind. Jedes dieser Programme stellt «das Modell eines genetischen Speichers dar, in dem Anlagen als angeborene Verdienste ruhen» (W. Döbereiner). Diese einzelnen Modelle lassen sich präzise voneinander abgrenzen, weil sie nicht willkürlich aneinandergereiht sind, sondern der Münchner Rhythmenlehre zufolge einen Entwicklungszyklus darstellen, eine Evolution von Regulativen, bei denen ähnlich wie in der Natur die Reihenfolge einzelner Entwicklungsstadien festgelegt ist. In ihrer Gesamtheit stellen sie die Harmonie des Lebens dar. W. Döbereiner schuf damit eine grundsätzliche Definition des Tierkreises, die den Hintergrund bildet für die hier praktizierte Ableitung der tierkreiszeichentypischen Ausdrucksmerkmale.

Der erste Ansatz, Astrologie und Graphologie miteinander in Beziehung zu setzen, wurde 1925 von Herbert Freiherr von Klöckler gemacht. In einer kleinen Broschüre unternahm er es, ohne den psychischen Wesenskomplex eines Tierkreiszeichens zu berücksichtigen, rein astrologische Elemente – auch die Planetenkonstellationen – in das Medium der Graphologie fast wörterbuchmäßig zu übersetzen. Dieser Ansatz birgt allerdings die Gefahr, die Lebendigkeit der astrologischen Prinzipien, die ja dynamische Begriffe sind, zu sehr einzuschränken.

Entgegengesetzt verfuhr Thomas Ring, der in seinem Buch *Astrologische Menschenkunde* (1959) versuchte, astrologische «Strukturelemente an Hand von Bildinhalten denkbar zu machen». Seine Übertragungen von Tierkreiszeichen auf Schriftbilder, die mir in ihrer Bildhaftigkeit wesentliche Einsichten ermöglichten, beziehen sich mehr auf psychische Vorstellungen, auf das Phänomenologische, weniger auf beschreibende Charakteristiken im Sinne des graphologischen Merkmalkatalogs.

Die Entsprechungen zwischen Astrologie und Graphologie auf charakterologischer Basis herauszuarbeiten und der Versuch, die vom Gesamtverhalten gesteuerte Handschrift in einer Verbindung von Intuition und exakter Methode zu erfassen, wird in diesem Buch erstmals vorgestellt.

II
Der graphologische Aspekt

Wie man eine Handschrift analysiert

Eine amerikanische Statistik gibt die Wahrscheinlichkeit, zwei identische Handschriften zu finden, mit 1: 68 Trillionen an. Doch auch ohne diesen eindrucksvollen mathematischen Beweis ist die Unverwechselbarkeit der persönlichen Handschrift wohl nirgendwo auf der Welt jemals ernsthaft angefochten worden. Seit Beginn der Schriftkultur genügt die eigenhändige Unterschrift, um Verträge, Urteile, Schecks – kurz, Dokumente aller Art rechtsverbindlich zu machen. Erstaunlicherweise brauchen aber weder der Bankangestellte zum Verifizieren eines Schecks noch der Postempfänger zum Erkennen eines unbekannten Absenders graphologische Kenntnisse. Jeder Mensch hat ein Gespür für die Besonderheit des handschriftlich fixierten Ausdrucks und ist in der Lage, eine ihm vertraute Schrift aus tausend anderen herauszufinden. Die Bewegungsspur des Schreibers hinterläßt einen Bildeindruck, der rein gefühlsmäßig mit Adjektiven wie akkurat oder unordentlich, rund oder spitz, dynamisch oder schlaff wiedergegeben werden kann. Noch bevor man den Inhalt einer schriftlichen Mitteilung erfaßt hat, macht man sich allein aufgrund ihres Erscheinungsbildes eine gewisse Vorstellung von dem Schreiber, und zwar auch ohne sich jemals mit Graphologie beschäftigt zu haben.

Diese intuitive Erfahrung, gewonnen aus dem täglichen Umgang mit Geschriebenem, ist eine gute Voraussetzung für den folgenden kleinen Einführungskursus in die Methodik der Graphologie. Die Grundkenntnis der wichtigsten Schriftmerkmale und ihrer Deutungsmöglichkeiten ist dann Basis für die Synthese von Schriftbild und Sternbild, also für die Kombination von graphologischen und astrologischen Aussagen über das Wesen und die Lebensentwicklung eines Menschen.

Im Verlauf des Exkurses werden, zusammengefaßt zu 16 Kriteriengruppen, etwa 50 der wichtigsten graphologischen Merkmale behandelt. Auf eine allgemeine Charakterisierung des Merkmals folgt die Beschreibung seines Zustandekommens bzw.

seiner Ursachen *(Ursachenspektrum).* Daran schließt sich die Deutung des Merkmals, besser gesagt, die Untersuchung seines mehr oder weniger breiten und differenzierten *Deutungsspektrums.*

Es mag den Rationalisten, der eindeutige Antworten und unumstößliche Urteile erwartet, im ersten Augenblick verwirren, daß ein spezifisches Schriftmerkmal nicht nur auch eine einzige spezifische Deutung zuläßt, sondern mehrere, teilweise sogar höchst unterschiedliche. In dieser potentiellen Vieldeutigkeit liegt indessen keine Besonderheit und schon gar nicht eine Schwäche der Graphologie, sondern sie teilt diese Eigenheit mit allen Bereichen der Wissenschaft, der Technik und des Alltags, in denen Erkenntnis durch die Diagnose einer Reihe von Kriterien oder Symptomen gewonnen wird. Nur in seltenen Ausnahmefällen läßt ein Symptom für sich allein betrachtet eine eindeutige Bewertung zu. In der Regel stellt es vielmehr eine gewisse Bandbreite von Bewertungsmöglichkeiten zur Auswahl, und die Entscheidung für die eine oder andere Deutungsvariante hängt von der richtigen Koordinierung einer mehr oder weniger großen Zahl von Symptomen ab. Was aber für die Diagnostik in der Medizin und Psychologie gilt, trifft auch für die Graphologie zu. Ein einzelnes Schriftmerkmal darf nie als isoliertes, autonomes Kennzeichen betrachtet und beurteilt werden, es erhält seine Bedeutung erst durch die Konfrontation mit anderen Merkmalen und durch die Abwägung aller erkennbaren Kriterien. Ob einem Merkmal ein entscheidender oder nebensächlicher Stellenwert, ob ihm positive oder negative Bedeutung zukommt, das ergibt sich erst aus der graphologischen Synthese, zu der ich am Ende unseres kleinen Einführungskurses kommen werde.

Ludwig Klages, der Begründer der Ausdruckswissenschaft, machte die Einteilung in negative oder positive Bewertung eines Schriftmerkmals vom Gesamteindruck einer Schrift, von ihrer Lebendigkeit, ihrem natürlichen Rhythmus und ihrer individuellen Substanz abhängig. Unter diesem ganzheitlichen Gesichtspunkt wurden auch die Deutungstabellen aufgestellt, in

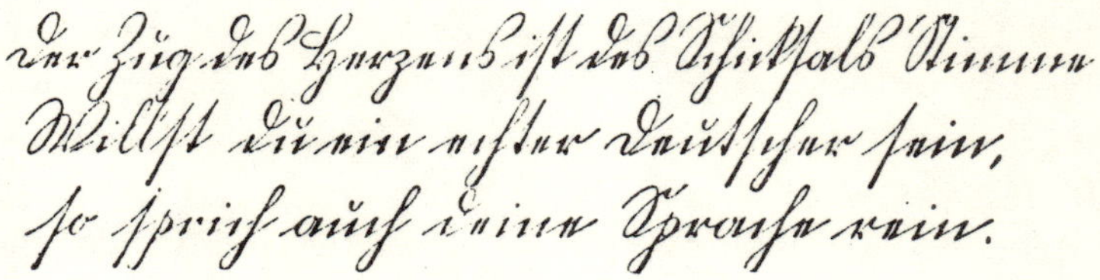

Deutsche Schrift des 19. Jahrhunderts.

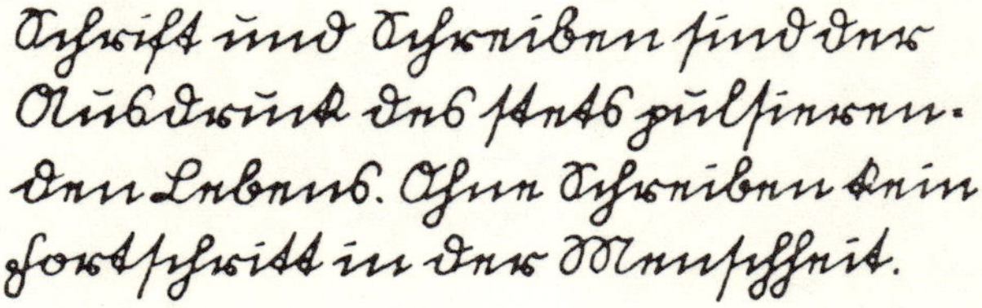

Deutsche Schrift (nach L. Sütterlin).
Schulvorlage bis 1941.

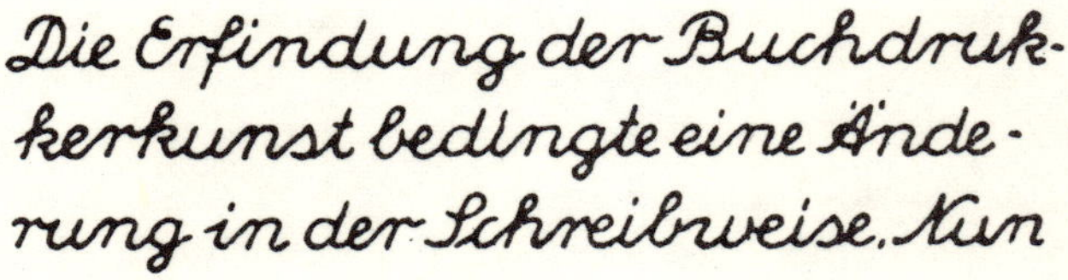

Lateinische Normalschrift.
Heutige Schulvorlage.

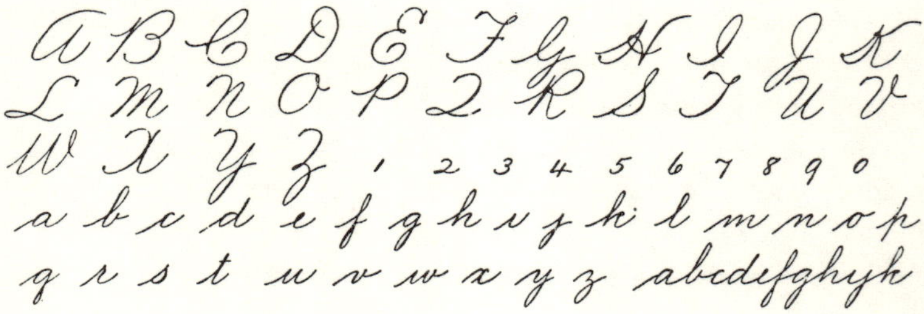

Klassische englische Buchstabenformen.

denen – unter dem Plus-Vorzeichen – die nach allgemeingültigen Maßstäben positiv zu wertenden Deutungsbegriffe den negativ zu wertenden – mit dem Minus-Zeichen versehenen – gegenüberstehen. Die positive und die negative Bezeichnung einer Verhaltensweise oder einer Charaktereigenschaft sind die Grenzwerte, zwischen denen jene Zwischenstufen und Nuancen liegen, die der Graphologe gleichsam durch Interpolation, aber auch durch Addition oder Subtraktion und unter ständiger Berücksichtigung des ganzheitlichen Aspekts zu ermitteln hat.

Es würde den Rahmen dieses Buches sprengen und den Leser überfordern, würden in den folgenden Abschnitten sämtliche Schriftmerkmale erläutert und auf ihr Deutungsspektrum hin untersucht werden. Aus gleichen Gründen wurde auch statt einer verwirrenden Vielzahl nuancenreicher Schriftproben für jedes komplexe Merkmal jeweils nur ein besonders typisches Beispiel gegeben, und zwar von der Hand einer berühmten Persönlichkeit, deren Lebensverlauf und Charakterbild bekannt oder zumindest nachprüfbar sind. Dabei ist es graphologisch ohne Bedeutung, ob sich der Schreiber in fremder Sprache, in neuzeitlicher oder altmodischer Schrift geäußert hat. Die Gebärdensprache war und ist – mit wenigen Einschränkungen – in der ganzen Kulturwelt die gleiche. Deshalb kommt es auch bei der Beurteilung der «Schriftgebärde» nicht auf die Nationalität oder die Sprache an, sondern nur auf die Kenntnis der jeweiligen Schulvorlage. Die Schulvorlage, also die Schrift, die der Schreiber in der Schule gelernt hat, ist der Ausgangspunkt, auf den alle bei der persönlichen Schriftgestaltung entstehenden Abweichungen bezogen werden müssen. Alles, was nicht mehr dem vorgeschriebenen Muster entspricht, gehört zur Selbstdarstellung und kann nach den hier erläuterten Kriterien graphologisch gedeutet werden.

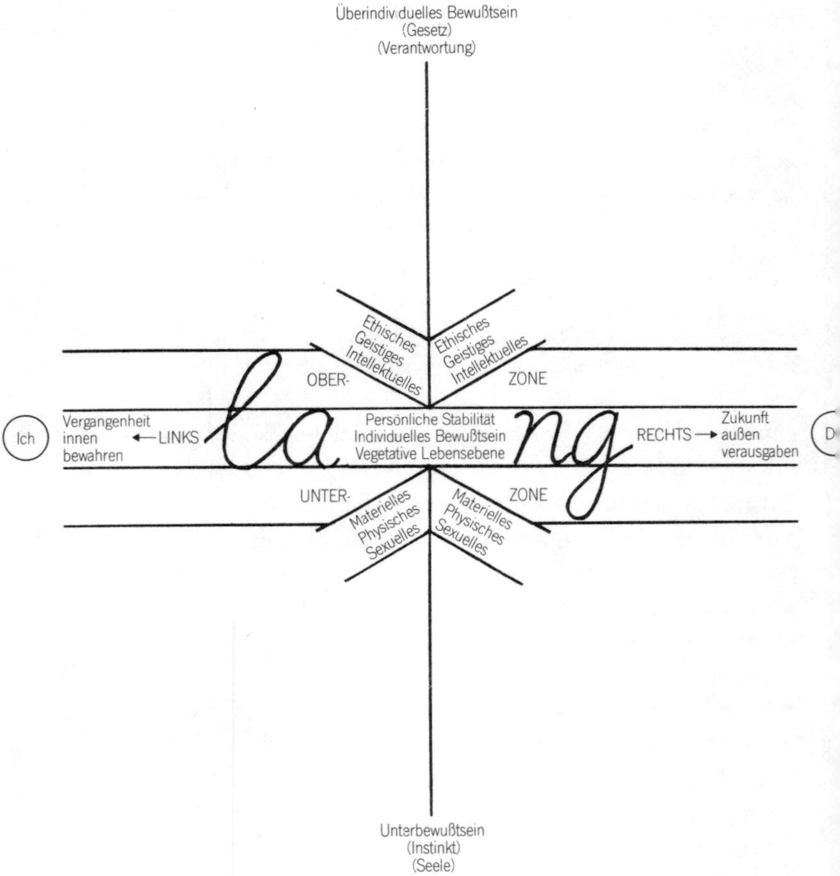

Jeder Schreibvorgang verlangt eine Ausrichtung nach links und rechts, nach oben und nach unten. Damit wird unbewußt das eigene Wesen nach außen projiziert. In unserem Kulturraum läuft die Gesamtbewegung des Schreibens von links nach rechts. Wir äußern uns damit vom Ich zum Du, wir ***äußern*** unser ***Inneres*** – in welchem Maß und unter welchem Gesichtspunkt hängt davon ab, wie sehr wir welche Richtung betonen.

Die vier Grundrichtungen

Es gibt beim Schreiben vier Grundrichtungen: oben und unten, links und rechts. Bei nahezu jedem geschriebenen Wort ist es unumgänglich, allen vier Richtungen zu folgen, wenn auch in ganz unterschiedlicher Reihenfolge. Wer beispielsweise das Wort «lang» hinschreibt, wird merken, daß er das Schreibgerät nach oben, nach links, in die Mitte, nach rechts und nach unten führen muß.

Diesen Zonen entsprechend ist unsere lateinische Schreibvorlage in drei gleiche horizontale Abschnitte eingeteilt. Kernstück ist die Mittelzone. Über ihr liegt die Oberzone, unter ihr die Unterzone. Eine Senkrechte dazu bestimmt die Schreibrichtung: links und rechts.

Eine so grobe qualitative Bewertung von «oben» und «unten», wie im allgemeinen Sprachgebrauch üblich, gibt es in der Graphologie nicht. «Oben» ist graphologisch also nicht unbedingt besser als «unten». Die eine wie die andere Tendenz kann für sich oder in Kombination mit anderen Kriterien positive oder negative Bedeutung haben. Allerdings stellt man sich auch in der Graphologie das Geistige, das Über-Ich, oben, nie unten vor. Wer Ziele, Ambitionen oder Ideale hat, strebt nach oben, nach Höherem. Andererseits will man aber auch nach oben, wenn man von Ehrgeiz getrieben ist oder sich um jeden Preis aus der Masse herausheben will, wenn man hochfliegende Pläne verfolgt und darüber den Boden unter den Füßen verliert. Beim Schreiben führt der Zug nach oben immer vom Körper weg; man wagt sich gleichsam über das Materielle hinaus, sei es in die Gefilde der höheren Erkenntnis oder der Illusionen.

Logischerweise muß dann der Zug nach unten zum Körper hinführen, einerseits zur Wurzel des Lebens, andererseits zum Materiellen. «Er hat niedere Interessen», sagt man von jemandem, der nur hinter dem schnöden Mammon her ist. Das ist indessen nur *ein* Aspekt des Zuges nach unten, denn gleichzeitig weist diese Richtung ja auf den «Urgrund», auf die Emp-

Bei dieser Schrift ist viel Oberzone

Die Unterzone ist kräftig ausgebildet

Diese Schrift ist rechtsläufig

diese Schrift ist linksläufig

Die Mittelzone ist zu klein

Die Mittelzone ist zu groß

Normale Schulvorlage

findungsstärke und Sinnlichkeit, auf Wärme und Instinkt, ohne deren Vorhandensein man sich eigentlich nicht nach oben entwickeln könnte. Unten, das ist die Erde, das Konkrete und Reale. Oben ist das ferne Firmament, der abstrakte oder irreale Bereich des Geistes zu suchen, der aber auch ins Nebulose übergehen kann.

Die unterschiedliche Wertigkeit von Links und Rechts der Schriftrichtung wird deutlich beim Vergleich der westlichen mit der östlichen Schreibweise. Viele orientalische Völker schreiben von rechts nach links, die Europäer und die übrige westliche Welt dagegen von links nach rechts. Besser gesagt, ihre Hauptrichtung beim Schreiben geht immer nach rechts. Damit gilt bei uns die Links-rechts-Richtung als Vorwärtsrichtung; sie führt uns vom Mittelpunkt weg in die Weite, in die Expansion. Dies ist die uns gemäße Art des Sichäußerns: Man will sein Zentrum nach außen tragen, sich dem Du zuwenden, mit der Umwelt Kontakt aufnehmen, Neues entdecken, den Fonds der Erfahrungen vermehren. Alle Entwicklung liegt in der Zukunft, und die sehen wir wiederum stets nach rechts voranschreitend. Es stecken in diesem «Rechtsdrall» viele positive Motive wie die soeben genannten, aber auch einige Gefahren, beispielsweise Unselbständigkeit durch Verlust des Zentrums sowie ein Mangel an Konzentrationskraft und Kontemplationsfähigkeit.

Die nach links gerichtete Bewegung dagegen führt nach innen. Sie entspringt einer zum Mittelpunkt strebenden Kraft. Hier wird Energie konzentriert und geballt bereitgehalten. Wenn sie nicht verausgabt wird, bleibt sie für «interne Zwecke» erhalten und kann zur Durchsetzung und Selbsterhaltung benutzt werden. Der Drang zur Erforschung des eigenen Ichs im Gegensatz zum Eingehen auf das Du der rechtsläufigen Bewegung steht dahinter. Das Bewußtsein ist eher nach innen gewendet, man lebt aus dem Gedächtnis in Erinnerungsbildern der Vergangenheit, aus der Tradition. In reiferen Jahren zehrt man von den Eindrücken der expansiven Phase; alles äußerlich Erlebte wird aufgearbeitet. Dieser Verwertungsprozeß, der den Reichtum der äußeren Erfahrungen ordnet, führt zur inneren

Balance und Sammlung. Man sieht auch hier die Parallele zum Orient. Die Menschen, die von rechts nach links schreiben, wenden sich mehr nach innen und zeigen für unsere Begriffe wenig «Äußerungen». Es liegt darin der Sinn für Kontemplation wie auch ein gesunder Erwerbssinn. Das beinahe rituelle Handeln (Feilschen) auf orientalischen Märkten ist ein Musterbeispiel für diese Tendenz.

Das erste Kriterium bei der Untersuchung einer Schrift bietet also ihre Grundrichtung. Es gilt herauszufinden, welche Richtung betont, welche vernachlässigt ist. Eine Zone kann deshalb betont sein, weil ihre Gegenzone verkümmert ist. Oder aber eine Zone geht von sich aus über die Norm hinaus. Zur Deutung lasse man sich davon noch nicht hinreißen; sie muß in Einklang stehen mit den übrigen Schrifteigenschaften. Eine Schrift mit hoher Oberzone muß nämlich nicht unbedingt einem Idealisten gehören, es kann sich auch ein Ehrgeizling dahinter verbergen. Ebenso wie eine rechtsläufige Schrift nicht allein auf Güte und Altruismus schließen läßt, sondern auch Unselbständigkeit ausdrücken kann.

Verallgemeinernd läßt sich sagen: Wenn beide Richtungen betont sind, die nach oben und die nach rechts, so handelt es sich um eine nach außen gekehrte, extravertierte Haltung mit viel Beweglichkeit, abstraktem Denkvermögen und ausgeprägtem Drang zu vielseitiger Betätigung. Ein Vorherrschen der Betonung nach unten und nach links dagegen spricht für ein nach innen gekehrtes, introvertiertes Wesen mit konkretem Denken und konzentrierter Tatkraft.

Bisher wurde die Betonung der Mittelzone noch nicht erwähnt. Sie steht im wahrsten Sinne des Wortes in der Mitte, zwischen oben und unten, und läßt erkennen, ob der Drang nach oben ihre Entwicklung beeinträchtigt oder der nach unten ihr den Boden nimmt, das heißt, ob sie auf Kosten der Bestrebungen nach oben oder nach unten zu kurz kommt. Durch die Bewegungsbetonung nach links können ihre Buchstaben gequetscht werden, beim Trend nach rechts wird auf die einzelnen Buchstaben wenig Sorgfalt verwendet. Deshalb spricht eine gut ausgeprägte Mittelzone für eine angemessene Zentriertheit. Das bedeutet: Man schenkt den Dingen des Alltags, der unmittelbaren Umgebung, die ihnen gebührende Aufmerksamkeit, ohne sich durch das Streben in eine der vier Richtungen aus dem Gleichgewicht bringen zu lassen. Man hat seine Mitte.

Nahezu alle Schriftmerkmale, auf die wir in der Folge zu sprechen kommen werden, lassen sich in dieses Schema hineinprojizieren. Ganz offensichtlich ist das bei Rechts- oder Linksläufigkeit oder bei Ober- und Unterlängen. Ohne viele Vorkenntnisse versteht man aber auch die Bedeutung von Weite und Enge, von Schrägheit und Steilheit, von Verbundenheit und Unverbundenheit, weil sie alle in den Spielraum zwischen rechts und links, zwischen oben und unten einzuordnen sind.

Weniger offensichtliche Ausdrucksformen wie Teigigkeit und Schärfe, Druckstärke und Druckschwäche enthüllen ihre Zugehörigkeit zur «Bewußtseins-Topographie» erst später, wenn man mit den verschiedenen Bewegungsabläufen vertrauter geworden ist.

Die folgenden Schriftmerkmale sind deshalb in der Reihenfolge ihrer Einordnungsfähigkeit angeführt. Dieses Schema als Hintergrund soll erst Einfaches plausibel machen und später immer weitere Assoziationen ermöglichen.

Rechtsläufigkeit – Linksläufigkeit

Nach unserer Schulvorlage schreiben wir rechtsläufig, das heißt, unsere Schreibbewegung setzt sich nach rechts fort, wobei zur Ausformung der Buchstaben aber auch ein Anteil nach links laufender Bewegung notwendig ist. Diese Linksläufigkeit kann gesteigert werden:

a) wenn der Schreiber die Tendenz zeigt, seine Bewegungen nach links zu richten, etwa durch linksläufige Verstärkungen, Hinzufügungen und Abbiegungen oder
b) indem rechtsläufige Züge einfach fortgelassen werden.

Ebensogut läßt sich vorhandene Rechtsläufigkeit verstärken:

a) indem ohnehin rechtsläufige Schlußzüge noch weiter nach rechts oder oben rechts oder seitlich abgebogen werden oder
b) indem linksläufige Schleifen vermindert, fortgelassen bzw. durch rechtsläufige Verbindungen ersetzt werden.

RECHTSLÄUFIGKEIT
Ursachenspektrum

Weil die nach rechts gehende Schreibbewegung dem Expansionsimpuls unterliegt, ist sie vor allem charakteristisch für den Geist der westlichen Welt. Der Drang nach vorn entspricht der verstärkten Bewegung nach rechts. Die Verinnerlichung, der eigene ruhende Pol, wird aufgegeben zugunsten einer Anschlußsuche in der Du-Beziehung.

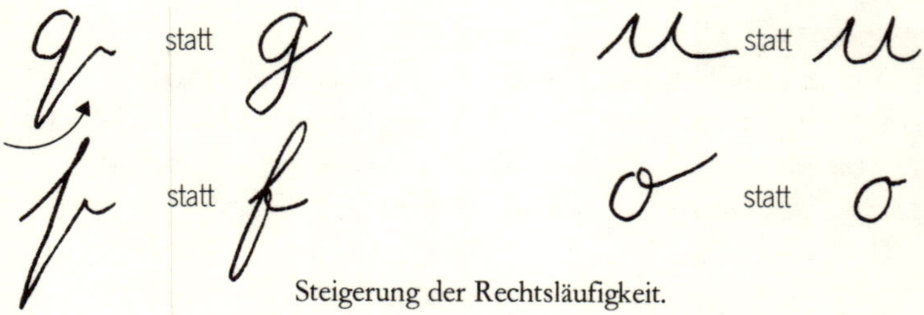

Steigerung der Rechtsläufigkeit.

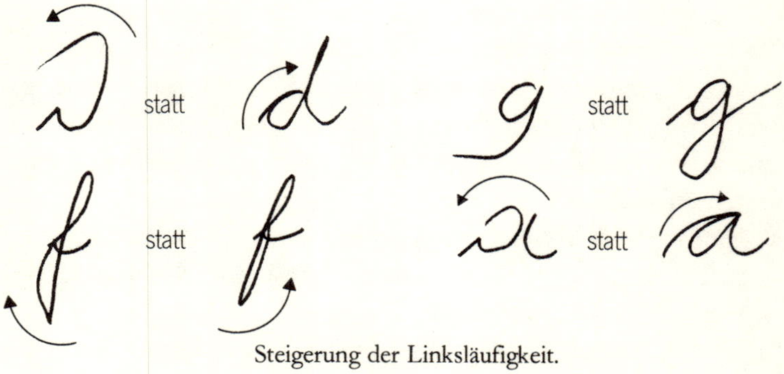

Steigerung der Linksläufigkeit.

Deutungsspektrum

In erster Linie weist die rechtsläufige Schrift auf eine Kontaktsuche mit der Außenwelt hin. Der Schreibende streckt die Hand aus, um eine Beziehung zur Umwelt zu suchen. Das sind gute Voraussetzungen für die Anpassung an die Lebensbedingungen. Pauschal gesehen läßt Rechtsläufigkeit deshalb auf Extravertiertheit schließen, sei es aus Mitgefühl und Uneigennützigkeit oder aus dem Drang, sich betätigen zu wollen. Wird dagegen versucht, der eigenen Labilität durch Teilnahme an der Außenwelt Halt zu geben oder durch äußere Betriebsamkeit die inneren Probleme zu überspielen, so darf eher auf Unselbständigkeit geschlossen werden. Der Individualismus ist dabei zu wenig begrenzt; aus übertriebener Loyalität heraus kann nicht mehr nein gesagt werden; man läßt sich beeinflussen und gängeln.

Die extrem nach außen gekehrte Gemütsverfassung verhindert eine Besinnung auf sich selbst. Dabei entwickelt sich die Abhängigkeit von der Außenwelt so stark, daß Ungeduld und Rastlosigkeit die Folgen sind.

LINKSLÄUFIGKEIT

Ursachenspektrum

Der Weg nach innen geht nach links. So wie viele Kulturen mit meditativer Geisteshaltung von rechts nach links schreiben, hat der linksläufige Schreiber die Neigung, sich zu sammeln. Das geringere Aufschließen für äußere Belange, das heißt, die sparsame Wendung nach rechts, geschieht zur Abgrenzung. Die eigene Entwicklung und der innere Reichtum sollen bewahrt werden.

DEUTUNGSTABELLE RECHTSLÄUFIGKEIT

+	–
Anpassungsbereitschaft	Standpunktlosigkeit
Äußerungstrieb	Getriebenheit
Anschlußbedürfnis	Selbstflucht
Expansion	Angriffsbereitschaft
Zukunftsbezogenheit	Überbewertung von Neuem
Tätigkeitsdrang	Rastlosigkeit, Ungeduld
Geselligkeit	Sensationslust
Uneigennützigkeit	Mangel an Abgrenzung
Mitgefühl	Beeinflußbarkeit
Emanzipation	Ichausbreitung
Freigebigkeit	Verschwendung
Zuvorkommenheit	Übertriebene Loyalität
Nächstenliebe	Nicht-nein-sagen-Können

DEUTUNGSTABELLE LINKSLÄUFIGKEIT

+	–
Selbständigkeit	Anpassungsmangel
Entschiedenheit	Mitgefühlmangel
Aneignungstrieb	Eigennutz
Selbsterhaltungsstreben	Egoismus
Erwerbssinn	Habsucht
Zurückhaltung	Hemmung
Verschlossenheit	Unaufrichtigkeit
Beschaulichkeit	Egozentrik
Sammlung	Selbstgefälligkeit
Seelischer Reichtum	Ichbezogenheit
Meditative Geisteshaltung	Leben in Illusionen
Besinnlichkeit	Untätigkeit
Introvertiertheit	Teilnahmslosigkeit
Vergangenheitsbezogenheit	Verbohrtheit, Sentimentalität
Phantasie	Übertriebene Einbildungen

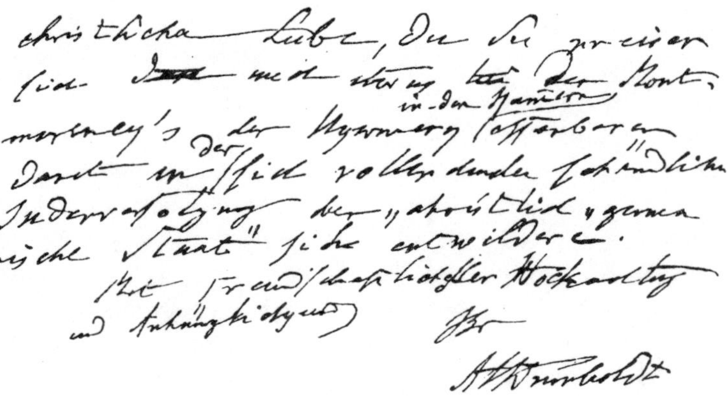

Alexander von Humboldt, geb. 14. 9. 1769 (Jungfrau).
Der Expansionsdrang, der Forschungs- und Eroberungstrieb, der in der Rechtsläufigkeit steckt, kann kaum plastischer zum Ausdruck kommen als in der optimistisch ansteigenden Schrift des bedeutendsten deutschen Expeditionsreisenden und Naturforschers.

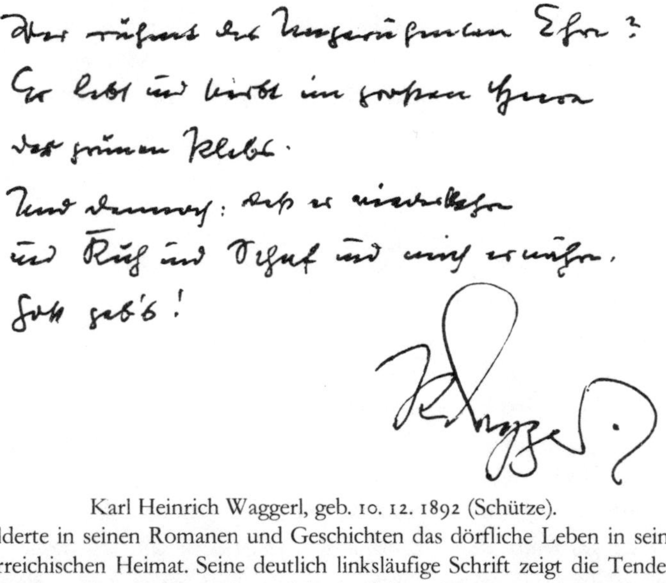

Karl Heinrich Waggerl, geb. 10. 12. 1892 (Schütze).
Schilderte in seinen Romanen und Geschichten das dörfliche Leben in seiner österreichischen Heimat. Seine deutlich linksläufige Schrift zeigt die Tendenz zu Vergangenheitsbezogenheit und besinnlichem Denken und läßt in den übertriebenen, linksläufigen Schwüngen der Unterschrift allzu begeistertes Festhalten an der «Scholle» (Bodenständigkeit) erkennen.

Deutungsspektrum

Von Natur aus bedeutet jeder Rechtszug einen Zustand des Strebens. Folgt darauf ein Linkszug, so wird der frei fließende Bewegungsablauf nach rechts unterbrochen, das Streben wieder zum Ausgangspunkt zurückgeführt. Es kommt zu einem Aneignungsvorgang, der, wie die Nahrungsaufnahme, primär der Selbsterhaltung dient. Das Individuum grenzt sich ein, verteidigt sich mit Entschiedenheit und entwickelt Selbständigkeit.

Die geistige Form der Linksläufigkeit tendiert zu einer Beschäftigung mit sich selbst. Nach der Art des stofflichen Erwerbssinns werden geistige Inhalte gesammelt, um das eigene Bewußtsein zu erweitern und die äußeren Eindrücke zu einem inneren Bild zu formen.

Es liegt auf der Hand, daß eine Eingrenzung, die im Positiven die Forderungen des Selbsterhaltungstriebes erfüllt, im Extrem in Selbstsucht und schieren Egoismus, mit Habsucht und Eigennutz ausartet. Geistig gesehen entsteht in diesem extremen Fall der Egozentriker, der mit übergroßer Ichbezogenheit (bei Klages «Eigenbezüglichkeit») zur Übelnehmerei neigt.

Größe – Kleinheit

Erinnern wir uns an die Einteilung der Schrift in Ober-, Mittel- und Unterzone. Die Buchstaben unseres Alphabets beanspruchen nun entweder nur eine Zone – hierzu gehören die *Kurz*buchstaben, also beispielsweise *c, n* und *v* sowie alle Vokale;

oder zwei Zonen – wie etwa die *Mittel*buchstaben *H, t und g;*

oder drei Zonen – wie *f* und das *h* der deutschen Schrift.

Nimmt man die Ausdehnung der Kurzbuchstaben als Maßeinheit, so sollte der Mittelbuchstabe zwei solcher Einheiten betragen und der Langbuchstabe drei davon. Wir haben also ein Verhältnis von 1:2:3 oder, seit Einführung der «deutschen Normalschrift», 3:5:7.

Die normale Größe für die Ausdehnung der Kurzbuchstaben ist nach unserer Schulvorlage 3 mm. Alles, was darüber hinausragt, muß als «große Schrift» bezeichnet werden, alles, was darunterbleibt, als «kleine Schrift».

Die Proportionen der Buchstaben zueinander bleiben immer gleich, egal, ob man mal kleiner und mal größer schreibt. Sollte es in Ausnahmefällen nicht so sein, ist für die Bestimmung der graphologischen Größe einer Schrift die Höhe der Kurzbuchstaben maßgebend.

SCHRIFTGRÖSSE

Ursachenspektrum

Jemand, der sich persönlich groß einschätzt, demonstriert dies auch in der Schriftgröße. Der Ich-Anspruch wird auf die Schreibfläche übertragen, oder umgekehrt: Die Ausdehnung im dreidimensionalen Raum entspricht der im zweidimensionalen Schriftfeld. Großes Selbstvertrauen verlangt nach großem Raum, und er wird mit Schwung und Expansionslust in Beschlag genommen.

Deutungsspektrum

Jeder, der große Bewegungen spontan ausführt, läßt sich begeistern und von seiner Begeisterung forttragen. Der Elan setzt sich über Schwierigkeiten hinweg, deshalb tendiert das gefühlsmäßige Moment der Größe zu Enthusiasmus und kann im Extrem, wenn die Realität kaum noch in Betracht gezogen wird, zu völligem Mangel an Wirklichkeitssinn führen.

Man muß zwischen innerer und äußerer Größe unterscheiden: Größe, die sich auf das Wollen bezieht, betont mehr das aktive Moment der großen Bewegung. Hier entsteht Taten-

DEUTUNGSTABELLE SCHRIFTGRÖSSE

+	–
Begeisterungsvermögen	Mangel an Wirklichkeitssinn
Idealismus	Schwärmerei
Spontaneität	Handeln im Affekt
Großes Selbstbewußtsein	Prätention
Tatendrang	Leichtsinniger Ich-Anspruch
Unternehmungslust	Mangel an Konzentration
Gestaltungskraft	Verschwendung
Großzügigkeit	Unvorsichtigkeit
Souveränität	Hochmut
Großmut	Großsprecherei

DEUTUNGSTABELLE SCHRIFTKLEINHEIT

+	–
Wirklichkeitssinn	Schwunglosigkeit
Intellektuelles Denken	Kleingläubigkeit
Realismus	Trockenheit
Pflichtgefühl	Mangel an vitaler Kraft
Mäßigung	Pedanterie
Präzision	Kleinlichkeit
Konzentration	Beschränktheit
Taktgefühl	Unterwürfigkeit
Vorsicht	Ängstlichkeit
Genügsamkeit	Kurzsichtigkeit
Bescheidenheit	Selbstzweifel
Einsicht in eigene Unzulänglichkeit	Kleinmut
Reduzierter Ich-Anspruch	Minderwertigkeitsgefühl

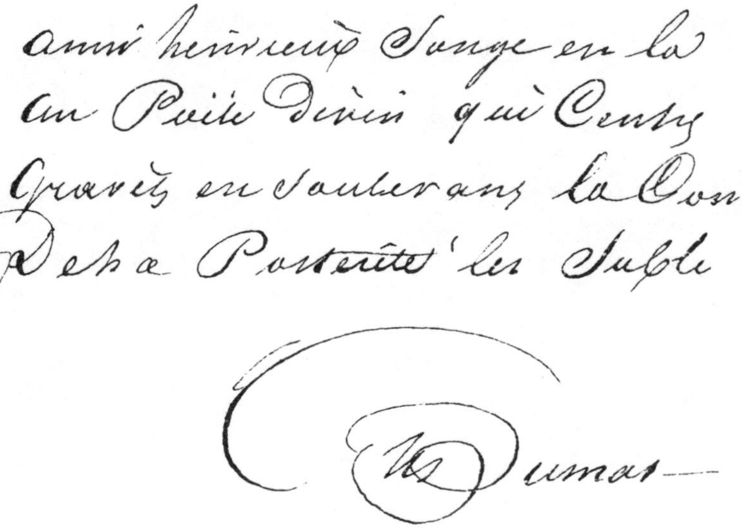

Alexandre Dumas der Ältere, geb. 24. 7. 1802 (Löwe).
Bekannt vor allem durch seine Abenteuerromane *Der Graf von Monte Christo* und *Die drei Musketiere,* deren Helden mit Idealismus, Tatendrang und Unternehmungsgeist die Merkmaldeutung «Schriftgröße» vorlebten und ebensowenig wie ihr Urheber, Dumas, in seiner Unterschrift, vor Übertreibungen (Großsprecherei) zurückschreckten.

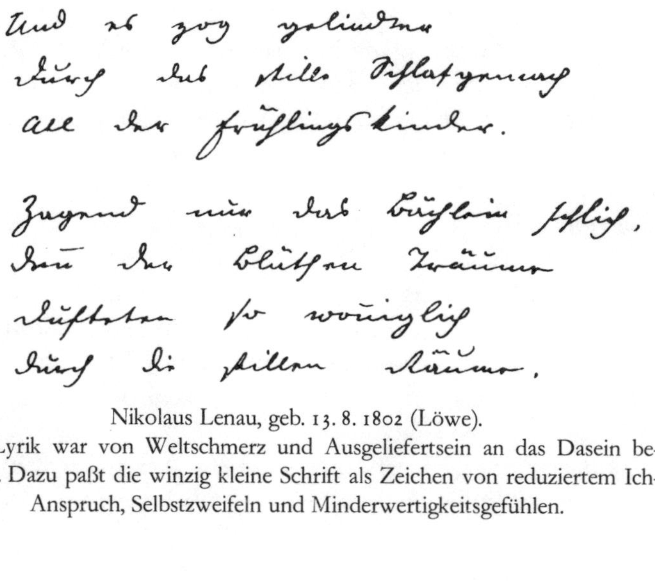

Nikolaus Lenau, geb. 13. 8. 1802 (Löwe).
Seine Lyrik war von Weltschmerz und Ausgeliefertsein an das Dasein bestimmt. Dazu paßt die winzig kleine Schrift als Zeichen von reduziertem Ich-Anspruch, Selbstzweifeln und Minderwertigkeitsgefühlen.

drang und Unternehmungsgeist. Die weitausholende Bewegung kann, wenn keinerlei Einschränkungen sie zügeln, unvorsichtig werden. Sie setzt immer neue Ziele, die es zu erobern gilt, und endet bei Reizüberflutung in Flüchtigkeit, weil Konzentration auf *ein* Ziel nicht mehr möglich ist.

Äußere Größe, gekennzeichnet durch anspruchsvoll ausgreifende Bewegungen, lassen auf souveränes Selbstgefühl und würdevolles Auftreten schließen. Wirken die großen Schriftbewegungen nicht mehr spontan und zeigen aufgeblasene Konturen, so fehlt dem selbstbewußten Gehabe der Hintergrund. Statt etwas zu sein oder zu empfinden, wird etwas vorgegeben, und es entsteht der Eindruck von Überheblichkeit, Hochmut, Großsprecherei.

Schriftkleinheit

Ursachenspektrum

Je geringer das Selbstgefühl, um so weniger Raum wird zur Ausbreitung des Ichs benötigt. Praktischer Sinn für die Realität mäßigt alle ausgreifenden Impulse. Je sachlicher die Betrachtungsweise, desto mehr wird der eigene Standort innerhalb großer Zusammenhänge klar. Der Ich-Anspruch reduziert sich.

Deutungsspektrum

Kleine Schrift ist das Kennzeichen für Wirklichkeitssinn, für eine Person, die sich nicht zu großen Bewegungen fortreißen läßt, sondern Tatsachen abwägt. Die Umwelt wird nüchtern gesehen, was im Extrem zu Strenge, Trockenheit, Begeisterungsunfähigkeit führen kann.

Forcierte oder Über-Kleinheit ist ein Anzeichen dafür, daß man sich auf einen engen Wirkungskreis konzentriert. Man ist sich bewußt, nur ein Rad im großen Getriebe zu sein, läuft dabei durch ein Zuviel an Selbstbeschränkung jedoch Gefahr, den Schwung zur Eigeninitiative zu verlieren. Ein Ich, das sich mit allzu bescheidenen Äußerungen begnügt, treibt gewissermaßen Inzucht, erkennbar an Engherzigkeit und Pedanterie. Die Persönlichkeit wirkt – wie die Schrift – «dezimiert». Kleinmut, Ängstlichkeit und Selbstquälerei, ja neurotische Weltfremdheit sind die Folgen.

Längenunterschiedlichkeit

Neben dem Merkmal der Größe und Kleinheit gibt es noch ein zweites Kriterium für die Größenausdehnung: die absolute Schreibgröße, meßbar am lateinischen *f*. Die graphologisch zu erfassende relative Größe betraf die Kurzlänge mit einem Mittelwert von 3 mm. Zu ihr sollten sich die Mittel- und Langlängen in konstanter Proportion verhalten. Zur Feststellung der absoluten Schreibgröße wird der weiteste Ausschlag einer Schrift erfaßt.

Unsere derzeitige Schulvorlage mit dem Verhältnis 1:2:3 oder 3:5:7 (Kurz- zu Mittel- zu Langlängen) gibt dafür den Mittelwert an. Werden die Mittel- und Langlängen innerhalb dieses Verhältnisses gekürzt, kommt es zu geringer Längenunterschiedlichkeit, werden sie vergrößert, so handelt es sich um eine große Längenunterschiedlichkeit.

GROSSE LÄNGENUNTERSCHIEDE

Ursachenspektrum

Wer einen Zustand verändern will, kann dies nicht ohne Bewegung tun. Beim Laufen bewegt sich der Körper intensiver als im Stand. Im Wachzustand ist die Atmung schneller als im

Schlaf, und wer seinen Wissensstand verbessern will, muß den Geist mobilisieren.

Darum entstehen große Längenunterschiede in erster Linie aus Veränderungsbedürfnis und Tätigkeitstrieb. Der augenblickliche Zustand genügt nicht. Man macht große Bewegungen, um voranzukommen, etwas zu erreichen.

Deutungsspektrum

Die Mittelzone der Schrift kann mit dem Zentrum des Menschen verglichen werden. Darum gefährdet jede Bewegung, die eine unproportional große Differenz zwischen Mittelzone und den äußeren Zonen schafft, die seelische Balance. Verschiedene gute Gründe, zum Beispiel Tatendrang und Unternehmungsgeist können dazu führen, die Sicherheit aufzugeben. Die Bereitschaft, Risiken einzugehen und sich auf Abenteuer einzulassen, verträgt sich nun mal nicht mit dem Sinn für das richtige Maß und für Proportionen. Mit jugendlichem Elan und großen Gesten riskiert man viel, zumal den «Verlust der Mitte». Eine Vorherrschaft des Gefühlslebens über das Verstandesleben stört das Gleichgewicht. Impulsivität und starke Beeindruckbarkeit lassen ein «Insichruhen» gar nicht zu.

Bei einem Vorherrschen des Verstandes über die Gefühle ergibt sich das gleiche Bild. Wie kann es zu innerer Ausgeglichenheit kommen, wenn kalkulierter Ehrgeiz den Motor der Strebsamkeit unentwegt in Gang hält? Die augenblickliche Lage scheint verbesserungsbedürftig. Man will über sich hinaus, ist geltungssüchtig oder auch nur permanent unzufrieden mit dem Status quo.

In jedem Fall, ob bei der Verstandes- oder der Gefühlsvorherrschaft, tritt eine Diskrepanz auf zwischen Wollen und Können. Das Können, die Mitte, kann sich nicht proportional entwickeln. Die Gesamtpersönlichkeit kann mit den in die Ober- oder Unterzone ausschweifenden Ansprüchen nicht Schritt halten.

KLEINE LÄNGENUNTERSCHIEDE
Ursachenspektrum

Kleine Längenunterschiede lassen die Schrift konzentriert erscheinen; es fehlen die Ausschläge nach oben und unten. Die Bewegungen in diesen beiden Richtungen werden um so sparsamer sein, je größer der Wunsch nach Sicherheit im begrenzten Rahmen der eigenen Möglichkeiten ist.

Deutungsspektrum

Die Verkürzung der Ausschläge nach oben und nach unten ist eine Begleiterscheinung der Desillusionierung. Träumen, Projekten und ehrgeizigen Plänen wird kein Raum gegeben. Unter dem nüchternen Aspekt der Verwirklichungschancen schwinden sie dahin. Daraus wird verständlich, daß geringe Längenunterschiedlichkeit zum Teil ein altersbedingtes Merkmal ist. Sowie die Zeit des jugendlichen Ungestüms mit den aufs Graphologische übertragbaren «hochfliegenden» Ideen vorbei ist, wird ein bestimmter Grad von Lebensreife die Zentrierung um den Mittelpunkt und die Tendenz zur Ausgewogenheit begünstigen. Nach dem Sturm und Drang kommt es zur Mäßigung, später unter Umständen zur Abgeklärtheit.

Weil Längenunterschiedlichkeit unabhängig vom Alter zu beurteilen ist, muß es einem jugendlichen Schreiber mit geringer Längenunterschiedlichkeit um so mehr an Dynamik fehlen. Seine Selbstzufriedenheit kann an Gleichgültigkeit grenzen, seine Anspruchslosigkeit sich in Stumpfheit äußern. Ohne Ehrgeiz zu sein, hat manches Positive, solange das Motiv dafür nicht in der Interesselosigkeit eines phlegmatischen Naturells zu suchen ist. Große Längenunterschiedlichkeit vernachlässigt die Mittelzone mit der Ich-Sphäre; wird diese dagegen zu sehr, zu einseitig betont, so beweist das einerseits Selbstvertrauen, ande-

DEUTUNGSTABELLE GROSSE LÄNGENUNTERSCHIEDE

+	–
Unternehmungslust	Unruhe
Dynamik	Aufgeregtheit
Abenteuerlust	Haltlosigkeit
Lebhaftigkeit	Zersplitterung
Aufgeschlossenheit	Zwiespältigkeit
Strebsamkeit	Unzufriedenheit
Sehnsucht	Neid
Leben in Vorstellungen	Diskrepanz zwischen Wollen und Können
Ehrgeiz	Größenwahn, Liebedienerei
Pathos	Phrasenhaftigkeit
Interessiertheit	Exzentrizität

DEUTUNGSTABELLE KLEINE LÄNGENUNTERSCHIEDE

+	–
Selbstbeschränkung	Enger Horizont
Genügsamkeit	Gleichgültigkeit
Mäßigung	Antriebslosigkeit
Zufriedenheit	Mangel an Schwung
Abgeklärtheit	Teilnahmslosigkeit
Ausgewogenheit	Phlegma
Selbstbewußtsein	Blasiertheit
Konservativismus	Beschränktheit
Zurückziehen	Interesselosigkeit
Seelisches Gleichgewicht	Stumpfheit
Zentriertheit	Sturheit
Sachinteresse	Langweiligkeit

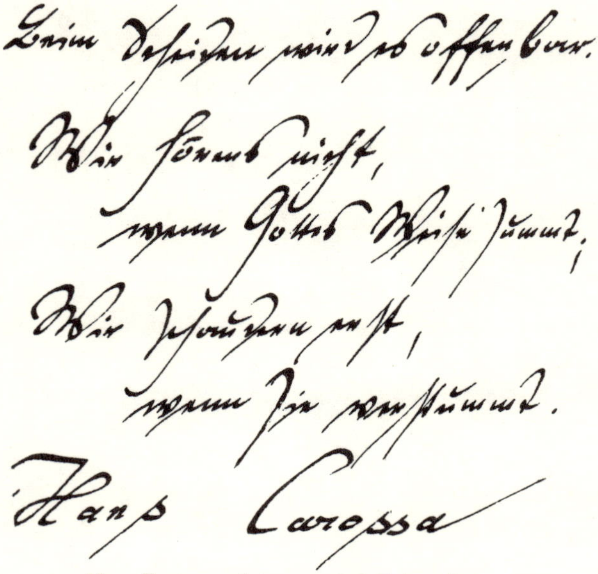

Hans Carossa, geb. 15. 12. 1878 (Schütze).
Offensichtliches Streben, jeden Eindruck, jede Erfahrung zu vertiefen und gleichzeitig über sich hinausweisen zu lassen. Ein Übermaß von Imagination auf Kosten von Wirklichkeitssinn. Das Pathos der Schrift mit ihren großen Längenunterschieden entspricht dem im Werk des Dichters ausgeprägten Hang zum Erbaulichen bzw. zum Ästhetizismus.

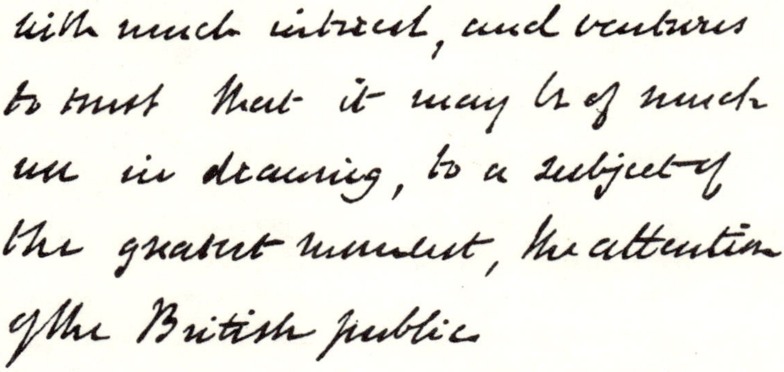

William Ewart Gladstone, geb. 29. 12. 1809 (Steinbock).
Der britische Premier war der Prototyp des liberalen, sorgfältig abwägenden Politikers, der seine Aufgabe vor allem in der Vermittlung zwischen Gegensätzen sah (kleine Längenunterschiede).

rerseits verengt es den Horizont, verschiebt den Blickwinkel. Die Mittelzone überwuchert Ober- und Unterzone und zeigt damit übertriebene Ich-Ausbreitung, die Neigung, private Wertungen auf objektive Bereiche zu übertragen.

Oberlängen – Unterlängen

Das Kriterium der Längenunterschiedlichkeit kann noch erweitert werden durch die Feststellung, ob die Ausdehnung mehr oberhalb oder mehr unterhalb der Zeile stattfindet.

OBERLÄNGENBETONUNG

Ursachenspektrum

Um große Oberlängen zu erzeugen, muß sich beim mechanischen Schreibvorgang die Hand öffnen, fand Ludwig Klages heraus. Die geöffnete, gebende Hand, die sich vom Körper entfernt, gilt als Symbol der Selbstentäußerung, der Hingabe und des Opferns. Deshalb wird sich im Einklang mit der Symbolik der Bewegungsverteilung in der Oberlängenbetonung vor allem das Interesse für Geistiges widerspiegeln.

Deutungsspektrum

Jeder geistige Höhenflug, wie Idealismus, Enthusiasmus oder Schwärmerei, reißt die Schrift nach oben. Voraussetzung, um sich «erheben» zu können, ist Hunger nach Bildung und die vielseitige Interessiertheit des typischen Intellektuellen. Ungeachtet einer materiellen Fundierung gründet er sein Reich im Abstrakten. Ohne festen Wurzelgrund fehlt ihm jedoch ein Stück Solidität. Wer sich nach oben dehnt, vernachlässigt das Unten und verliert leicht den Boden unter den Füßen.

Ein anderer Grund für die Ausdehnung nach oben ist das Hochhinauswollen des Strebers. Wenn Längenunterschiedlichkeit ohnehin ein Indiz für Unruhe und Ehrgeiz ist, so zeigt der Anstieg aus der Mittelzone den unermüdlichen Ehrgeiz an, wobei als Antrieb Neid und Ressentiments genauso in Betracht kommen wie Bildungshunger oder die Kompensation eigener Schwächen.

UNTERLÄNGENBETONUNG

Ursachenspektrum

Der mechanische Schreibvorgang ruft bei der Betonung von Unterlängen ein Schließen der Hand hervor. Die geschlossene Hand, die Faust, hat Parallelen zur physischen Aktivität: Man hält etwas fest. Dies und die Bewegung, die beim Abwärtsschreiben auf den Körper zugeführt wird, lassen sich als Urgesten realistischer Einstellung sehen. In die Symbolik der Raumverteilung übertragen, identifiziert sich der Weg nach unten mit der Realität, der Materie, dem Gemüt.

Deutungsspektrum

Die Betonung der Unterlängen zeigt den Grad der physischen Aktivität an, das Vermögen, Wurzeln zu schlagen, Fundamente zu schaffen und tatkräftig zu erhalten. Der Sinn für Realitäten führt zu materieller Orientierung mit wirtschaftlichen Interessen. Die Beschäftigungen sind konkret, praxisbezogen. Beobachtungen werden gründlich, gewissenhaft und genau gemacht, sie verhindern, daß sich der Geist auf irreale Höhenflüge begibt.

So wie die Oberlängen ihre Motivation vom geistigen Über-Ich empfangen, beziehen die Unterlängen ihren Antrieb vom unbewußten instinktiven Wesensanteil, vom Körperlichen und von der Sexualsphäre. Übergeordneter Gedanke einer zwischen Unterlängen und Oberlängen ausbalancierten Schrift ist es, das

DEUTUNGSTABELLE OBERLÄNGENBETONUNG

+	–
Geistige Neigungen	Unsachlichkeit
Idealismus	Mangel an Realitätssinn
Schwärmerei	Überspanntheit, Utopismus
Sehnsucht	Hochhinauswollen
Selbstbescheidung	Frustration
Selbstentäußerung	Wurzellosigkeit
Abstraktes Denken	Theorie statt Leben
Intellektualismus	Mangel an Lebenskraft
Vielseitigkeit	Unsolidität
Geistige Beweglichkeit	Leichtsinn, Oberflächlichkeit
Handeln nach Dogmen	Instinktarmut

DEUTUNGSTABELLE UNTERLÄNGENBETONUNG

+	–
Wirklichkeitssinn	Materialismus
Realismus	Finanzielle Interessen
Gründlichkeit	Schwerfälligkeit
Beobachtungsgabe	Einseitigkeit
Konkretes Denken	Ungewandtes Denken
Vorliebe für körperliche Betätigung	Geistige Beschränkung
Praktische Neigungen	Interesselosigkeit
Ausdauer	Sturheit
Urwüchsigkeit	Egoismus
Instinkt	–
Erdverbundenheit	Haustyrannei
Seßhaftigkeit	Mangel an Auftrieb
Gemütswärme	Verkrampfungen
Triebstärke	Triebverfallenheit

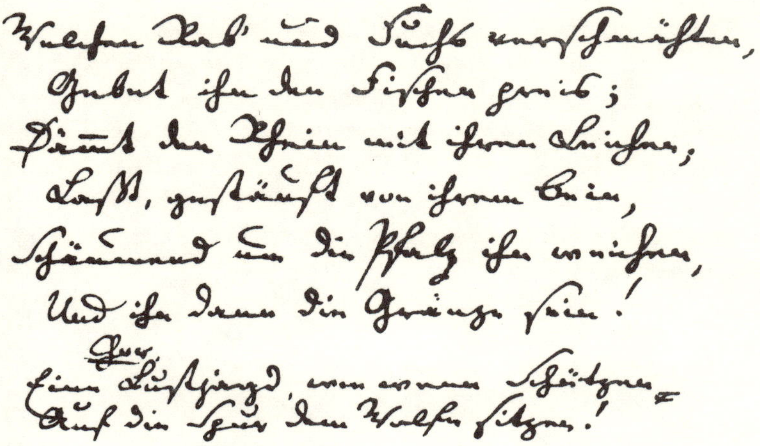

Heinrich von Kleist, geb. 18. 10. 1777 (Waage).
Der Romantiker setzte das Gefühl als absoluten Maßstab und verlor dadurch den Bezug zur Realität. Die verkümmerte Unterzone signalisiert Wurzellosigkeit, Frustration und die Suche nach innerer Balance.

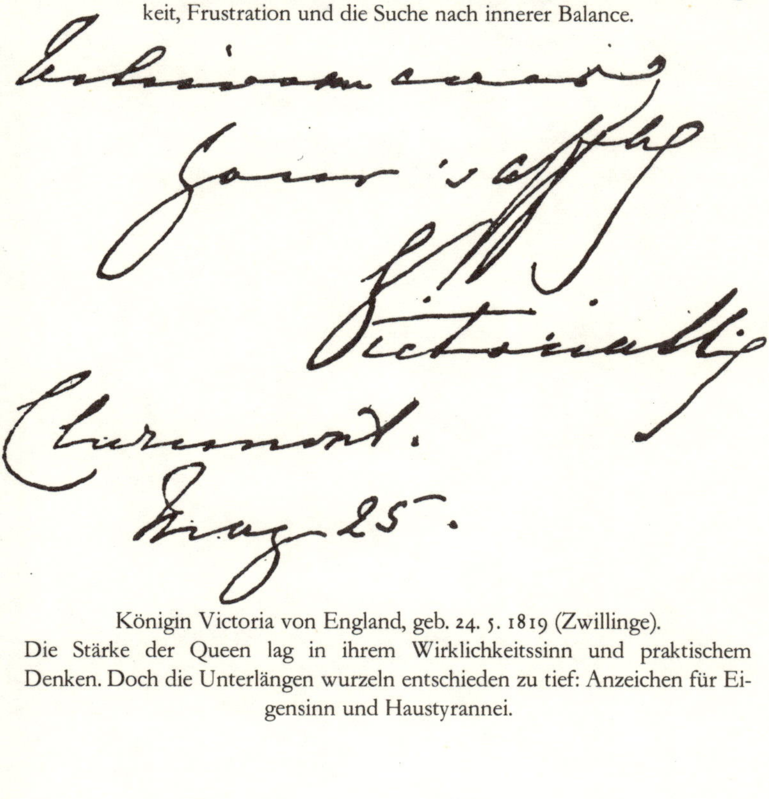

Königin Victoria von England, geb. 24. 5. 1819 (Zwillinge).
Die Stärke der Queen lag in ihrem Wirklichkeitssinn und praktischem Denken. Doch die Unterlängen wurzeln entschieden zu tief: Anzeichen für Eigensinn und Haustyrannei.

Trieb-Ich durch das ideelle Ich zu beruhigen. (Zu trennen ist davon eine rein schematische Ausgewogenheit, die auf der genauen Befolgung der Schulvorlage basiert. Bei einer solchen Schrift hat eine Auseinandersetzung mit den Möglichkeiten des Ichs gar nicht stattgefunden.) Die Störung dieser Balance führt die oberbetonte Schrift zu bildungsloser Flatterhaftigkeit, die unterbetonte zu einseitiger wirtschaftlicher oder sexueller Orientierung.

Weite – Enge

Die Weite einer Schrift erfaßt man durch Messung der Kurzbuchstaben *n* oder *u*. Man ermittelt die Kurzbuchstabenhöhe und setzt sie in Proportion zu der Basisbreite des Buchstabens. (Basis ist der Abstand zwischen zwei Grundstrichen.) Im Normalfall ergibt das ein Verhältnis von 1:1. Breite Schriften ergeben einen echten Bruch, das heißt, die Grundstrichhöhe ist kleiner als die Basisbreite. Enge Schriften ergeben einen unechten Bruch, weil die Grundstrichhöhe größer ist als die Basisbreite.

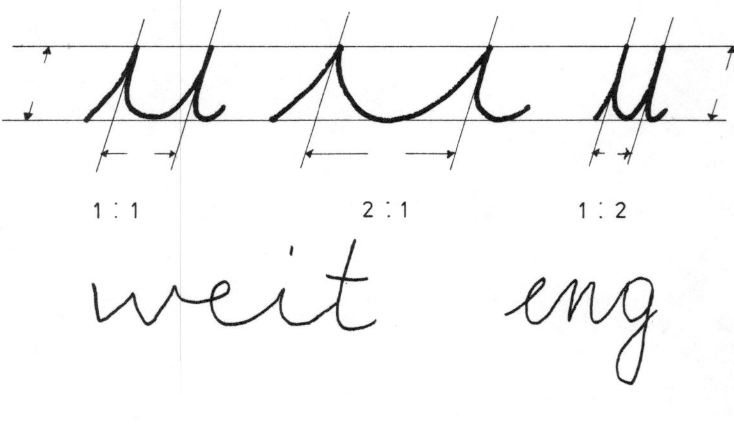

WEITE
Ursachenspektrum

Die Bewegung von links nach rechts, vom Ich zum Du, gerät um so weiter, je größer die Bereitschaft ist, die Außenwelt in sich aufzunehmen. Analog zur emotionalen Offenheit öffnet sich auch die Schrift; je spontaner die Äußerungen, je zwangloser die Einstellung, um so weitspuriger werden die Schriftelemente. Wer Umwelt aufnehmen will, darf sich ihr nicht verschließen. Empfänglichkeit zeigt sich nicht nur geistig, sondern auch buchstäblich gesehen in der Weite.

Deutungsspektrum

Der Weg in die Weite, das Öffnen für das Unbekannte ist gefährlich für die eigene Sicherheit. Einerseits bringt es dem Ich die Erfahrung, die es zu seiner Entfaltung braucht. Andererseits wird bei zu großer Aufgeschlossenheit die Übersicht über die Ökonomie der eigenen Kräfte riskiert.

Die Hingabe an das Leben, die in der Bereitschaft liegt, Fremdes aufzunehmen, verträgt sich kaum mit Vorsicht und Sicherheitsbestrebungen, denn die Freude an der Entfaltung sollte die letzten Reserven lösen. Was darum als Liebe zur großen Idee und als Freiheitsdrang in Erscheinung tritt, ist meist auch mit dem Hang zur Ungebundenheit gekoppelt und der Gefahr der Haltlosigkeit ausgesetzt. Desgleichen bringt das «Sichausbreiten», das zu großen Interessenspannweiten führt, auf jedem Gebiet die Gefahr der Flüchtigkeit und Oberflächlichkeit mit sich, weil durch die Überbetonung der Breite die Gründlichkeit vernachlässigt wird. Eine positive Weite muß deshalb ein ausgewogenes Verhältnis zur Tiefe haben.

DEUTUNGSTABELLE WEITE

+	–
Extravertiertheit	Flucht vor dem Ich
Bemächtigungsdrang	Verschwendung
Eifer	Voreiligkeit
Beweglichkeit	Oberflächlichkeit
Aufgeschlossenheit	Schwatzhaftigkeit
Offenheit	Distanzlosigkeit
Natürlichkeit	Ungebundenheit
Unbefangenheit	Rücksichtslosigkeit
Abenteuertum	Hemmungslosigkeit
Unternehmungslust	Ungeduld
Liebe zur Sache	Sich ausbreiten
Lebensfreude	Sich gehen lassen
Freude an der Entfaltung	Breitspurigkeit
Hingabe an das Schicksal	Sich entäußern

DEUTUNGSTABELLE ENGE

+	–
Introvertiertheit	Egozentrik
Mäßigung	Berechnung
Selbstbeherrschung	Mangel an Natürlichkeit
Selbstschutztendenz	Unaufrichtigkeit
Gebundenheit	Hemmung
Disziplin	Verbissenheit
Spannung	Verkrampfung
Verhaltenheit	Mißtrauen
Sparsamkeit	Geiz
Konzentration	Äußerungshemmung
Selbstbeschränkung	Enger Horizont
Vorsicht	Ängstlichkeit
Stilisierungsbedürfnis	Manieriertheit
Leben nach Vorstellung	Zwanghaftigkeit

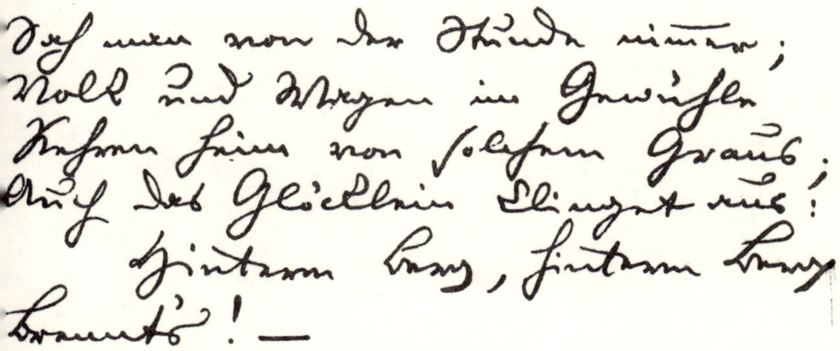
Sah man von der Stunde nimmer;
Volk und Wagen im Gewühle
Kehren heim von solchem Graus;
Auch das Glöcklein klinget aus!
Hinterm Berg, hinterm Berg
brennt's! —

Eduard Mörike, geb. 8. 9. 1804 (Jungfrau).
Trotz der engen deutschen Schulvorlage eine weite Schrift als Zeichen der Unbefangenheit dem Leben gegenüber. Mörikes «Abenteuergeist» äußerte sich darin, daß er schon mit 39 Jahren seinen Dienst als Pfarrer quittierte, um sich, mit geringen Einkünften, nur noch seinen Talenten zu widmen.

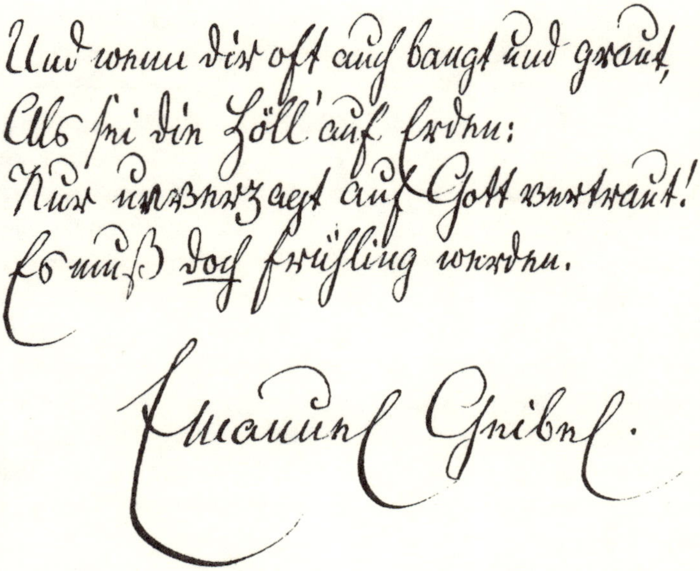
Und wenn dir oft auch bangt und graut,
Als sei die Höll' auf Erden:
Nur unverzagt auf Gott vertraut!
Es muß doch Frühling werden.
Emanuel Geibel.

Emanuel Geibel, geb. 17. 10. 1815 (Waage).
Die Schrift des Dichters, der einem klassizistischen Schönheitsideal huldigte, verrät Verhaltenheit und Zwang. Das Bedürfnis nach Stilisierung blockiert die Natürlichkeit der Schreibbewegung.

Enge

Ursachenspektrum

Derjenige, der die Welt als eine Art Wildnis betrachtet, in der er nur dank seiner Vernunft und Disziplin überleben kann, darf sich weder Zwanglosigkeit noch Offenheit leisten. Das Bemühen, sich auf die jeweils wechselnden Bedingungen einzustellen, läßt spontane Äußerungen nicht zu. Die Wendung zum Du geschieht nicht unmittelbar, sie wird vorsichtig gesteuert, jeder Antrieb wird erst durchdacht und überprüft, bevor er sich manifestiert. Die Empfänglichkeit ist herabgesetzt; infolgedessen ist die Schrift eng.

Deutungsspektrum

Enge Schrift zeigt vor allem Furcht vor Verausgabung. Wichtig für jede weitere Beurteilung ist die Feststellung, warum die Verausgabung eingeschränkt wird. Bei einer allgemeinen ökonomischen Tendenz geht es um das Maßhalten mit den zur Verfügung stehenden Kräften, um Mäßigung aus einem bestimmten Denkprinzip heraus. Treten persönliche Sicherungstendenzen allzusehr in den Vordergrund, so wird aus der Mäßigung egoistische Vorsicht und Berechnung. Man wird sparsam mit allen Äußerungen, so wie es vom Geizigen heißt, er schreibe deshalb zusammengedrängt, weil er Papier sparen will. Noch weiter geht der psychopathische Geizige; er sieht jede Verausgabung seiner selbst gleich als Verlust an Persönlichkeit. So spannt sich der Bedeutungsbogen vom beschränkten Antrieb über Vorsicht und Gehemmtheit zu Ängstlichkeit und Geiz bis hin zu Pedanterie und – aus Mangel an Aufnahmebereitschaft – zu einem engen Horizont.

Schrägheit – Steilheit

Der Neigungswinkel einer Schrift ist bis zu einem gewissen Grade abhängig von der Schulvorlage und damit von der Nationalität des Schreibers. In England beispielsweise wird eine relativ aufrechte Schrift gelehrt, in den USA eine auffallend nach rechts geneigte. Dazwischen steht Deutschland mit leicht nach rechts geneigten Buchstaben. Jede Beurteilung muß demnach von der ursprünglichen Schulvorlage ausgehen.

Man stellt den Schrift-Neigungswinkel fest, indem man – wie es das Beispiel zeigt – auf der waagerechten Schriftbasis eine Senkrechte errichtet und mit dem Winkelmesser den Winkel zwischen der Waagerechten und der betreffenden Schrift mißt. Eine steile Schrift steht mit 90 Grad rechtwinklig zur Schriftbasis. Über 90 Grad hinaus spricht man von einer linksschrägen Schrift. Der normale Durchschnittswert in Deutschland liegt bei einem Neigungswinkel von 60–70 Grad. Von 40 Grad an abwärts gilt die Schrift als schräg bis überschräg.

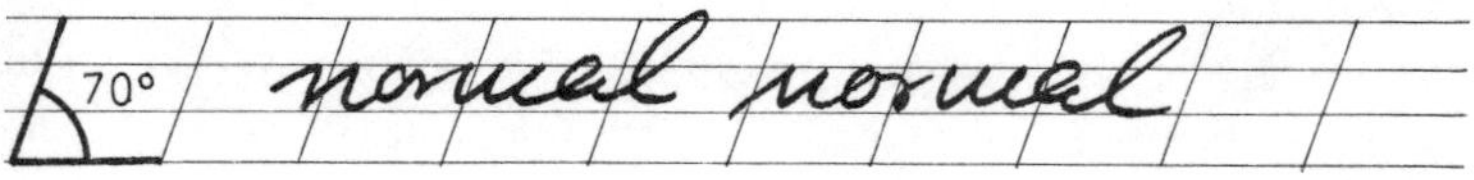

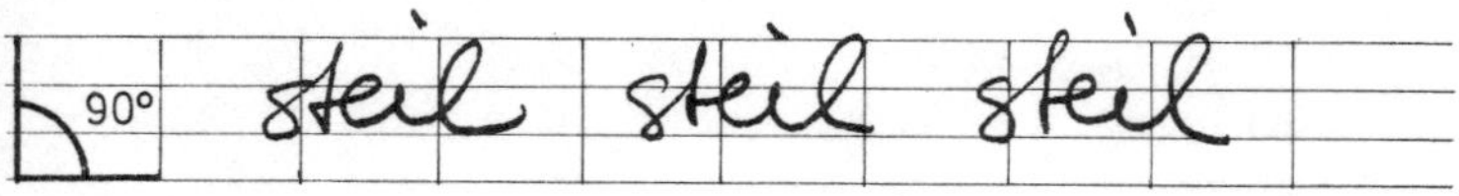

SCHRÄGHEIT

Ursachenspektrum

Der persönliche Raumsinn, den jeder Schreiber auf ein Schriftstück überträgt, bestimmt auch die Schreibbewegungen als spontane Antwort auf die Reize der Außenwelt und beeinflußt die Ausrichtung der Buchstaben. Sie neigen sich nach rechts, je mehr man versucht, sein Wesen in impulsiver Weise mit der Umwelt in Einklang zu bringen. Auf die Schreibfläche übertragen, bedeutet das: Man kehrt sich nach außen; in einem vom Gefühl gesteuerten Mitleben und Mitleiden kommt man der Umwelt «entgegen» und lockert dafür die vom Verstand kontrollierte senkrechte Haltung.

Deutungsspektrum

Weite und Enge zeigen den Grad der Bereitschaft, die Außenwelt in sich aufzunehmen. Damit ist das eigentliche Wesen des Schreibers festgelegt. Die Art und Weise, wie sich dieses Wesen zwischen Ich und Umwelt einfügt, hängt ab von der Schriftlage bzw. von der Entscheidung zwischen Links und Rechts. Abhängig von ihrem Schrägheitsgrad staffelt sich die individuelle Haltung, wobei der Spielraum zwischen leicht schräg und stark schräg als Kampfgebiet zwischen Verstand und Gefühl aufzufassen ist. Was demnach bei leichter Schräglage als Geselligkeit und Anpassungsgabe zu deuten ist, steigert sich bei stärkerer Schrägheit über Hinreißbarkeit und Leidenschaftlichkeit bis zur Unbesonnenheit und Haltlosigkeit.

Steilheit
Ursachenspektrum

Jeder Versuch, Haltung zu wahren, zeigt sich in aufrechtem Stand. Psychologisch gesehen kommt eine solche Einstellung dadurch zustande, daß man Gefühlswerte so gut wie möglich ausschaltet, um mit der dadurch gewonnenen Objektivität etwaige «Neigungen» zu kontrollieren. Die natürliche Rechtslage wird darum in eine aufrechtere Lage gezwungen und der verstandesmäßig kontrollierte Bewegungsfluß zeigt sich in einer unbewegteren Form.

Eine Übertreibung dieser Einstellung erzeugt eine Schrift, die sich vom Gegenüber förmlich abwendet und in die entgegengesetzte Richtung tendiert. Die Neigung nach links stellt eine Kunstform dar. Sie ist der Ausdruck für den Rückzug in eine selbstgebastelte Welt abseits von der natürlichen, mit der man nur durch die Neigung nach rechts in Kontakt kommen kann.

Deutungsspektrum

Das Verhältnis von steil zu schräg entspricht dem von Verstand zu Impulsivität. Je weiter die Schrift in eine aufrechte Position hinübergezwungen wird – und von Zwang muß hier geredet werden, da der Mensch ein soziales und damit ein nach rechts geneigtes Wesen ist –, um so mehr werden alle seine Gefühle durch den Verstand kontrolliert. Die Folge ist eine emotionslose Handlungsweise, die besonnen abwägt, bevor sie Entscheidungen trifft. Kritisch wird «Besonnenheit», wenn das Ausschalten jeglicher spontaner Anteilnahme an der Umwelt zu Teilnahmslosigkeit und Erstarrung führt. Weit davon entfernt, sich noch natürlich geben zu können, lebt man ein Leben in Pose, ohne zu realisieren, daß aus der disziplinierten Gefaßtheit selbstgewählte Isolation geworden ist.

Je stärker die Linksschrägheit und damit die Nichtbeachtung der natürlichen, leichten Rechtsschrägheit unserer Schulvorlage,

DEUTUNGSTABELLE SCHRÄGHEIT

+	–
Geselligkeit	Herdennatur
Anpassungsgabe	Mangel an Selbständigkeit
Verbindlichkeit	Opportunismus
Extravertiertheit	Veräußerlichung
Tätigkeitsdrang	Unruhe
Hingabe	Unbesonnenheit
Impulsivität	Hinreißbarkeit
Beeindruckbarkeit	Reizbarkeit
Einfühlsamkeit	Sentimentalität
Gefühlsbetontheit	Getriebenheit
Leidenschaftlichkeit	Unbeherrschtheit
Zwanglosigkeit	Haltlosigkeit

DEUTUNGSTABELLE STEILHEIT

+	–
Vorherrschaft des Verstandes	Kälte
Vernünftigkeit	Teilnahmslosigkeit
Besonnenheit	Nüchternheit
Selbstbeherrschung	Unbewegtheit
Selbstbehauptung	Selbstsucht
Widerstandskraft	Oppositionsgeist
Unbeirrbarkeit	Unbeugsamkeit
Pflichtgefühl	Selbstgerechtigkeit
Disziplin	Mangel an Natürlichkeit
Haltung	Gezwungenheit
Askese	Lebensangst
Selbstverleugnung	Fanatismus

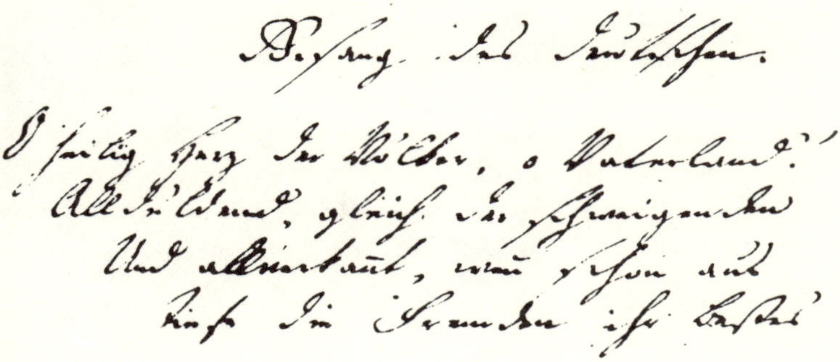
Gesang des Deutschen.
O heilig Herz der Völker, o Vaterland!
Allduldend, gleich der schweigenden
Und allverkannt, wenn schon aus
Tiefe die Fremden ihr Bestes

Friedrich Hölderlin, geb. 20. 3. 1770 (Widder).
Einziger Halt dieser extrem schrägen Schrift, die für hingebungsvollen Idealismus spricht, ist ihre ästhetische Gestaltungskraft. Man erkennt, daß dieser Mensch am Leben scheitern muß, wenn auch die Formkraft das sich völlig entäußernde Wesen nicht mehr zusammenhält.

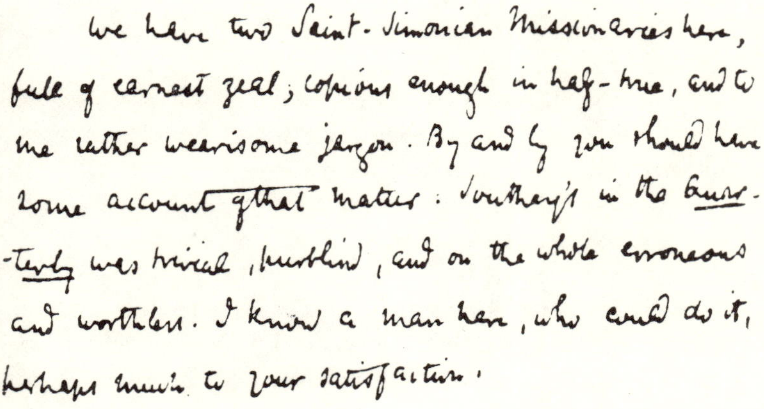
We have two Saint-Simonian Missionaries here,
full of earnest zeal; copious enough in half-true, and to
me rather wearisome jargon. By and by you should have
some account of that matter: Southey's in the Quar-
-terly was trivial, purblind, and on the whole erroneous
and worthless. I know a man here, who could do it,
perhaps much to your satisfaction.

Thomas Carlyle, geb. 4. 12. 1795 (Schütze).
Trotz großer Lebendigkeit ist das ruhig Abwägende vorherrschend. Alle «Neigungen» werden kontrolliert, wie es zu einem Schriftsteller paßt, der das Ideengut der (deutschen) Klassik mit der Tradition des englischen Puritanismus verband.

desto entschiedener und verkrampfter auch die Abkapselung. Es wird Deckung gesucht aus Lebensangst, aus Furcht oder Ekel. Etwa weil die Wirklichkeit angeblich nicht zu ertragen ist, oder weil man sich von der «normalen Art Mensch zu sein» abkehren will und sich in eine Kunstform, wie beispielsweise in die Askese, flüchtet. Die Kehrseite solcher Selbstverleugnung ist eine Gezwungenheit, die leicht in Fanatismus ausarten kann.

Bindungsformen

Die Art des Aneinanderfügens von Schriftelementen ist unterschiedlich und entwickelt sich, nachdem die Schulvorlage beherrscht wird, individuell bzw. typgemäß. Es kann weich und gebogen oder hart und eckig geschehen – um nur die hauptsächlichen Gegensätze zu nennen.

Zu den weichen und gebogenen Bindungsformen gehören die Girlande und der Faden. Typisch für hart und eckig sind der Winkel und zum Teil die Arkade.

Die gebräuchlichste Verknüpfungsweise ist die *Girlande.* Sie formt einen Bogen an der Schriftbasis und öffnet sich nach oben, der Außenwelt zu, so wie beim *u* (1).

Genau umgekehrt ist die *Arkade.* Sie formt den Bogen oben und überwölbt die Basis; sie schließt nach außen ab und öffnet sich nach innen, so wie beim *n* (2).

Der *Winkel* unterscheidet sich von der Arkade und Girlande dadurch, daß an ihm nichts Gebogenes ist. Die Winkelschreibweise behindert den gleichmäßigen Schreibfluß. Bei jedem Richtungswechsel muß abgestoppt werden, um die spitze Kehre auszuführen (3). Die deutsche Schulvorlage lehrte den Winkel mit Unterbrechungen bis 1941. Unsere heutige lateinische Schulvorlage kennt keine Winkel.

Der *Faden* hat weder Bogen noch Winkel, er ist oben wie unten unscharf und unplastisch. Man ordnet ihn deshalb den «unausgesprochenen Bindungsformen» zu, weil bei seinem Duktus keine klare Ausprägung zu erkennen ist. Die Bindung wird nicht exakt geformt, deshalb kann die Schrift sehr schnell dahinfließen (4). Ebenfalls unausgesprochen sind eine Vermischung von Arkade und Girlande (5) und Schreibweisen, die von der Schulvorlage auch dann nicht abweichen, wenn die individuelle Eigenart längst ausgeprägt sein sollte.

1

2

3

4

5

Die Formen der Bindung geben Aufschluß über die Art der sozialen Beziehungen. Sie sind ein Zeichen für die gewählte Möglichkeit, sich mit der Umwelt auseinanderzusetzen. So ist die Beziehung vom Ich zum Du etwa daran abzulesen, wie der Raum zwischen dem einen und dem anderen Buchstaben gestaltet wird, ob verbindlich oder hart, ob zurückhaltend oder entgegenkommend. Unabhängig von den jeweiligen Schulvorlagen entwickelt jede Persönlichkeit früher oder später ihre individuelle Bindungsform. Das bedeutet, daß selbst durch schulmäßigen Drill der persönliche Ausdruck nicht auf die Dauer schematisiert werden kann. Ein Beibehalten der schulmäßigen Vorlage, das vorschriftsmäßige Abwechseln von Girlande und Arkade ist darum ein Zeichen von Uniformität und Unbedarftheit, weil es auf ein Wesen deutet, das sich an Vorlagen hält und keine eigene Kreativität entwickelt.

Es wird kaum möglich sein, eine der genannten Bindungsformen in «Reinkultur» zu finden. Selbst in die alte deutsche Winkelschrift schlichen sich Rundungen ein, die zu Girlandenbindungen führten. Zumeist werden mehrere Bindungsmöglichkeiten miteinander kombiniert, wobei eine davon dann überwiegt, so daß man auch bei nicht konsequenter Durchführung immer noch von einer typischen Girlanden- oder einer Arkadenschrift, von einer Faden- oder Winkelschrift sprechen kann.

Die Deutung richtet sich bei einer Vermischung der Bindungsformen nach der jeweiligen Kombination. So festigt der Winkel neben der Girlande deren entgegenkommende Freundlichkeit und mildert den Eindruck der Kritiklosigkeit. Der Winkel neben der Arkade verschärft den harten Kurs. Als Feind des Gefühls verhindert er jede Möglichkeit, die arkadenhafte Besonnenheit von außen zu durchbrechen.

Da in unserer Zeit großer Wert auf Schnelligkeit, Anpassung und Verbindlichkeit gelegt wird, setzt sich die fließende Bewegung mit den bequemen Kurven mehr und mehr durch. Das Ergebnis: eine starke Tendenz zur Girlanden- und Fadenbindung.

GIRLANDE

Ursachenspektrum

Rundungen schreiben sich bequemer als eckige Züge. Wer nicht absetzen mag, um einen Winkel mit seiner Spitzkehre oder eine Arkade mit ihrer Überwölbung zu formen, wählt die Girlande oder den vereinfachenden Faden. Beides geht schneller und ist gefälliger.

Die Girlande hat die Form einer Schale. Raumsymbolisch gesehen, will sie auffangen, sich öffnen für das, was auf sie zukommt. Sie bietet keinen Widerstand und setzt sich unbefangen mit der Außenwelt in Beziehung.

Deutungsspektrum

Diese Bewegung, der man im Sinn des Entgegenkommens Bejahung und Wohlwollen zusprechen möchte, schöpft nicht nur aus einem Fonds von Güte und Aufgeschlossenheit. Eben weil sie so widerstandslos und weich in Erscheinung tritt, kann sich hinter der Girlande auch kalkulierte Aufgeschlossenheit verstecken oder gespielte Freundlichkeit, die dazu beitragen soll, Vorhaben reibungsloser ablaufen zu lassen.

Wenn die Mitschwingbereitschaft so weit geht, daß man sich willig überfluten läßt, pervertiert die Zugänglichkeit zu einem Mangel an Selbständigkeit. Das Entgegenkommen kennt keinen Halt mehr, und das Ich wird zum Spielball jedes stärkeren Willens. Versöhnlichkeit und Milde sind dann Schwächen, weil sie aus Widerstandslosigkeit und Unselbständigkeit entspringen.

In früherer, «haltungsbewußter» Zeit galt eine Girlande mehr als heute, wo Zwanglosigkeit und «Natürlichkeit» Mode sind. Darum ist es angebracht, Girlanden hinsichtlich der Echtheit des Entgegenkommens vorsichtig einzuschätzen.

Arkade
Ursachenspektrum

Im Gegensatz zur Girlande und zum Faden, die durch Rechtsbewegungen unbefangen in die Außenwelt eindringen, hat die Arkade mit der überwölbenden linksläufigen Strichführung etwas Zurückhaltendes. So, wie man mit der Hand instinktiv etwas abschirmt. Dem Arkadenschreiber geht es nicht darum, Eindrücke aufzunehmen oder sich fremdem Denken aufzuschließen. Seine Motivation erfolgt nicht durch äußere Reize, er zieht das Gewordene dem Neuen vor und hängt der Tradition an.

Deshalb wird die ursprüngliche Richtung nach rechts von oben herunter geführt. Der Schlußzug, die Wendung nach außen, unterbleibt. Der nach oben abschließende Bogen will bewahren und festhalten. Die Ausführbarkeit der Arkaden-Bewegung ist mühsam. Dadurch verliert die Bewegung ihre natürliche Weiterführung. Die Äußerungen wirken kontrolliert.

DEUTUNGSTABELLE GIRLANDE

+	–
Engegenkommen	Unselbständigkeit
Wohlwollen	Mangel an Abgrenzung
Zugänglichkeit	Bestimmbarkeit
Mitgefühl	Widerstandslosigkeit
Anerkennungsbereitschaft	Mangel an Initiative
Nachgiebigkeit	Sich gehen lassen
Aufgeschlossenheit	Erlebnisgier
Versöhnlichkeit	Standpunktlosigkeit
Wendigkeit	Raffinierte Anpassung
Natürlichkeit	Lässigkeit
Offenheit	Ablenkbarkeit
Sorglosigkeit	Naivität
Vertraulichkeit	Herz auf der Zunge tragen

DEUTUNGSTABELLE ARKADE

+	–
Zurückhaltung	Mangel an Offenheit
Beherrschung	Gehemmtheit
Reserviertheit	Kontaktschwäche
Distanz	Mangel an Menschenkenntnis
Vornehmheit	Snobismus
Überlegung	Unaufrichtigkeit
Traditionsgebundenheit	Eingeengtheit
Bewahrung	Flucht in die Form
Bewußtheit	Leben nach Plan
Risikovermeidung	Erlebnisscheu
Vorsicht	Mißtrauen
Diskretion	Verschlossenheit
Belastbarkeit	Defensivhaltung
Durchhaltevermögen	Starrheit
Gesinnungstreue	Wunsch nach Absicherung
Moralität	Heuchelei

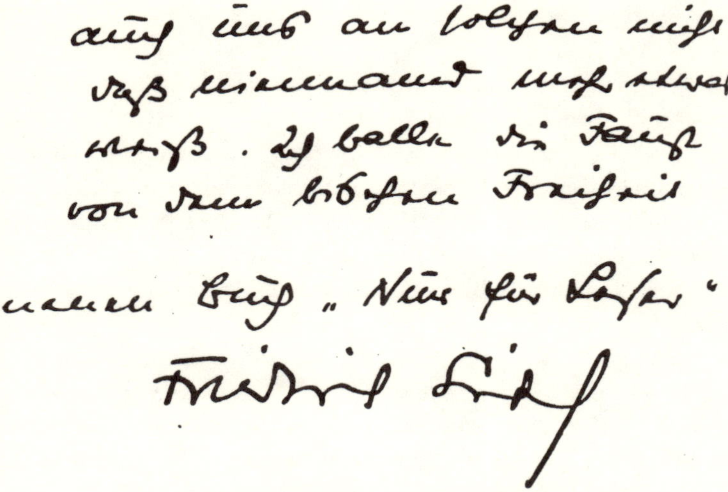

Friedrich Sieburg, geb. 18. 5. 1893 (Stier).
Die klare Schalenform der Girlande ist hier ein Zeichen der unvoreingenommenen Aufnahme aller äußeren Eindrücke, die der Zeitkritiker ohne billige Polemik, sondern mit großem Einfühlungsvermögen auch in komplizierte und mißliche Situationen reflektiert, bevor er sie an sein Publikum weitergibt.

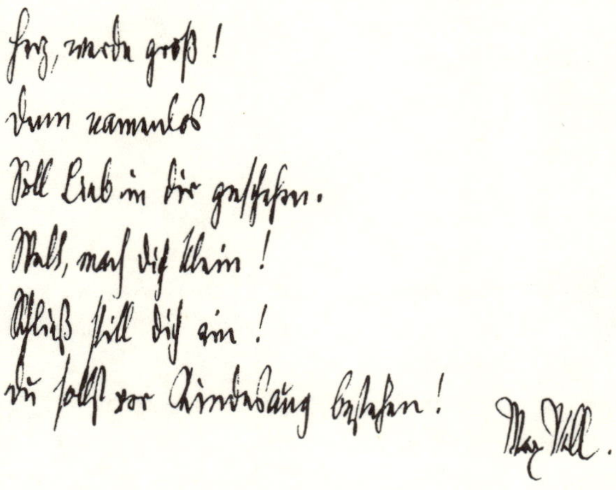

Max Mell, geb. 10. 11. 1882 (Skorpion).
Vor allem zur Bewahrung und Erneuerung des Überlieferten, nämlich des volkstümlichen Legendenspiels, fühlte sich der österreichische Dichter berufen. Die Arkade demonstriert diese ausgeprägte Neigung, Althergebrachtes zu schützen und lebendig zu erhalten.

Deutungsspektrum

Es ist vor allem die Zurückhaltung, die das Verhältnis des Arkadenschreibers zur Umwelt prägt. Eine Reserve, die sich das Ich vorbehält. Es sträubt sich gegen Einbeziehungen. Richtungsweisend ist die Denkvorstellung als Prinzip und nicht als Verständigungsbasis wie bei der Girlande. Es geht um geistige Modelle, die Gesetz geworden sind. Darum soll so viel wie möglich unverändert bleiben; auf Anregungen von außen wird wenig Wert gelegt.

Jemand, der den vergleichsweise beschwerlichen Arkadenbogen schreibt, hat den Wunsch, Formen zu wahren. Er ist konservativ und konventionell auch in seinem äußeren Auftreten. Er bringt der Tradition Opfer, und da jeder Formwunsch auch rein äußerliche Züge hat, liebt er Repräsentation. Der Wunsch nach Überlegenheit spornt seine Einsatzbereitschaft und das Durchhaltevermögen zu großer Belastbarkeit an. Würdevolle Zurückhaltung und Beherrschung sind die Vorbedingungen für eine solche Haltung, die leicht mit einem Mangel an Offenheit gekoppelt ist. Aus Überlegung und Vorsicht erwachsen dann Mißtrauen und Unaufrichtigkeit.

WINKEL
Ursachenspektrum

Damit ein Winkel entsteht, muß die Schreibbewegung bei jeder Ecke abgebremst werden, dann erst erfolgt der Richtungswechsel. Der Winkelschreiber ist stabil genug, gegen die einmal eingeschlagene Richtung eine andere zu setzen, auch wenn der Reibungswiderstand Schwierigkeiten macht. Übergänge werden nicht abgerundet, man läßt es auf Kollisionen ankommen. Dieser Bewegungsvorgang setzt das Gegenteil einer kritiklosen Anpassung der Umwelt gegenüber voraus. Der Winkelschreiber lebt von der Gegnerschaft, er sucht die Konfrontation.

Deutungsspektrum

Im Gegensatz zur bogigen Linie, die Assoziationen mit Weichheit und Verbindlichkeit weckt, drückt der Winkel Festigkeit, Entschiedenheit aus. Er zeugt von energischer Spannung, die jederzeit bereit ist, den auf sie zukommenden Dingen Widerstand zu bieten. Hinter der permanenten Auseinandersetzungsbereitschaft steht Selbständigkeit und bis zu einem gewissen Grade auch Selbstdisziplin. Wird die Widerstandslust so groß, daß sie durch nichts mehr zu «erweichen» ist, so artet sie in Härte und Aggressivität aus. Die sonst positive Entschiedenheit wird dann zur Unduldsamkeit. Aus Anpassungsverweigerung wird Anpassungsunfähigkeit. Diese Verhärtungstendenz aus ursprünglicher Stabilitätsbestrebung hat zur Folge, daß Empfindungen nach und nach ausgeschaltet werden. Es entsteht Gefühlskälte. Eine reine Winkelschrift, so wie sie die deutsche Schulschrift früher lehrte, würde – falls sie heute aus eigenem Antrieb zustande käme – ein Übermaß an Härte, Unnachsichtigkeit und Starrsinn verraten.

Wahrscheinlich entstand die Schrift, die in ihrer eigentümlichen Wirklichkeit der gotischen gleicht, weil sie dem deutschen Wesen entspricht und als Schriftvorlage einer Nation das Leitbild der Festigkeit und Entschiedenheit oktroyiert. Sozusagen als Panzer überdeckt sie persönliche Ausprägungen, ohne sie jedoch zu ersetzen. Deshalb sind deutsche Schriften graphologisch nicht mit gleichem Maß wie die aus eigener Neigung entstandenen Winkelschriften zu messen.

FADEN

Ursachenspektrum

Eine unabhängige Einstellung zur Umwelt und ihren Erfordernissen bringt es mit sich, feste Bindungen zu vermeiden, um einen größtmöglichen Bewegungsspielraum zu behalten. Der

DEUTUNGSTABELLE WINKEL

+	–
Energie	Aggressivität
Auseinandersetzungsbereitschaft	Oppositionsgeist
Kampfbereitschaft	Streitbarkeit
Festigkeit	Härte
Widerstandskraft	Rechthaberei
Standhaftigkeit	Unnachsichtigkeit
Entschiedenheit	Schroffheit
Abgrenzbarkeit	Kritiksucht
Anpassungsverweigerung	Anpassungsunfähigkeit
Konsequenz	Verständnislosigkeit
Geradheit	Kompromißlosigkeit
Willensstärke	Fanatismus

DEUTUNGSTABELLE FADEN

+	–
Beweglichkeit	Labilität
Vielseitigkeit	Mangel an Stellungnahme
Gewandtheit	Gesinnungslosigkeit, Demagogie
Geschicklichkeit	Gerissenheit
Diplomatie	Raffinesse
Einfühlungsvermögen	Mangel an Stellungnahme
Feinfühligkeit	Große Störbarkeit
Anpassungsgabe	Charakterlosigkeit
Instinktsicherheit	Handeln ohne nachzudenken
Intuition	Hysterie
Spürsinn	Opportunismus

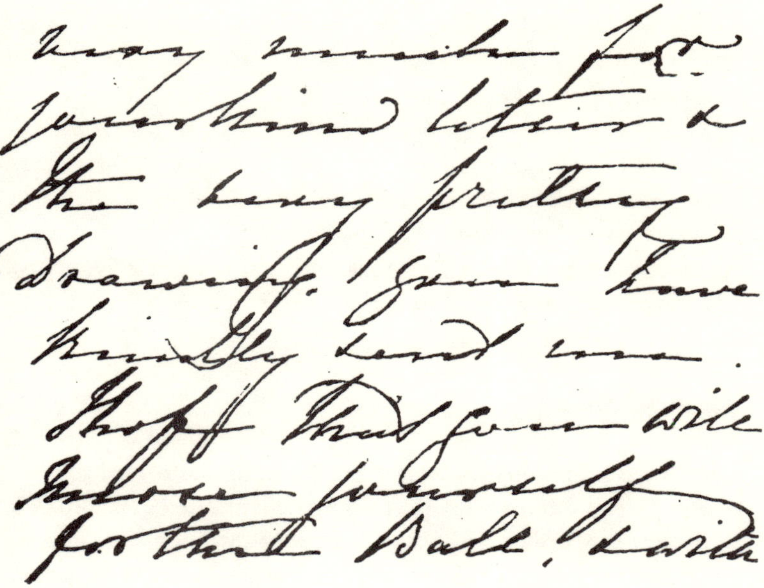
may make for
letters &
the very pretty
drawing. You have
kindly sent me.
enclose yourself
for that Ball,

Königin Victoria von England, geb. 24. 5. 1819 (Zwillinge).
Die harten Winkel zeugen von äußerster Festigkeit und Bereitschaft zur Besitzverteidigung. Durch ihre Weigerung, sich Gegebenheiten – zum Beispiel ihrem hohen Alter – anzupassen, kam ihr Sohn Eduard erst mit 59 Jahren auf den Thron.

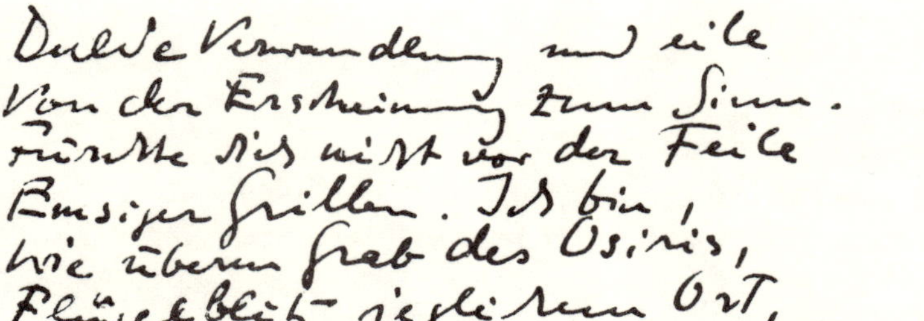
Dulde Verwandlung und eile
Von der Erscheinung zum Sinn.
Fürchte dich nicht vor der Feile
Emsiger Grillen. Ich bin,
Wie überm Grab des Osiris,
Flügelblitz jeglichem Ort,
Wo sich mit Schwertern der Iris

Elisabeth Langgässer, geb. 23. 2. 1899 (Fische).
Die exemplarische Fadenbindung zeigt an, daß die Erlebniswelt der Schriftstellerin nicht die Wirklichkeit sein konnte. Intuitiv und drängend suchte sie Zugang zu den mythischen Hintergründen der Erscheinungen.

bewußten Unstabilität des Standpunkts entspricht eine Elastizität, die über alles hinweggleitet, bereit, auf jeden unter- wie oberschwelligen Reiz zu reagieren.

Der Faden mit seiner wendigen Technik ist das passende Ausdrucksmittel dieser Einstellung. Mit der Gewandtheit eines Aals gleitet er über alles hinweg, tangiert alles, ohne Stellung zu nehmen, denn eindeutige Stellungnahmen stehen im Widerspruch zu seinem Wesen. Die Vieldeutigkeit seiner Bewegungen klassifiziert ihn als «aufgelöstes Bewegungsmittel».

Deutungsspektrum

Die Unausgesprochenheit der Fadenbindung kann in ihrer Bedeutung sehr differenziert sein. Kein Fadenschreiber kann sich festlegen, er würde damit seine Vielseitigkeit und Anpassungsfähigkeit verlieren. Dabei muß man unterscheiden zwischen einer Anpassungsbereitschaft, die unbewußt bzw. intuitiv erfolgt, und einer solchen, die aus Mangel an eigener Substanz resultiert. Im ersten Fall werden feste Formen zwar vermieden, um die in Stimmungen aufgelöste Substanz in sich aufzunehmen; dennoch steckt dahinter ein Formwille, und insofern kann dieser Fadenschreiber genausoviel Vitalität besitzen wie etwa der Winkelschreiber. Im zweiten Fall hat der Faden keine innere Kraft, er wirkt schlaff und nachlässig und läßt auf Anpassungsbereitschaft aus Bequemlichkeit und Opportunismus schließen.

Als Zeichen unserer Zeit, die Anpassungszwänge erfordert, nehmen Fadenschriften immer mehr überhand. Sie sind geradezu ein Indikator für «Bildung» geworden, weil die Bewältigung des gebotenen Bildungsstoffes ohne die spezielle «Begabung» des Fadenschreibers alles zumindest im Vorüberstreifen und kursorisch zu erfassen, nicht mehr möglich ist. Von Festlegungszwängen losgelöst, entfaltet er eine Vielseitigkeit, die ihn schnell und leicht in äußere Sachverhalte eindringen läßt. Die intellektuelle Gewandtheit wird deshalb im Negativen zu intellektueller Rückgratlosigkeit. Die exzellente Einfühlungsgabe verzerrt sich zu einer inneren Haltlosigkeit, die etwas Charakterloses bekommt.

Verbundenheit – Unverbundenheit

Die Bindungsformen geben über die Art der Verbindungen Aufschluß. Der Verbundenheitsgrad stellt die Menge der verbundenen Buchstaben fest.

Wenn man davon ausgeht, daß alle Lebensvorgänge einer rhythmischen Gliederung unterworfen sind, so wird verständlich, daß sowohl übermäßige Verbundenheit als auch ihr Gegenteil eine lebensfremde Außergewöhnlichkeit darstellen. Die Koordination der Atem- mit der Schreibbewegung ergibt einen mittleren Verbundenheitsgrad von ungefähr 4–5 Buchstaben: gerade so viel, um ein kürzeres Wort in einem Zug zu schreiben oder um nach dem Einatmen wieder auszuatmen.

Große Verbundenheit kann mehrere Wörter zusammenfassen. Große Unverbundenheit zerstückelt die Schrift in einzelne Buchstaben und selbst die Buchstaben noch in Aufstrich und Grundstrich.

Als nicht störend für den verbindenden Zug wird die Unterbrechung zum Anbringen von Oberzeichen (i-Punkte, Umlautzeichen) und t-Strichen gewertet. Wenn Oberzeichen vor- oder rückläufig in den Schreibprozeß mit eingebunden werden, spricht das für eine Steigerung des Verbundenheitsgrads. Ausgenommen von dieser allgemeinen Beurteilung ist hier die Schrift in Druckbuchstaben, weil sie nicht durch individuelle Auflösung von Bindungen entstanden ist, sondern ein Deutlichkeitsbedürfnis widerspiegelt.

VERBUNDENHEIT

Ursachenspektrum

Der Schreibweg von links nach rechts symbolisiert das «Sichäußern». Je größer der Wunsch ist, aus sich herauszugehen und sich in ein System einzugliedern, um so leichter fällt es, diesen Weg ohne Hemmung und Unterbrechung, also verbunden zu beschreiten, denn dem Verbindungsweg zwischen den Buchstaben entspricht der Verbindungsweg vom Ich zum Du.

Voraussetzung für den Integrationswunsch ist die Fähigkeit zur Anpassung. Das individuelle Ich muß auf die Allgemeinheit zugeschnitten werden. Dadurch wird zwangsläufig die seelische Eigenständigkeit eingeschränkt und der egoistische Trieb reduziert, um den Ansprüchen der Allgemeinheit zu genügen. Im Denken sieht der Anpassungsprozeß so aus, daß Gegebenheiten erfaßt und in ein System gebracht werden. Deshalb verrät kontinuierliches Voranschreiten der Schrift vor allem den methodisch arbeitenden Intellekt.

Deutungsspektrum

Die am leichtesten abzuleitenden Eigenschaften der Verbundenheit sind Kontaktbereitschaft und die sich daraus ergebende Anpassungsfähigkeit. Die zügige Art, Elemente miteinander zu verbinden, läßt ferner auf praktisches systematisches Verarbeiten schließen. Zusammenhänge werden schnell begriffen und Aufgaben durch flottes Zupacken erledigt. Das setzt flinkes Denken voraus, das niemals stillhält, um die Methode und das System selbst zu prüfen. Die Assoziationskette verträgt keine Unterbrechungen.

Logisches Denken, wie es normalerweise aus der verbundenen Schrift abzuleiten ist, wird indessen nur solche Gedanken methodisch weiterverfolgen, die in ein anerkanntes System passen. Gesteigerte Verbundenheit signalisiert daher zwanghaftes Kombinieren und mögliche Unselbständigkeit des Urteils. Der übermäßige Bewegungsdrang im Denken wirkt sich auch in der Lebensweise unangenehm aus. Dann nämlich, wenn das «Ich» ohne Hemmung voller Aufdringlichkeit auf das «Du» übergreift. Dabei ist keine Rede mehr von Kontaktbereitschaft, sondern eher von Pseudoaltruismus als Folge von Rastlosigkeit.

UNVERBUNDENHEIT

Ursachenspektrum

Je geringer der Wunsch ist, aus sich herauszugehen, aktiv zu sein oder sich in ein System einzugliedern, um so lieber wird man versuchen, den Schreibweg von links nach rechts zu unterbrechen. Dem automatisch raschen Verbinden einzelner Schriftelemente steht hier eine geistige Einstellung gegenüber, die die Tatbestände erst prüft, bevor sie integriert werden.

Dazu kommt, daß der Einbruch neu zuströmender Gedanken das Bezugssystem immer wieder trennt. Der Individualist, dem es mehr um die Erhaltung seiner Eigenart geht, der lieber das Einmalige analysiert, als daß er es mit anderen Komponenten zur Synthese bringt, in Zusammenhänge einordnet, läßt dies auch in der Unverbundenheit seiner Schrift erkennen.

Deutungsspektrum

Dadurch, daß der Impuls, sich zu äußern, eine ständige Einschränkung erfährt, liegt vor allem Distanziertheit vor. Der unverbunden Schreibende ist nicht bereit, sich so zu verhalten, wie die Allgemeinheit es von ihm erwartet. Es kann einfach daher rühren, daß er aufgrund seiner Eigenständigkeit unübliche Wege einschlägt; die Unverbundenheit kann sich aber auch aus einer bewußten Ablehnung des ganzen Systems ergeben. Jedenfalls nimmt man sich die Freiheit heraus, die Konvention zu überschreiten.

DEUTUNGSTABELLE VERBUNDENHEIT

+	–
Logik	Mangel an geistiger Initiative
Folgerichtigkeit	Sturheit
Systematisches Denken	Haarspalterei
Kombinationsgabe	Einfallsmangel
Kontaktbereitschaft	Rastlosigkeit
Verbindlichkeit	Aufdringlichkeit
Anpassungsvermögen	Charakterlosigkeit
Praktische Veranlagung	Verwertungssucht
Neutralität	Unselbständigkeit des Urteils
Gleichmaß	Monotonie

DEUTUNGSTABELLE UNVERBUNDENHEIT

+	–
Einfallsreiches Denken	Mangel an Logik
Vielseitigkeit	Uneinheitlichkeit
Findigkeit	Sprunghaftigkeit
Intuition	Neigung zu Utopien
Beobachtungsgabe	Kritiklust
Eigenständigkeit	Anpassungsunfähigkeit
Distanziertheit	Geiz
Zivilcourage	Querulantentum
Pfadfindernatur	Unberechenbarkeit

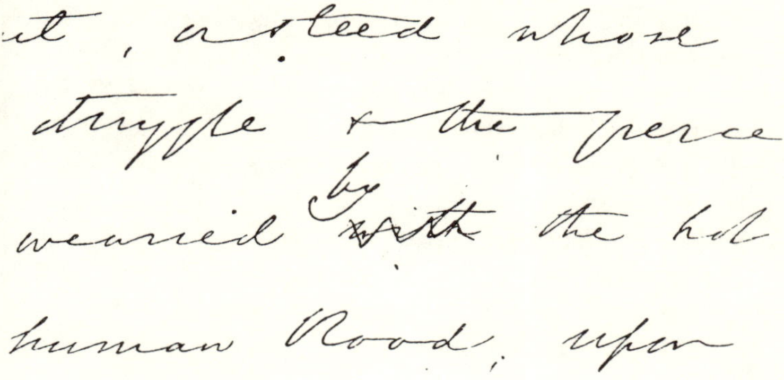

Benjamin Disraeli, geb. 21. 12. 1804 (Steinbock).
Der britische Staatsmann und Schriftsteller war geradezu ein Genie der Verbindlichkeit und des Ausgleichs. Er durfte sich sogar als persönlicher Freund der schwierigen Queen Victoria bezeichnen.

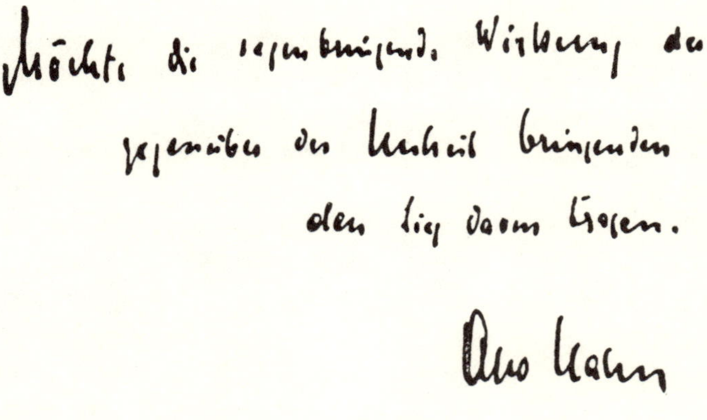

Otto Hahn, geb. 8. 3. 1879 (Fische).
Der Entdecker der Kernspaltung des Urans zeigt in seiner unverbundenen sachlichen Schrift viel Intuition und Mut zu unkonventionellem Denken – aber auch übertriebene Sparsamkeit.

Es liegt nahe, daß gerade dadurch Zusammenhänge anders als in der traditionellen Verkettung gesehen werden. Durch ausgesprochen «unlogische» Kombinationen kommt es zu Erfindungen und Entdeckungen, die den Systematikern dann wieder neue Denkanstöße geben. So sollte der unverbunden Schreibende mit geistigem Niveau vor allem unter dem Aspekt des einfallsreichen Denkers gesehen werden.

Die negative Seite ergibt sich aus dem Mangel an Logik, der sich in Inkonsequenz, Festhalten an Utopien und als Folge launischer Willkür und Sprunghaftigkeit in gestörter Anpassungsfähigkeit äußern kann.

Schnelligkeit – Langsamkeit

Wenn man eine Nachricht oder eine Beobachtung möglichst schnell notieren will, neigt man dazu, Buchstabenteile zu vereinfachen oder überhaupt den eigentlichen Schriftzug durch Wegverkürzungen abzuändern. Die Schrift gerät dadurch zügiger, schlanker. Man kann diese Erscheinung leicht selbst nachprüfen, indem man einmal langsam und einmal schnell einen Strich quer übers Papier zieht. Der erste wirkt schwankend, leicht zittrig, der zweite spontan und flüssig.

Auch Oberzeichen können bei schnellem Schreibtempo nicht mehr sorgfältig gesetzt werden. Die Eile verringert die Treffsicherheit, und was bei sorgfältiger Ausführung ein Punkt geworden wäre, wird ein flüchtiger Strich.

Im übrigen finden sich beim Kriterium Schnelligkeit fast alle Merkmale versammelt, die für unbewußte, unkontrollierte Schriftäußerung typisch sind, denn sobald eine Schrift kontrolliert oder sorgfältig «gemacht» wird, muß sich ihre Schreibgeschwindigkeit verringern. Das gilt besonders für eine mehr winklige als kurvige Schrift, weil ja das Tempo beim Richtungswechsel gebremst wird. Die kurvige oder fadenhafte Schrift ist meist ein Indiz für Schnelligkeit. Bei einer entschieden nach rechts drängenden Schrift sprechen für Eile auch die Merkmale Weite und Schrägheit.

Der Drang nach rechts, also nach vorn, macht verständlich, warum sich beim Schnellschreiber der linke Rand am Zeilenbeginn immer weiter nach rechts verschiebt. Schuld daran ist das heftige Mitteilungsbedürfnis und ungeduldiges Vorankommenwollen. Hier eine Zusammenstellung, welche Indizien für Eile, welche für Langsamkeit sprechen:

Merkmale der Schnelligkeit	*Merkmale der Langsamkeit*
Zügige, schlanke Strichführung	Unzügige, unschlanke Strichführung
Wachsende Rechtsschrägheit	Gleichbleibende Schriftlage
(Bei linksschräger Schrift wachsende Linksschrägheit)	
Vermehrte Rechtsläufigkeit	Vermehrte Linksläufigkeit
Mehr kurvige Schrift	Mehr winklige Schrift
Mehr Weite	Mehr Enge
Breiter werdender Linksrand	Gerader oder enger werdender Linksrand
Oberzeichen: genau und strichförmig	Oberzeichen: genau und punktförmig
Vereinfachung des Schreibwegs	Sorgfältiger, umständlicher Schreibweg

SCHNELLIGKEIT

Ursachenspektrum

Je dynamischer, spontaner, hastiger auf ein Ziel zugesteuert wird, um so stärker ist der Impuls nach rechts und um so eiliger das Tempo. Voraussetzung für schnelle Schrift ist das Vertrauen in die Richtigkeit der eigenen Handlungsweise und schnelles Denken. Ein strebendes Fortschreiten, ein nie ruhender Impuls – die Aktivität – bedingen raschere Bewegungen und konsequenterweise auch einen zügigeren graphischen Niederschlag. Die schnelle Schrift folgt damit einem Drang, Eindrücke schnell zu fixieren, um den Kopf nicht damit zu belasten, frei zu sein für neue Ziele und voll Selbstvertrauen auf das gesetzte Ziel loszugehen. Jede Infragestellung würde Hemmung bedeuten und den natürlichen Fluß der Schreibbewegung unterbrechen.

Deutungsspektrum

Der Gedanke an das Ziel und nicht an den eventuell schwierigen Weg dorthin oder an die Gefährdung des Ichs ermöglicht ungehemmte Beweglichkeit. Sie spricht für das, was man Unternehmungsgeist nennt, für selbstsicheres Handeln, das auch im Grunde schwer zu Bewältigendes durchführbar erscheinen läßt. Da es bei solchen Blitzüberlegungen manchmal an Besonnenheit fehlt, ist der Schritt zum Leichtsinn schnell getan und aus der temperamentvollen Schnelligkeit wird unüberlegte Hast, die mehr von Selbstflucht als von Selbstvertrauen zeugt.

Wie kein anderes Merkmal hat die Schnelligkeit bzw. Langsamkeit ihre besondere Bedeutung in der Kombination mit anderen Schrifteigenschaften. Wenn bei einer Steigerung der Geschwindigkeit die Selbstkontrolle schwindet und zum Tempo noch Druckschwäche, Schrägheit und Weite sowie allzu grobe Vernachlässigung bei der Durchformung von Buchstaben hinzukommen, ist der Schreiber Opfer seiner Ungeduld und Voreiligkeit geworden. Nervös und mit bequemer Oberflächlichkeit werden immer neue Reize gesucht, weil eine immer drängendere Veränderungssucht fortgesetzt nach neuen Zielen verlangt.

Sollte jedoch die Gestaltungsfähigkeit selbst bei durchgehaltenem Tempo nicht leiden, so verwirklicht sich ein souveränes Weltbild, bei dem Abstraktionsvermögen und Elan eine geglückte Symbiose eingehen mit konkretem Denken und Besonnenheit.

Langsamkeit
Ursachenspektrum

Bei der langsamen Schrift wird die fließende Äußerung eingeschränkt. Die Bewegung erfolgt nicht spontan, man kommt nicht weg von seinem Ich, man will sich nicht so leicht «entäußern». Deshalb werden die möglichen Umwege, die die formgerechte Ausbildung der Buchstaben anbietet, gern wahrgenommen. Die sorgfältige Anbringung von Oberzeichen und t-Strichen erlaubt ein Innehalten und Überprüfen des bereits «Geäußerten». Der langsame Strich führt nicht so schnell vom Ich weg, es bleibt noch Zeit zum Überlegen.

Das alles setzt einen lebhaften, aber durch Skepsis gebremsten Äußerungswunsch voraus. Liegt dieser nicht vor, so reicht die Skala der Deutungen von beschaulicher, meditativer Einstellung über Gleichgültigkeit bis hin zur Trägheit und Müdigkeit – alles direkte Anzeichen des Unspontanen. Deshalb hat Langsamkeit auch leicht eine Tendenz zur Geziertheit und Verstellung. Das Schreiben wird an seinem zwanglosen Fluß gehindert, die Schrift nach einem bestimmten Konzept geformt. Langsame Schreibweise ist geradezu die Grundvoraussetzung zur Verstellung einer Handschrift, weil das Nicht-Eingeübte, Unroutinierte eben seine Zeit – und Sorgfalt – braucht.

Ein anderer Grund für Langsamkeit ist die sogenannte «schwere Hand» des Schreibungeübten, der die feineren Schrift-

DEUTUNGSTABELLE SCHNELLIGKEIT

+	–
Aktivität	Unruhe
Extravertiertheit	Ablenkbarkeit
Spontaneität	Überstürztheit
Äußerungsleichtigkeit	Oberflächlichkeit
Beweglichkeit	Ungeduld
Reibungslosigkeit	Neutralität
Zwanglosigkeit	Unbedenklichkeit
Schwung	Getriebenheit
Gewandtheit	Labilität
Vielfältigkeit	Zersplitterung
Abstraktionsgabe	Gedankenflucht
Routiniertes Denken	Tatsachenblindheit
Lebendigkeit	Veränderungssucht

DEUTUNGSTABELLE LANGSAMKEIT

+	–
Ruhe	Passivität
Besonnenheit	Mangel an Flexibilität
Unablenkbarkeit	Sturheit, Interesselosigkeit
Gründlichkeit, Genauigkeit	Pedanterie
Stabilität	Mangel an Initiative
Gelassenheit	Lahmheit
Sammlung	Phlegma
Konkretes Denken	Ungewandtheit
Gleichmut	Trägheit, Unentschiedenheit
Interesse am Detail	Übersichtsmangel
Ethik	Verbohrtheit
Kontrolle	Gemachtheit
Vorsicht	Berechnung

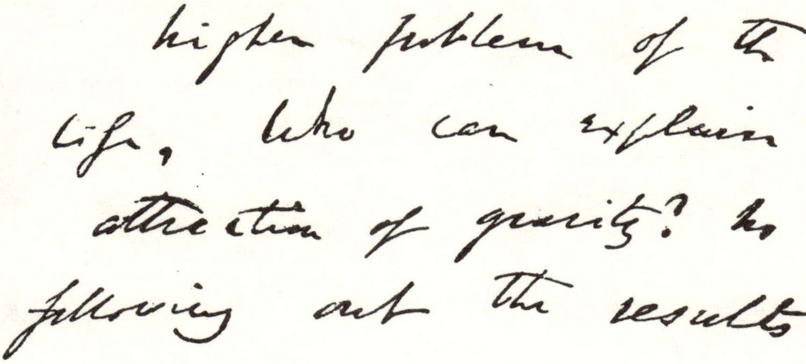
higher problem of the
life, who can explain
attraction of gravity? no
following out the results

Charles Darwin, geb. 12. 2. 1809 (Wassermann).
Größte Leichtigkeit in der Äußerung. So schnell schreibt der rigorose Denker und von seinem Leistungswillen gehetzte Wissenschaftler, der nicht bereit ist, seine Thesen in Frage zu stellen.

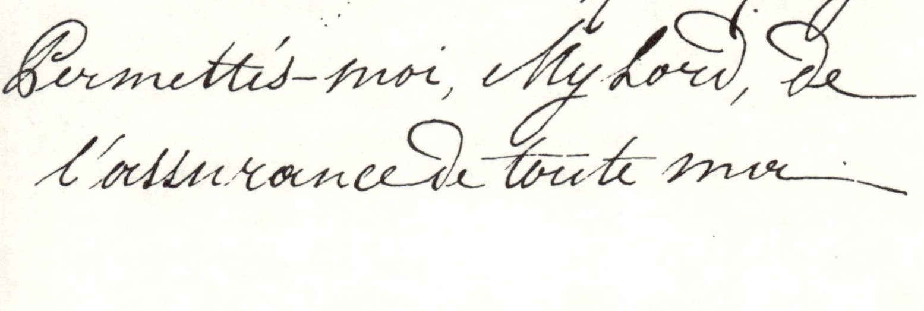
c'est doublement, puisque je
Permettés-moi, My Lord, de
l'assurance de toute ma

König Louis Philippe von Frankreich, geb. 6. 10. 1773 (Waage).
Die Bedächtigkeit und bewußte Gemessenheit der Schrift spiegelt das Bemühen des «Bürgerkönigs», eine «konservative Demokratie» zu etablieren bzw. sich auf bequeme Weise mit allen gutzustellen.

differenzierungen bedachtsam zu Papier bringen muß. Dieser Tatbestand einer Schreibungewandtheit infolge mangelnder Übung muß als solcher erkannt und entsprechend gedeutet werden. Er kommt beim Kind vor und bei Erwachsenen, die durch Mangel an Gelegenheit aus der Schreibübung gekommen sind.

Deutungsspektrum

Die vorandrängende Bewegung auf ein Ziel hin wird durch Bedenken gehemmt. Das kann dem Wunsch nach Eindringlichkeit entspringen, aber auch der Vorsicht oder Furcht vor zu rascher Mitteilung. Man kennt seine Qualitäten, nämlich Besonnenheit, Beständigkeit und Ausdauer, und will sie nicht durch unkluge Verausgabung gefährden.

Vorherrschend bei Gründlichkeit, Ausdauer und Vorsicht ist der Wille zur Sammlung, das kontrollierende Moment vor jeder Verausgabung. Nimmt dieses Moment überhand, nehmen auch die Hemmungen überhand. Man neigt zu Ausflüchten bis hin zur Unaufrichtigkeit, andererseits infolge übertrieben starker Vorbehalte zu Unentschlossenheit und Ängstlichkeit. Die Impulse und der Tätigkeitsdrang erlahmen.

Wenn es an spontanem Äußerungsbedürfnis überhaupt fehlt, so handelt es sich um einen Menschen mit der Gefühlsbeschaffenheit eines Phlegmatikers. Er nimmt das Leben voll Gleichmut und Gelassenheit, er muß sich nicht erst zur Ruhe sammeln, denn sie gehört zu seiner Gesamtkonstitution. Auch hierbei führt ein Zuviel ins Negative. Der Gleichmütige läßt sich nur wenig beeindrucken von den Hochs und Tiefs des Lebens. Wer sogar die Anteilnahme so gut wie ausgeschaltet hat, lebt nur noch teilnahmslos.

Vereinfachung – Bereicherung

Die Beurteilung, ob eine Schrift bereichert oder vereinfacht ist, hängt von der jeweiligen Schulvorlage ab, denn die Grundgestalt der Schrift wird je nach Nationalität abgewandelt. Die Amerikaner lehren beispielsweise Großbuchstaben, die wir als bereichert empfinden, die Engländer dagegen magern sie förmlich aus.

Nimmt man die Schulvorlage als Status quo, so sprechen alle zusätzlichen graphischen Elemente, ob gerade, gewinkelt oder kurvig, für Bereicherung, bei starker und geschmackloser Zunahme für Verschnörkelung. Zur anderen Seite hin sind alle abkürzenden Maßnahmen, die die Lesbarkeit einer Schrift nicht behindern, ein Indiz für Vereinfachung. Falls jedoch Buchstabenteile oder ganze Buchstaben dem Vereinfachungstrieb zum Opfer fallen und die Deutlichkeit dabei beeinträchtigt wird, handelt es sich eher um Vernachlässigung.

Vereinfachung und Bereicherung sind also nicht als Übertreibung anzusehen; sie entspringen primär Gestaltungstendenzen, die nicht allein ästhetischen Charakter haben. Die persönliche Umgestaltung geschieht nicht willkürlich, sondern entspricht den Verhaltensgrundlagen.

VEREINFACHUNG
Ursachenspektrum

Wer Buchstaben, Buchstabenteile oder Schriftzüge vereinfacht, drängt zur Grundform. Damit äußert sich ein Formgefühl, dessen Gestaltungstendenz darin liegt, sich auf das Wesentliche zu beschränken und Inhalte überschaubar zu machen.

Der sachliche, abgekürzte Weg bedingt eine sichere Zielvorstellung, die weiß, was wichtig ist und was nicht. Dieses Wissen geht Hand in Hand mit der Fähigkeit zur Abstraktion.

Die Entscheidung allerdings, was entbehrlich ist und was

nicht, kann kritisch werden. Die Rückführung auf die Grundstruktur fördert zwar die Prägnanz des Ausdrucks, wenn aber die knappe Form zum Selbstzweck wird, verkümmert die Erlebnisfähigkeit. So reicht der Motivationsradius vom Sinn für das Zweckmäßige bis zum reinen Profitdenken.

Das Gegenteil dessen, was Vereinfachung erreichen will, nämlich die Klarheit der Grundstruktur herauszuarbeiten, entsteht bei der Vernachlässigung. Entweder nehmen die Vereinfachungen überhand, so daß die Grundstruktur nicht mehr ersichtlich ist, weil auch der Schreiber die Übersicht verloren hat, oder weil eine gewisse Undeutlichkeit geradezu angestrebt wird. Jemand, der sich nicht festlegen will, wird versuchen, vieldeutig zu bleiben, auch im schriftlichen Ausdruck.

Deutungsspektrum

In der Vereinfachung durch Rationalisierung des Schriftzuges wie in dem vorangegangenen gedanklichen Akt äußert sich eine Vorherrschaft des Intellekts aufgrund von Sachlichkeit und Abstraktionsgabe. Es gibt aber auch eine praktische Klugheit, die schlicht und einfach dem ungezügelten Leben die notwendige Begrenzung gibt, die überschaubar machen will und die Dinge deshalb in wichtig und unwichtig teilt. Die dafür erforderliche Kontrolle der eigenen Impulse erfordert ein recht hohes Maß an Selbstdisziplin. Vereinfachung ist eine unmittelbare Äußerung des Formgefühls, so daß an der Schönheit oder Häßlichkeit der Schriftzüge der individuelle Grad der Ästhetik ablesbar wird. Mangel an Ästhetik wird sich in gewaltsamer Stilisierung manifestieren, bei aller intellektueller Ausrichtung bleibt der Formensinn auf der Strecke. Mäßigung und Ökonomie pervertieren zu Puritanismus und Geiz.

Die falsch verwendete Vereinfachung, die als Vernachlässigung in Erscheinung tritt, kann zweierlei Bedeutungen haben: Die erste liegt klar auf der Hand, die zweite ist nur aus der Synthese mit anderen Merkmalen zu erschließen. Wer Buchstaben aus spontaner Eile oder Flüchtigkeit und Gleichgültigkeit wegläßt oder ungenau schreibt, tendiert natürlich zu Ungenauigkeit und riskantem Schnelldenken. Je unleserlicher die Schrift durch solche Ungenauigkeit wird, desto sicherer kann man annehmen, daß Faulheit dahintersteckt. Man läßt die Arbeit – hier des Entzifferns – gern von anderen besorgen.

Anders sieht es aus, wenn sich der Schreiber durch Undeutlichkeiten tarnt. Eine solche Tendenz zu Täuschungsmanövern läßt sich allerdings nur aus der Kombination mit anderen Unaufrichtigkeitsmerkmalen (z. B. Deckzüge) erschließen.

BEREICHERUNG

Ursachenspektrum

Für eine schriftliche Mitteilung genügen die Buchstabenformen der jeweiligen Schulvorlagen. Sobald diese durch Bereicherungen verändert werden, bedeutet das graphische Mehrarbeit. Graphische Einsparungen kamen durch Vereinfachung zustande, indem auf mehr intellektuelle Art das Unwesentliche entfernt wurde. Die graphische Mehrarbeit entspringt einem lebendigen Gestaltungstrieb, der gerade durch Schaffung zusätzlicher Formen das Individuelle hervorkehren will.

Bei der stilisierten Vereinfachung geht es um die ästhetische Form der Zweckmäßigkeit. Die stilisierte Bereicherung ist subjektiv, sie schafft Zusätzliches, geht also über das objektiv Notwendige hinaus. Zugrunde liegt hier eine Freude am Leben und an seiner Vielfalt, ein ausgeprägter Sinn für Formen und Raumharmonie. Inwieweit Sinn und Form echt und empfunden sind, hängt davon ab, ob die Bereicherungen als kultiviert anzusehen sind. Bei reiner Dekorationstendenz oder Betonung von Nebensächlichkeiten ist der Sprung von Bereicherung zu Verschnörkelung schnell getan und auch schnell ersichtlich.

DEUTUNGSTABELLE VEREINFACHUNG

+	–
Zweckmäßigkeitssinn	Mangel an Formgefühl
Schlichtheit	Mangel an Schönheitssinn
Sinn für das Wesentliche	Trockenheit
Mäßigung	Puritanismus
Sachlichkeit	Nüchternheit
Urteilsbestimmtheit	Härte
Unauffälligkeit	Gleichgültigkeit
Einfachheit	Unverbindlichkeit
Sinn für Maß	Utilitarismus
Rationalisierung	Kälte
Abstraktion	Kahlheit

DEUTUNGSTABELLE BEREICHERUNG

+	–
Formgefühl	Übertreibung
Produktiver Schönheitssinn	Protz
Sinn für Repräsentation	Wichtigtuerei
Begabung zum Arrangement	Dekorationstendenz
Darstellungsvermögen	Verstiegenheit
Prunkliebe	Größenwahn
Sinn für Kultur	Sinn für Luxus
Verschönerungstendenz	Überschätzung des Nebensächlichen, Umständlichkeit

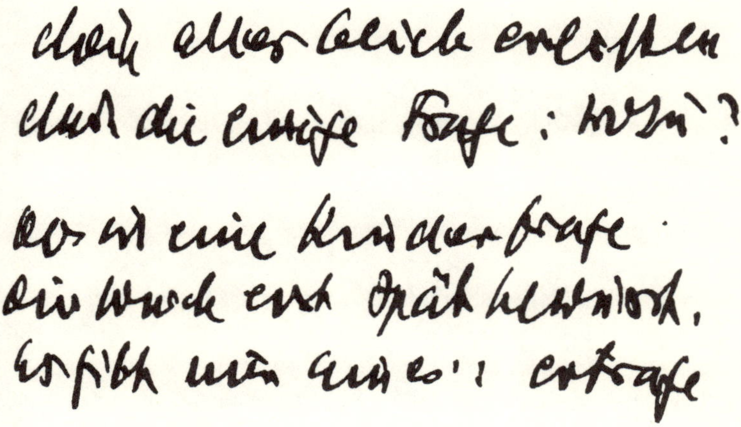
doch alles blieb erlitten
durch die ewige Frage: wozu?
Das ist eine Kinderfrage.
Dir wurde erst spät bewusst,
es gibt nur eines: ertrage

Gottfried Benn, geb. 2. 5. 1886 (Stier).
Die Schrift ist aufs Wesentlichste konzentriert, was Benns hartem Substantivstil entspricht. Er vereinfacht die Formen, um größere Nähe zu den Dingen zu erreichen und damit größere Unmittelbarkeit ihrer Aussage.

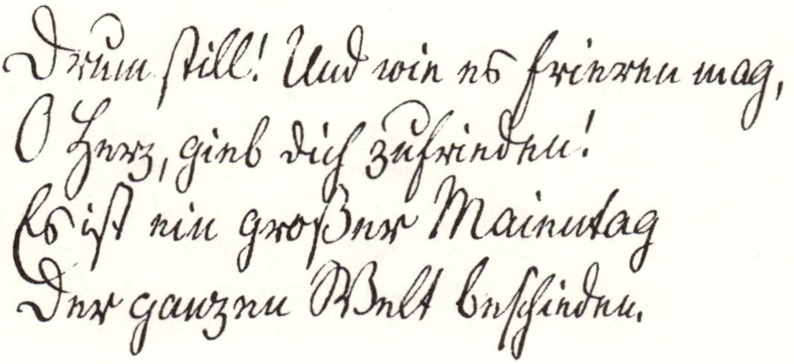
Drum still! Und wie es frieren mag,
O Herz, gieb dich zufrieden!
Es ist ein großer Maientag
Der ganzen Welt beschieden.

Emanuel Geibel, geb. 17. 10. 1815 (Waage).
Geibels Lyrik gilt als formal virtuos. Seine Schrift zeigt unverkennbar starke Begabung zum Arrangement, allerdings mit einer ebenso deutlichen Tendenz zur ästhetisierenden Dekoration.

Deutungsspektrum

Weil sich vor allem der Gestaltungstrieb in ihnen äußert, sind Bereicherungen ein wichtiges Indiz für Darstellungsvermögen, Schönheits- und Formensinn. Sie verraten Lust an dekorativer Ausschmückung und eine Begabung zum Arrangieren. Dafür werden graphisch gesehen Umwege und «unnütze» Mehrarbeit in Kauf genommen. Neben geistreicher Vielseitigkeit übersteigen auch andere menschliche Äußerungen das normale Maß, besondere Höflichkeit und Zuvorkommenheit, Vorliebe für Repräsentation und Verlaß auf gute Umgangsformen.

Indiz für die Echtheit oder Unechtheit der Äußerungen ist wieder – wie bei der Vereinfachung – ihr Gelingen. Ob ein gutes Darstellungsvermögen oder wirkliche Begabung für ästhetische Arrangements vorliegt, hängt von der Schriftqualität ab. Fallen die Bereicherungen häßlich, unharmonisch und gekünstelt aus, so deuten sie naheliegenderweise auf Mangel an gutem Geschmack. Der Schreiber will über sich hinaus, will sich bedeutend machen und interessant wirken, ohne daß der Hintergrund dafür vorhanden ist. Die Bereicherung dient nicht mehr der Darstellung eines Inhalts, sondern führt ein Eigenleben, das die ursprüngliche Schriftstruktur überwuchert. Das läßt auf die Überschätzung von Nebensächlichkeiten schließen und als Folge davon auf Weitschweifigkeit und Unsachlichkeit.

Eine absolut unechte Bereicherung ist die Verschnörkelung, weshalb es für sie auch nur negative Deutungen gibt. Personen, die sich gern «aufspielen», die sich aufblasen und wichtig tun, greifen zu diesem Ausdruck subjektivster Formübertreibung. Unsachlichkeit und die Sucht, um jeden Preis originell wirken zu wollen, führen zu Unnatürlichkeit, Geziertheit. Meist stehen Erfindungs- und Gedankenarmut dahinter und die Sucht, um jeden Preis «originell» sein zu wollen. Natürlich läßt sich auch Lügenhaftigkeit ableiten, weil mehr vorgemacht wird, als vorhanden ist. Das ganze Register an Unaufrichtigkeiten, das sich aus dem Bedürfnis, gefallen zu wollen, erklären läßt, kann hierfür angeführt werden.

Völle – Magerkeit

Neben der Bereicherung und Vereinfachung besteht eine andere Möglichkeit, die Schulvorlage abzuwandeln, darin, sie voller oder magerer zu gestalten. Eine Schrift gilt als voll, wenn größere Flächen umschrieben sind, als die Vorlage es vorsieht; wenn man die graphische Umrißlinie dazu benutzt, mehr Inhalt einzufangen. Demgegenüber gilt eine Schrift als mager, je weniger flächig, je linearer sie ausfällt.

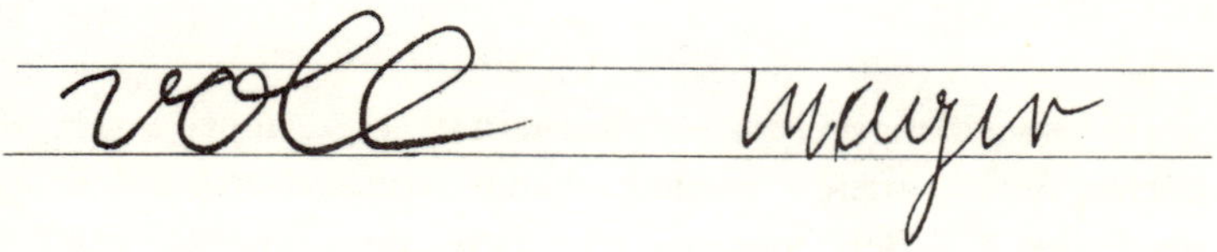

Bei der Völle fügt man demnach – und das unterscheidet sie von der Bereicherung – weniger graphische Elemente hinzu, sondern hauptsächlich Fläche; bei der Magerkeit wird kein graphisches Element weggelassen – wie bei der Vereinfachung –, sondern Fläche eingespart. Es ist logisch, daß bei der Völle in der Hauptsache alle Bogenformen betont sind: Schleifen, Girlanden und Arkaden, alles, was im Gegensatz zu geraden Strichen und Winkeln mehr Rauminhalt schafft. Darunter fällt dann auch Linksläufigkeit, die ja jede Schleifenbildung begünstigt sowie jede Erweiterung der Schrift, die durch ihre Auflockerung zu flächigeren Formbildungen beiträgt.

Bei der Magerkeit geht die Tendenz dagegen mehr zum Winkel, zum Faden und zur Geraden, vor allem in der Mittelzone. Ober- und Unterlängen können wohl durch eckige Schleifenbildungen theoretisch mehr Fläche einfangen, trotzdem vermitteln diese Ausbildungen nicht den Eindruck der Völle. Schnelligkeit, Rechtsläufigkeit und Enge sind Schriftmerkmale, die bewegungstechnisch wie auch bedeutungsmäßig einem Flächengewinn entgegenstehen.

Zur Abgrenzung der Völle von der Bereicherung bzw. der Magerkeit von der Vereinfachung sei gesagt, daß Bereicherung und Vereinfachung Ausdruck des Gestaltungstriebes sind. Völle und Magerkeit sind ganz anders motiviert. Hier werden Flächen eingeschränkt oder erweitert als Ausdruck einer bestimmten Lebenseinstellung.

VÖLLE
Ursachenspektrum

Das mit dem ersten Schuljahr beginnende Schreiben bedeutet einen großen intellektuellen Einschnitt: anschauliche Gegenstände, Bilder werden abstrahiert und durch genormte Zeichen ausgedrückt. Weil Kinder dem bildlichen Vorstellungsvermögen und dem konkreten Denken noch besonders verhaftet sind, geraten die Gebärden des Schreibens so ausladend wie möglich. Die Empfänglichkeit für das Ganze und Runde einer Sache spiegelt sich darin. Kinderschriften sind deshalb normalerweise voll, besonders in der Mittelzone. Denn Kinder haben noch nicht gelernt, ihr Ich auf das Bewußtsein der Allgemeinheit abzustimmen. Sie kehren noch wie selbstverständlich einen naiven Ich-Anspruch hervor.

Völle der Schrift müßte darum eigentlich stets der Ausgangspunkt sein für die späteren abstrahierenden Maßnahmen. Selbst der von Anfang an «mager» Angelegte muß in seiner Kindheit ein Stadium der Völle durchlaufen, um einen Fundus zu haben, den er später «ausmagern» kann. Darum stellt Völle in erster Linie einen Wertbesitz dar, einen Reichtum, der kaum erworben werden kann und bei dessen Fehlen trotzdem auf früheres Vorhandensein geschlossen werden darf.

Deutungsspektrum

Völle ist der Ursprung und die Quelle, die Empfindung an sich. In der Völle zeigt sich das Potential an beseeltem Erleben. Völle ist deshalb, genauso wie Fülle, zunächst etwas Ungeformtes, sie ist der ungestaltete Urstoff der Seele. Die daraus abzuleitenden Deutungen liegen auf der Hand. Neben der seelischen Fülle sind es Gemütsreichtum und Warmherzigkeit. Der noch unabstrahierte Vorrat bildhaften Sehens verleiht anschauliches, konkretes Denk- und Vorstellungsvermögen, das allerdings oft am Anschaulichen haften bleibt und durch seine emotionale Komponente die Gefahr der Unsachlichkeit in sich birgt.

Absolute Völle signalisiert Unverbrauchtheit und all das, was man unter Ursprünglichkeit und Urwüchsigkeit versteht. Diese Art unreflektierten, selbstverständlichen Sichbehauptens artet allerdings leicht zu übersteigerter Ich-Betonung aus. Die eigene Wichtigkeit tritt zu sehr in den Vordergrund und erinnert an den noch legitimen Ich-Anspruch des Kindes. Aber gerade dieser Mangel an Anpassung und kritischer Beurteilung läßt den seelischen Vorrat unangetastet und fördert die absichtslose bildliche Kreativität, also die Entwicklung von Phantasie.

MAGERKEIT

Ursachenspektrum

Normalerweise herrscht dort, wo von der Anschaulichkeit des Lebens wenig Notiz genommen wird, eine Vorliebe für begriffliches Denken. Der Begriff hat keine Ausdehnung, keine Fläche, er ist die Abstraktion eines Bildes. Seine Ausdrucksform muß deshalb mehr zum Linearen neigen. Die Struktur wird der Ausschmückung vorgezogen, das Knochengerüst dem Fleisch. Individualität wird auf die Maßstäbe der Allgemeinheit zugeschnitten. Das Beschneiden und die Reglementierung sind wichtig, weil es eine Norm einzuhalten gilt, die keine Abweichung zuläßt.

DEUTUNGSTABELLE VÖLLE

+	–
Seelische Fülle	Verstandesschwäche
Phantasie	Phantastik
Anschauliches Denken	Mangel an Abstraktionsfähigkeit
Mütterlichkeit	Sentimentalität
Gefühlsreichtum	Unsachlichkeit
Gefühlsansprechbarkeit	Kritiklosigkeit
Kreativität	Ideenüberflutung
Eindrucksfähigkeit	Launenhaftigkeit
Sinnenhaftigkeit	Getriebenheit
Selbstverständlicher Ich-Anspruch	Ich-Betonung, Großspurigkeit

DEUTUNGSTABELLE MAGERKEIT

+	–
Verstandesvorherrschaft	Seelische Trockenheit
Logik	Phantasielosigkeit
Systematisches Denken	Mangel an Anschauungsvermögen
Kritisches Denken	Ironie, Spottlust
Theoretisches Denken	«Gedankenblässe»
Scharfsinn	Instinktarmut
Sachlichkeit	Dürre
Disziplin	Härte
Einordnungsvermögen	Reduzierte Individualität
Ernst	Gefühlsscheu
Korrektheit	Schematisierung
Selbstkritik	Mangel an Selbstbewußtsein

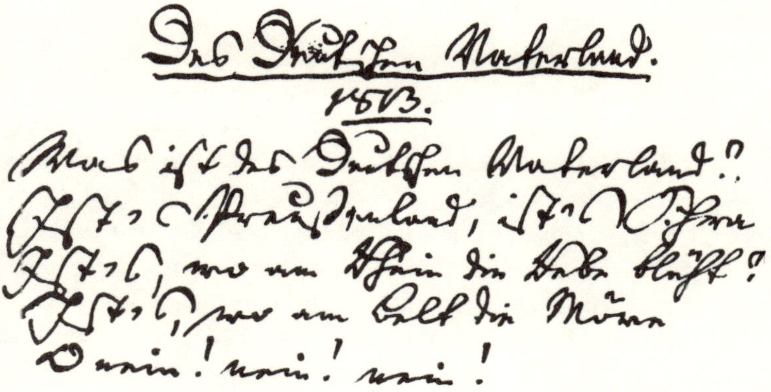

Ernst Moritz Arndt, geb. 26. 12. 1769 (Steinbock).
Die große Gefühlsansprechbarkeit dieser «geschwollenen» Schrift spiegelt entschieden patriotische Gesinnung. Der Schreiber neigte zu übertriebenen Emotionen und allzu hochgeschraubten Ansprüchen.

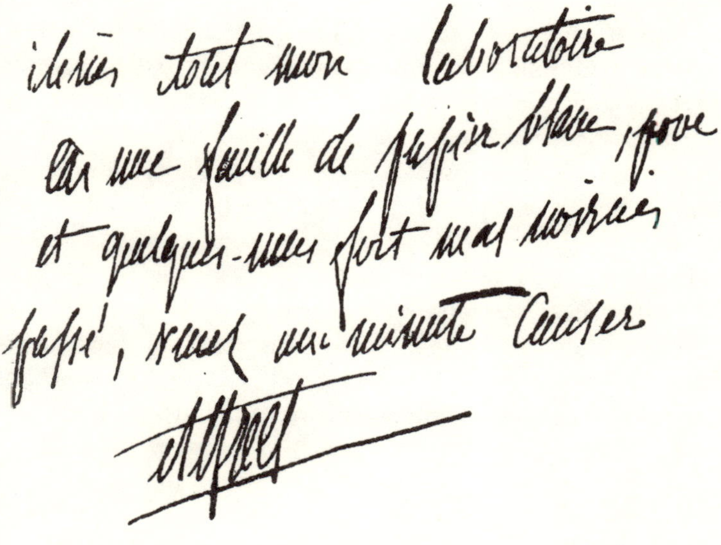

Alfred de Musset, geb. 11. 12. 1810 (Schütze).
Die harte, magere Schrift, die mit dem «Romantiker» Musset unvereinbar scheint, enthüllt seine Kritiklust, seinen Sarkasmus – Eigenschaften, die er in seinem Werk wie in seinem Privatleben spüren ließ.

Deutungsspektrum

Wie der Name schon sagt, wird etwas Volles ausgemagert. Dazu bedarf es vor allem der Abstraktionsfähigkeit des Verstands. Der Intellekt reduziert die Bilder auf ihren Kern. Das setzt eine vorherrschende Verstandestätigkeit und den Einsatz von Logik voraus. Sachlichkeit gehört ebenfalls dazu und die Fähigkeit, seine Gefühle zugunsten objektiver Beurteilung einer Situation zurückzudrängen. Das kann natürlich zu seelischer Austrocknung führen, zumindest den Eindruck von Gemütsarmut erwecken. Die für unsere Zeit so typische Erscheinung immer größerer Intellektualisierung mit der Kehrseite geringer Erlebnistiefe und Phantasielosigkeit aus Gedankenblässe sind eine Variante dieser Ausrichtung. Die von Kindheit an gesteuerte Anpassung an unser nüchtern-intellektuelles Weltbild läßt Gefühlsreichtum erst gar nicht aufkommen und verursacht heute bereits ausgemagerte Jugendschriften. Magerkeit muß aber nicht unbedingt intellektuell bedingt sein. Die Anerkennung eines Ordnungsprinzips, in dem sich Individuelles aufhebt, führt dazu, sich in jeder Weise, auch formenmäßig, zu disziplinieren. Ausladende, raumbeanspruchende Gebärden sind dabei nicht möglich. Die Reduktion erfolgt aus einem Einordnungswunsch, der, zu weit getrieben, in bloßer Schematisierung enden kann.

Es wird verständlich, daß, wenn mit der Völle die Lebensfülle erfaßt ist, hinter absoluter Magerkeit ein lebensfeindliches Prinzip stecken muß; zum Beispiel Fanatismus, der ja darauf beruht, daß an die Stelle des natürlichen Lebenswertes ein abstraktes Konzept, eine hohle Wahnidee gesetzt wurde.

Teigigkeit – Schärfe

Dieses wichtige Beurteilungsmerkmal läßt sich durch den Siegeszug des Kugelschreibers immer seltener zur Diagnose heranziehen. Es handelt sich um den Strich der Schrift, der bei Benutzung eines Federhalters klar in Aufstrich und Abstrich gegliedert werden kann, sofern es sich um eine scharfe Schrift handelt. Dafür ist es notwendig, daß man das Schreibwerkzeug tief unten faßt und die Feder steil hält.

Bei Langfassung des Federhalters gerät der Winkel von der Feder zum Papier spitzer, die Kontrolle über die einzelnen Buchstabenformen wird geringer, und es entsteht die sogenannte teigige oder pastose Schriftführung. Das plastische Hell-Dunkel, der Haarstrich-Schattenstrich-Wechsel, fällt dabei weg, und die Schrift wird gleichmäßig dick.

Unter Umständen verschmieren die Rundungen und Ecken, weil durch die flache Federhaltung keine genaue Differenzierung der Details mehr möglich ist. Ein Kugelschreiber funktioniert in dieser Haltung gar nicht mehr, und Verschmierungen ergeben sich bei ihm durch andere Einflüsse, etwa Hitze, Höhenunterschiede. Deshalb kann bei Kugelschreiberschrift dieses Merkmal nicht zur Beurteilung herangezogen werden.

In ähnlichem Zusammenhang wie Völle und Magerkeit stehen Teigigkeit und Schärfe. Ausgangspunkt einer jeden Strichführung ist die Teigigkeit, so wie der eigentliche Ausgangspunkt einer jeden Schrift die Völle sein sollte. Die danach einsetzende Gliederung in Aufstrich und Abstrich entspricht der Abstrahierung von der vollen zur mageren Schrift.

Die Schärfe mit ihrer Unterscheidung zwischen Auf- und Abstrich beweist den vollzogenen Schritt zur Differenzierung. Der Strich als solcher mit seinem gleichmäßig satten Ton genügt dem Schreiber nicht; er wird klar gegliedert, in seine funktionellen Bestandteile zerlegt und in Hell und Dunkel unterschieden.

Teigigkeit

Ursachenspektrum

Wer Schrift als graphisches Kunstwerk mit sinnlichem Charakter auffaßt, wird abgeneigt sein, sie intellektuell als Konstruktion aus Auf- und Abstrichen aufzufassen. Deshalb geben die Chinesen als große Schriftkünstler, die den Pinsel als Schreib- wie als Malwerkzeug benutzen, ihrer Schrift durchweg einen teigig-pastosen Charakter. Sie wirkt farbig, warm und satt und erlaubt, selbst einzelne Buchstaben auf einem einzelnen Blatt als Kunstwerk zu betrachten. Sie nehmen lieber in Kauf, Hunderte von bildhaften Schriftzeichen zu lernen, als das sinnliche, schwierige Anschauungsmaterial zugunsten einer vereinfachten Schulvorlage aufzugeben, die – wie bei uns – Bilder in abstrakte Chiffren umgewandelt hat.

So wird auch derjenige, der den lebendigen Prozeß einer intellektuellen Umsetzung vorzieht, der sich auf das Konkrete einstellt und das Wesen einer Sache eher in ihrem sinnlichen Eindruck als in ihrem Begriff erlebt, teigig schreiben.

Deutungsspektrum

Teigigkeit bedeutet in erster Linie ein Vorherrschen der Sinnenhaftigkeit. Die Reaktion auf äußere oder innere Reize erfolgt direkt; das bedeutet instinktiv, nicht über den Intellekt. Das Erleben spielt eine größere Rolle als das Erkennen. Die Augenmenschen mit ihrer Anschauungsfreude, mit ihrem Farben- und Tastsinn sind angesprochen. Teigigkeit zeigt die vitale Fülle des mit den Sinnen lebenden, aber nicht unbedingt sinnlichen Menschen. Natürlich ist die Frage der Kontrolle hier besonders akut. Hinreißbarkeit und Verführbarkeit sind auf dieser Ebene leichter möglich als auf einer vom Intellekt gesteuerten. Die Genußfähigkeit kann in Genußsucht ausarten und die Anschauungsfreude am Materiellen haften bleiben. Das Überwiegen von Augenblickseindrücken macht es nahezu unmöglich, zu einem verbindlichen Konzept zu gelangen. Man leistet keinen Widerstand gegen Launen, man läßt sich gehen.

Ähnlich wie bei dem Kriterium Völle steht hier dem Vorteil animalischer Wärme und beneidenswerter Selbstsicherheit der Nachteil naiver Ansprüchlichkeit gegenüber. Es fehlt die Fähigkeit zur kritischen Reflexion, und es mangelt an Feinfühligkeit. Zwischen den Extremen «derb» auf der einen und «blaß» auf der anderen Seite gibt es eine Fülle von Kombinationen natürlicher Sinnlichkeit und übersteigerter Triebhaftigkeit, schlichter Lebensfreude und krasser Ungeistigkeit.

SCHÄRFE

Ursachenspektrum

Eine scharfe Schrift ist eine bearbeitete Form der teigigen Strichführung. Die Funktionalität, der Auf- und der Abstrich, das Grundgerüst und die Struktur werden herausgearbeitet. Der Schreiber will nichts dem Zufall überlassen, er will jeden Buchstaben voll kontrollieren, «in der Hand haben», und faßt darum das Schreibwerkzeug so tief wie möglich an. Dahinter steht ein geistiges Konzept, systematisches Denkvermögen, das die gebundene Assoziation in jedem Fall der freien vorzieht. Das Leben wird begrifflich vorausgelebt. Abweichungen vom Vorstellungsmuster sollen möglichst ausgeschaltet werden. Nichts wird dem Zufall überlassen. Zur Aufrechterhaltung der geistigen Ordnung und zur Auseinandersetzung mit ihren Gegnern ist man jederzeit bereit. Das verlangt permanente Wachheit, die sich in der stets kontrollierten scharfen Linienführung der Schrift äußert.

Deutungsspektrum

Schärfe bedeutet in erster Linie Scharfeinstellung. Alle verschwommenen Umrisse werden konzentriert und präzisiert.

DEUTUNGSTABELLE TEIGIGKEIT

+	–
Breite des Erlebens	Verschwommenheit
Vitale Fülle	Ungeistigkeit
Sinnlichkeit	Triebhaftigkeit
Anschauungsfreude	Materialismus
Ursprünglichkeit	Derbheit
Instinkt	Mangel an Taktik
Genußfähigkeit	Genußsucht
Ungezwungenheit	Haltlosigkeit
Naive Ansprüchlichkeit	Dickfelligkeit
Am Puls des Lebens	Mangel an Disziplin
Augenblickseindrücken unterworfen	Verführbarkeit

DEUTUNGSTABELLE SCHÄRFE

+	–
Schärfe des Erkennens	Schroffheit
Geistigkeit	Mangel an Anschauungskraft
Beherrschtheit	Genußunfähigkeit
Gutes Unterscheidungsvermögen	Kritikneigung
Intellekt	Begrifflichkeit
Haltung	Gezwungenheit
Selbstdisziplin	Asketik
Taktik	Gefühlskälte, Instinktlosigkeit
Ethische Einstellung	Fanatismus
Moralempfinden	Prüderie
Vergeistigung	Triebschwäche
Feinfühligkeit	Empfindlichkeit
Sensibilität	Irritierbarkeit

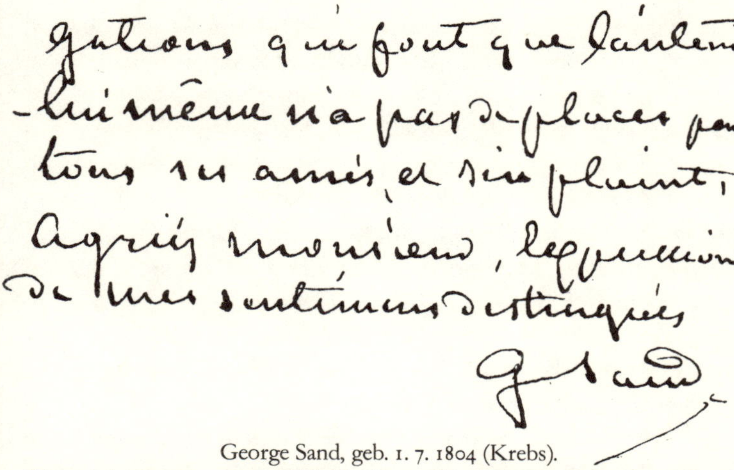
gations qui font que l'auteur
-lui même n'a pas de places pour
tous ses amis, et s'en plaint,
Agréez monsieur, l'expression
de mes sentiments distingués
G Sand

George Sand, geb. 1. 7. 1804 (Krebs).

Eine teigige, ungezwungene Schrift, die anzeigt, daß George Sand weniger die intellektuelle Emanzipierte war, für die man sie so oft ausgegeben hat, als eine erlebnishungrige, sinnliche Frau.

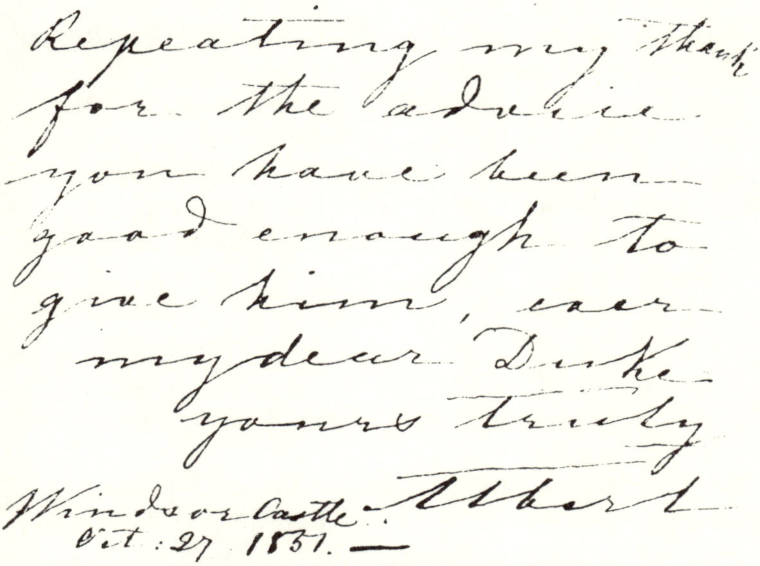
Repeating my thanks
for the advice
you have been
good enough to
give him, ever
my dear Duke
yours truly
Windsor Castle Albert
Oct: 27 1851.

Prinzgemahl Albert, geb. 26. 8. 1819 (Schütze).

Der Gatte der Queen Victoria ist in die Geschichte als Musterbild eines vorbildlichen Ehemanns und Familienvaters eingegangen – dabei fehlte es ihm eindeutig an Wärme und Verständnisbereitschaft.

Dazu wird der Intellekt angestrengt und das abstrakte Denken aktiviert. Allerdings kann beim Analysieren einer Schrift leicht zuviel getan werden. Die Folgeerscheinung wäre Kritiklust, die in zersetzender Weise Lebensfülle in bloße Begrifflichkeit umwandelt. Es sind die Gedankenblassen, die ihren geringen eigenen Lebensfundus auf diese Weise ausgleichen wollen. Man unterwirft seine Emotionen einem starren Prinzip, richtet sein Leben nach einer Doktrin aus: Der Asket ist geboren, der auf intellektuellem Kontrast zu seiner Umwelt besteht und demgemäß den Aufstrich vom Abstrich abhebt, das Helle gegen das Dunkle stellt. Schärfe hat somit eine intensive Beziehung zur ethischen Einstellung der Person.

Mit Schriftschärfe und der entsprechenden Rigorosität wird Moral gefordert, soldatische oder mönchische Tugend – und auch mit forcierter Selbstdisziplin vorgelebt; Prüderie und Gefühlskälte sind dabei eingeschlossen.

Die Reaktion auf äußere Reize ist bei den Scharfschreibenden ebenfalls scharf, im Sinne von Präzisierung und Differenzierung. Die Gefühle und die Nerven reagieren sehr genau, und das bedeutet: empfindlich. Zur Askese gehört ja nicht nur die Abkehr von der körperhaften Fülle, sondern auch die Entscheidung für den Geist. Sensibilität ohne Lebensfülle, ohne Hang zur Du-Beziehung und Bereitschaft zur Resonanz läßt die von außen einstürmenden Reize leicht als Störungen erscheinen, auf die man gereizt, statt interessiert, reagiert.

Regelmäßigkeit – Unregelmäßigkeit

Es ist unmöglich, wie gedruckt, also mechanisch genau zu schreiben. Deshalb wird bei einer Handschrift kein Buchstabe dem anderen aufs Haar gleichen, auch nicht bei einer extrem regelmäßigen Schrift. Immer existiert ein gewisser Schwankungsspielraum. Von seinem Ausmaß hängt es ab, ob man eine regelmäßige oder eine unregelmäßige Schrift vor sich hat.

Die hauptsächlichen Kriterien zur Erkennung eines regelmäßigen oder unregelmäßigen Schriftbildes sind:

1. Die Schwankungsbreite des Neigungswinkels. Durch ihn wird ein Schriftbild am störendsten beeinträchtigt, vor allem bei Schwankungen in den Unterlängen. Regelmäßig ist eine Schrift, die annähernd parallel gerichtete Grundstriche hat.
2. Die Schwankungsbreite der Weite, das heißt, das Verhältnis von Grundstrichlänge zu Basisbreite auf der Höhe der Kurzbuchstaben. Eine Schrift mit annähernd gleichweiten Abständen ist regelmäßig.
3. Die Höhe der Kurzlängen, also der graphologischen Schriftgröße. Bei annähernd gleich großen Kleinbuchstaben hat man ein regelmäßiges Schriftbild vor sich.

Abgesehen von diesen Faktoren ist der Gesamteindruck der Schrift und ihrer Zeilenführung abzuwägen. Letztlich sollte man bei der Beurteilung davon ausgehen, ob der Schreiber seine die Regelmäßigkeit der Schrift störenden Impulse noch so weit zu steuern vermag, daß ein einheitliches Schriftbild erhalten bleibt, oder ob im Ganzen gesehen der Eindruck extremer Unruhe und Verstörtheit entsteht.

REGELMÄSSIGKEIT
Ursachenspektrum

Jeder Mensch setzt sich auf seine Weise mit der Polarität von Bindung und Lösung auseinander. Mit Bindung ist Form und Intellekt gemeint, mit Lösung Leben und Gefühl. Um eine lebensfähige Einheit zu bilden, müssen Form und Leben eine Synthese eingehen. Ist dabei das formale Prinzip anlagemäßig stärker ausgeprägt als das lebendige, wird es leichtfallen, die geringen Anteile an Emotionalität unter Kontrolle zu halten und den Schriftzügen Regelmäßigkeit zu verleihen. Überwiegt dagegen das lebendige Prinzip, oder halten sich beide Prinzipien die Waage, wird es schwerfallen, eine regelmäßige Schrift zu erzeugen. Es bedarf dafür einer mehr oder weniger starken Willensanstrengung, um die Gemütsbewegungen zu zügeln.

Das bedeutet, regelmäßig schreibt einmal derjenige, dessen Anteil an Lebendigkeit und Wärme zu gering ist, um das mechanische Ordnungssystem zu stören. Regelmäßig schreibt aber auch derjenige, der seinen großen Anteil an Lebendigkeit mit einem noch größeren Anteil an Willenskraft bändigt. Die Mitte zwischen diesen Extremen wäre eine Regelmäßigkeit aus Gleichmut, bei dem ohne sonderliches Kritikvermögen Regeln anerkannt und befolgt werden.

Deutungsspektrum

Eine zwar regelmäßige, aber dennoch lebendig vibrierende Schrift weist darauf hin, daß zur Steuerung der Gefühlsseite der Wille aktiviert wurde. Die solcherart «gemeisterte Fülle» deutet auf Willensstärke, Festigkeit und Widerstandskraft. Eine mechanische Regelmäßigkeit dagegen ist ein Zeichen von Gemütsarmut. Hier liegt Gleichgültigkeit vor, Nüchternheit und auch Kälte.

Die Motivation zur geordneten Schrift kann aber auch einfach nur bequeme Konventionalität anzeigen. Die Spielregeln der Gesellschaft werden anerkannt und die notwendige Selbstkontrolle aufgebracht, um sie einzuhalten. Das läßt weder Rückschlüsse auf Willensstärke zu noch auf Gemütskälte. Vielmehr weist es auf die Fähigkeit sich einzuordnen und Gegebenheiten hinzunehmen. Weder Wille noch Gemüt stoßen dabei auf Widerstände. Ohne Herausforderungen aber kann ein Zuviel an Gleichmut in Stumpfheit, Pedanterie und Schablonenhaftigkeit ausarten.

Unregelmässigkeit

Ursachenspektrum

Wie bei der Regelmäßigkeit kommen auch für die Unregelmäßigkeit mehrere Beweggründe in Betracht. Einerseits kann der formale Anteil schwach ausgeprägt sein. Die in der Schrift sichtbare Synthese wird unregelmäßig, weil Disziplin fehlt. Andererseits kann selbst bei einem enorm hohen formalen Anteil das Regelmaß durch die Gefühlsintensität durchbrochen werden.

Jedenfalls wird sich ein nicht bewältigtes Gegeneinander von Impulsivität und Überlegung stets in unregelmäßiger Schrift ausdrücken. Es äußert sich aber auch derjenige unruhig bis zügellos, dessen Spontaneität zu stark ausgeprägt ist und der aufgrund seiner Aufgeschlossenheit extrem empfindsam ist.

Deutungsspektrum

Will sich ein großer Wesensgehalt spontan ausdrücken, so wird die in ihm enthaltene Gefühlsintensivität sich nicht leicht einem regelnden System unterwerfen. Eine «gestaltete» unregelmäßige Schrift entspringt deshalb großer Gefühlsstärke, die eine eigene Form des Ausdrucks sucht und sich in ihrer Lebhaftigkeit über Ordnungsschemata hinwegsetzt.

Ein anderer Grund, das Muster der Schulvorlage, die ja Regelmäßigkeit vorschreibt, zu verlassen, liegt in innerer Schwäche, Labilität und haltloser Unentschiedenheit. Zwar wird durch das Nicht-Befolgen des Vorlagemusters die Intention deutlich, sich nicht unbedingt an Vorschriften halten zu wollen, doch ist weder das Gefühl noch der Wille stark genug, dieser Nichtanpassung oder Auflehnung eine gestaltete Form zu geben. Ein solcher Schreiber kann zwar sehr lebendig sein, er ist aber auch unbeständig, planlos und leicht ablenkbar. So liegt das Positive der Unregelmäßigkeit in der Gefühlsstärke, das Negative in Willensschwäche und Haltlosigkeit.

DEUTUNGSTABELLE REGELMÄSSIGKEIT

+	–
Selbstbeherrschung	Kälte
Willensstärke	Willensüberschätzung
Widerstandskraft	Starrheit
Entschiedenheit	Moralheuchelei
Pflichtgefühl	Unlebendigkeit
Ordnungsliebe	Monotonie
Disziplin	Gezwungenheit
Ausdauer	Langweiligkeit
Konsequenz	Härte
Gleichmut	Stumpfheit
Ruhe	Gleichgültigkeit
Gleichmäßigkeit	Schablonenhaftigkeit, ästhetische Stilisierung

DEUTUNGSTABELLE UNREGELMÄSSIGKEIT

+	–
Gefühlsstärke	Mangel an Selbstbeherrschung
Impulsivität	Fahrigkeit
Emotionalität	Heftigkeit
Spontaneität	Oberflächlichkeit
Unabhängigkeit	Haltlosigkeit
Individualismus	Anarchismus
Beeindruckbarkeit	Labilität
Lebendigkeit	Unruhe
Beweglichkeit	Unkonzentriertheit
Instinktive Durchsetzung	Mangel an Einordnung
Aufgeschlossenheit	Reizbarkeit
Feingefühl	Empfindlichkeit
Empfänglichkeit	Launenhaftigkeit

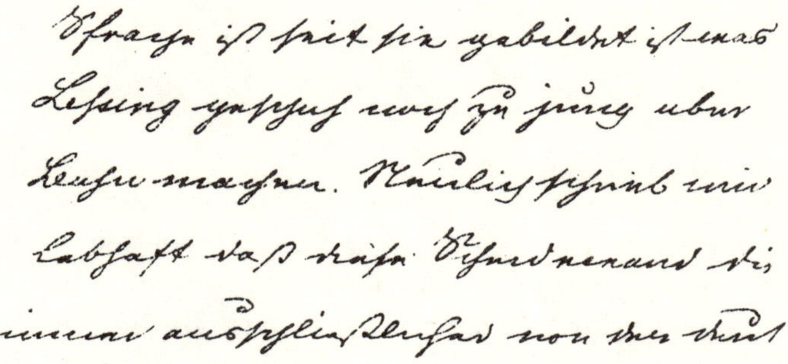

Johann Franz Encke, geb. 23. 9. 1791 (Waage).
Diese Schrift ist gekennzeichnet durch Ordnungsliebe, Genauigkeit und Gleichmäßigkeit. Nicht von ungefähr beschäftigte er sich als Astronom vor allem mit der systematischen Erfassung der Ordnung im Kosmos.

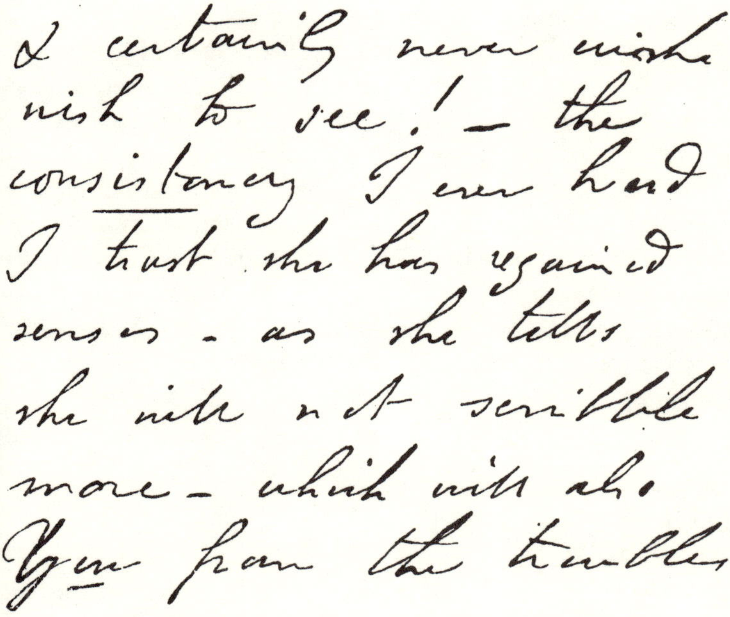

George Lord Byron, geb. 22. 1. 1788 (Wassermann).
Sowohl im Leben als auch im Werk gab sich Byron als exzentrischer Romantiker. Leicht enthusiasmiert und von unbändigem Freiheitsdrang erfüllt, lebte er seine Individualität in einem ungewöhnlich bewegten Dasein aus.

Druckstärke – Druckschwäche

Beim Schreiben äußert sich die Stärke des dabei aufgewendeten Drucks nicht – wie man vermuten könnte – in einem gleichmäßigen dicken Strich. Dieser kommt eher beim teigigen Schreiben zustande und ist in seiner Schreibtechnik wie auch in seiner Bedeutung vom druckstarken Strich grundverschieden. Der teigige «dicke» Strich entsteht durch Langfassung des Schreibwerkzeugs, Differenzierungen zwischen Auf- und Abstrich sind dabei nicht möglich. Dieser Schattierungsunterschied zwischen Auf- und Abstrich ist aber das einzige Charakteristikum für die druckstarke Schrift. Der Aufstrich wird normal leicht geführt, der Abstrich dagegen betont, was sich in einer Verdickung oder stärkeren Färbung des Strichs bemerkbar macht.

Die so entstandenen Schwankungen des Strichdurchmessers lassen sich bei Federhalterschrift ohne weiteres erkennen. Bei Kugelschreiber und Bleistift wird es schwieriger; hier ist vor allem die verstärkte Farbgebung ausschlaggebend.

Außer dieser Feststellungsmöglichkeit gibt es keine anderen verläßlichen Indizien für Druck. Unzureichend ist zum Beispiel die Technik, das beschriebene Blatt umzudrehen, um an der Druckausprägung auf der Rückseite des Schriftstücks Rückschlüsse auf den angewandten Druck zu ziehen, weil eine solche Druckausprägung auch vom Weichheitsgrad der Unterlage abhängig ist.

DRUCKSTÄRKE

Ursachenspektrum

Druck entsteht aus Lebenskraft. Es ist für den druckstark Schreibenden eine Freude, den Widerstand des Papiers zu spüren und sich mit Hilfe seiner Feder am Papier «zu reiben». Darum läßt er keine Gelegenheit aus, um das zu erproben. Je größer der Widerstand, um so größer wird sein Druck.

Allerdings sollte unterschieden werden zwischen gleichmäßigem und ungleichmäßig auftretendem Druck. Während der erste dadurch entsteht, daß ein starker Wille seine Energien planmäßig einsetzt, kommt der zweite willkürlich zustande.

Deutungsspektrum

Bewegungswucht läßt auf innere Energie schließen. Der mobilisierte Wille erhält Dynamik und verbindet sich zu Vitalität und Tatkraft.

Gleichmäßiger Druck tritt bei einem konstanten Energieproduzenten auf. Er besitzt Ausdauer und Spannkraft, Belastbarkeit und Widerstandskraft, aber auch Rücksichtslosigkeit und Härte.

Verschieden von dieser verstandesmäßig regulierten Energie ist der mit Unregelmäßigkeit gepaarte Druck. Hier werden Gefühle voll erschlossen und nach außen getragen. Ein Zuviel an Gefühlsenergie hat darum logischerweise Heftigkeit zur Folge, Reizbarkeit und Aggressivität. Beim Druck kommt es zur Spannung eines geladenen Kraftfeldes, das, wenn eine Entladung nicht möglich ist, ständig unter Druck bleibt. So kommt es zu «Gedrücktheit», Schwermut und Hemmungen.

DRUCKSCHWÄCHE

Ursachenspektrum

Beim Schreiben, sagten wir, wird das Papier als Gegner, als Widerstand aufgefaßt. Je geringer der Gegendruck empfunden wird, um so weniger legt der Schreiber Wert darauf, das Hindernis zu überwinden oder in Opposition zu ihm zu treten. Drucklos kann er ohne sonderliche Mühe die Schreibfläche durchqueren; sein ungehemmter Bewegungsfluß hat auch noch die Kraft für Umwege, Schleifen und andere Verzierungen.

DEUTUNGSTABELLE DRUCKSTÄRKE

+	–
Energie	Härte
Entschiedenheit	Unnachgiebigkeit
Widerstandskraft	Oppositionslust
Stabilität	Rücksichtslosigkeit
Ausdauer	Schwerfälligkeit
Vitalität	Derbheit
Intensität	Hemmung
Durchsetzung	Rechthaberei
Herausforderung	Streitsucht
Leidenschaftlichkeit	Hitzigkeit
Impulsivität	Jähzorn
Mut	Aggressivität

DEUTUNGSTABELLE DRUCKSCHWÄCHE

+	–
Anpassungsfähigkeit	Energieschwäche
Gewandtheit	Leichtfertigkeit
Beweglichkeit	Unbeständigkeit
Vielseitiges Interesse	Standpunktlosigkeit
Toleranz	Mangel an Widerstandskraft
Aufnahmebereitschaft	Beeinflußbarkeit
Empfindsamkeit	Empfindlichkeit
Zartgefühl	Erschöpfbarkeit
Sensibilität	Labilität
Taktgefühl	Furchtsamkeit

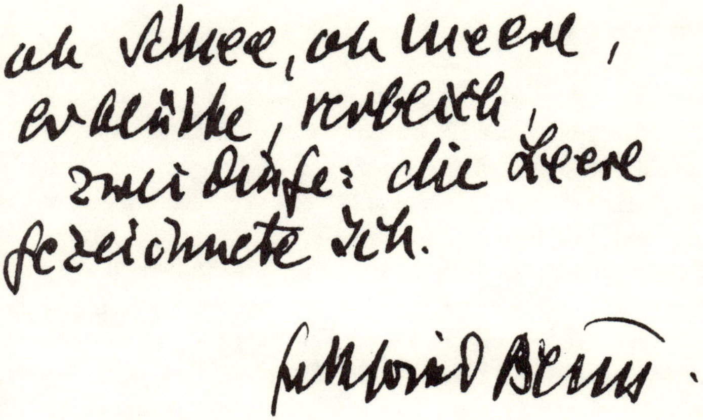
ob Schnee, ob Meere,
erblühte, verblich,
zwei Dinge: die Leere
gezeichnete Ich.

Gottfried Benn.

Gottfried Benn, geb. 2. 5. 1886 (Stier).
Unnachgiebigkeit und Härte sprechen aus dieser kompromißlos druckstarken Schrift. Mit Entschiedenheit wird auf alles «Verbindliche» verzichtet. Der Dichter will mit den Abgründen des Lebens konfrontieren.

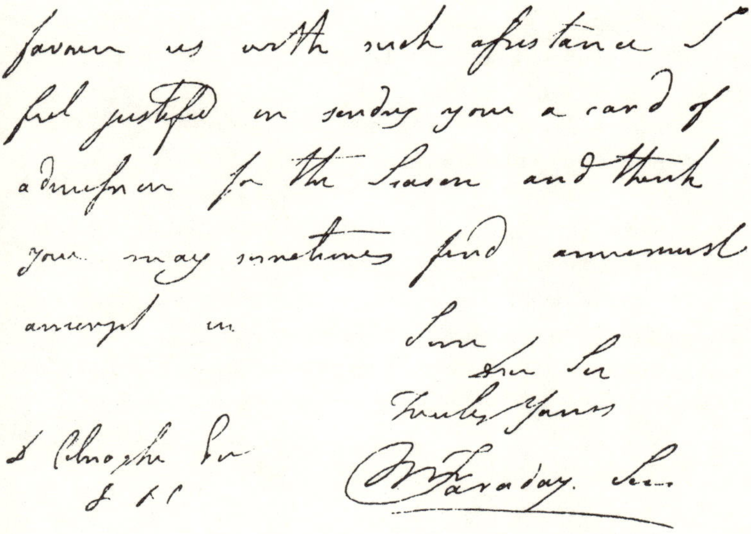
favour us with such assistance I
feel justified in sending you a card of
admission for the Season and think
you may sometimes find amusement
amongst us.

I am
dear Sir
Truly Yours
M Faraday.

Michael Faraday, geb. 22. 9. 1791 (Jungfrau).
Die für einen Mann ungewöhnliche Druckschwäche der Schrift weist auf vielseitige Interessen und die extreme Sensibilität des Wissenschaftlers hin, der in der Hauptsache so flüchtige und unsichtbare Phänomene wie Elektromagnetismus und die Wirkungsweise von Gasen erforschte.

Deutungsspektrum

Ohne Kraftaufwand kann man nicht druckstark schreiben. Deshalb stehen hinter der Druckstärke eine von Emotionen getragene Vitalität oder ein energiegeladenes Durchhaltevermögen. Folglich resultiert ein Mangel an Druck vor allem aus einer Vitalitäts- oder Energieschwächung.

Bei der Vitalitätsschwächung vermindert die geringere Triebstärke die Möglichkeit zu plastischem Ausdruck, ermöglicht dagegen größere seelische Beweglichkeit durch Zartheit und Sensibilität. Dem Gegner wird kaum Widerstand entgegengesetzt, man fühlt sich ein; unter Umständen bis zur Aufgabe des eigenen Standpunkts. Die Aufnahmebereitschaft kann also letztlich zu Labilität führen.

Zum gleichen Ergebnis führt die Energieschwächung. Aus Angst vor dem Kraftaufwand vermeidet man Auseinandersetzungen – im Leben wie auf dem Papier. Um sich nicht anstrengen zu müssen, wird der bequeme Weg, der ohne Hindernisse, vorgezogen.

Allerdings muß das «Nicht-in-Opposition-treten-Wollen» nicht immer aus Bequemlichkeit geschehen. Zur Wissenserweiterung, zur Orientierung braucht man den neutralen Eintritt in ein anderes Territorium. Der eigene Standpunkt ist dabei unwichtig, er soll weder propagiert noch verteidigt werden. Man ist bemüht, Widerstände nicht herauszufordern und Konfrontationen möglichst auszuweichen. Die Einfügung in die Umwelt soll undramatisch und sachlich erfolgen. Man will fremde Zentren kennenlernen, ohne Stellung nehmen zu müssen.

Die Anordnung der Schrift

Erst eine Gruppe von Buchstaben bildet ein Wort. Regulierender Faktor für die Anordnung solcher Wortkörper ist der Abstand zwischen ihnen, das heißt, der Abstand in der Links-rechts-Bewegung zwischen den Worten, und der Abstand in der Oben-unten-Bewegung zwischen den Zeilen. Die Raumverteilung hängt damit von einer Gliederung durch Lücken ab.

Als mittlerer Abstand zwischen zwei Worten gilt die jeweilige Schulvorlage. Beim Zeilenabstand ist es wichtig, daß die Ober- und Unterlängen von zwei aufeinanderfolgenden Zeilen nicht zusammenstoßen und sich nicht überschneiden.

Jeder Mensch wendet sein individuelles Bewegungs- und Ordnungsprinzip weniger bei der graphischen Gestaltung der Buchstaben an als vor allem bei der Anordnung der Worte auf dem Schriftfeld. Der Gestaltung der Schriftzeichen steht darum die Gestaltung der Lücken zwischen den Schriftzeichen als gleichwertig gegenüber. Man kann aus dem Nicht-Geschriebenen in einem Schriftstück einen ebenso unverwechselbar persönlichen Eindruck gewinnen wie aus dem Geschriebenen, denn die graphischen Bewegungen im Schriftraum sind gleichzusetzen mit den geistigen Bewegungen im Denkraum oder den körperlichen Bewegungen im unmittelbaren Lebensraum. Wer beispielsweise Ordnung und Übersichtlichkeit liebt, wird deutliche Wortabstände setzen; auch der geborene Analytiker legt Wert darauf, die Dinge säuberlich zu trennen. Anders der mit mehr Phantasie als Ordnungssinn begabte genialische Typ: bei ihm geht eine Äußerung sprudelnd oder gar gehetzt in die andere über; pausieren, Abstand halten, ist nicht seine Sache. Ebenso wird, wer ein starkes Kontaktbedürfnis hat, die Schriftzeilen enger zusammenrücken lassen als derjenige, der sich in seinem Denken und Tun gern von den anderen abhebt.

GROSSE WORTABSTÄNDE

Nach dem Rechts-Links-Schema entspricht der Wortabstand der Distanz zwischen dem Ich und dem Du. In dem Maße, wie sich die Abstände zwischen den einzelnen Worten verbreitern, zeigt sich, wie weit Wortkörper als Begriffe betrachtet werden. Pausen werden gemacht, um nachzudenken, zu kontrollieren

DEUTUNGSTABELLE WEITER WORTABSTAND, WEITER ZEILENABSTAND

+	–
Ordnungsbedürfnis	Ordnungssucht
Vorherrschaft des Verstandes	Intellektualität
Reflektionsvermögen	Mangel an Spontaneität
Neigung zur Abstraktion	Verlust der Unmittelbarkeit
Unterscheidungsvermögen, Urteilsfähigkeit	Unterdrückung der persönlichen Emotionen
Weitblick, Umsicht	Unfähigkeit zur Hingabe
Distanz	Kontaktarmut
Bewußtheit	Isolation
Großzügige Dispositon	Beanspruchung der Umgebung

DEUTUNGSTABELLE ENGER WORTABSTAND, ENGER ZEILENABSTAND

+	–
Anschaulichkeit	Vordergründigkeit
Natürlichkeit	Ungeordnetes Denken
Gefühlsvorherrschaft	Verworrenes Denken
Impulsivität	Unkontrollierte Emotionen
Spontaneität	Voreiligkeit
Hingabefähigkeit	Mangel an Abgrenzung
Instinkt	Unfähigkeit zur Abstraktion, Vorurteile
Kreativität	Geniale Chaotik
Betriebsamkeit	Getriebenheit
Kontaktfähigkeit	Distanzlosigkeit
Vertraulichkeit	Zudringlichkeit, Taktlosigkeit

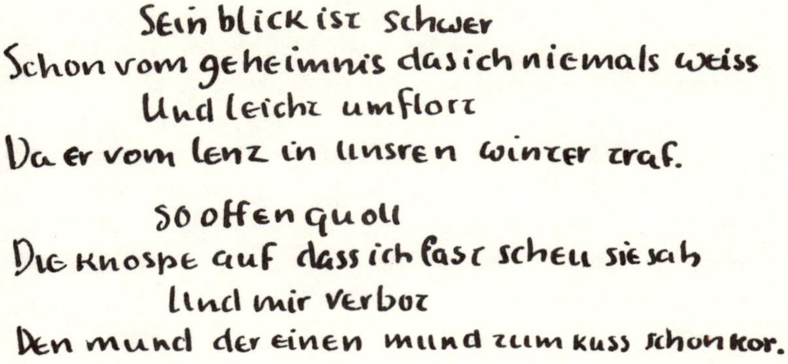

Sein blick ist schwer
Schon vom geheimnis das ich niemals weiss
Und leicht umflort
Da er vom lenz in unsren winter traf.

So offen quoll
Die knospe auf dass ich fast scheu sie sah
Und mir verbot
Den mund der einen mund zum kuss schon kor.

Stefan George, geb. 12. 7. 1868 (Krebs).
Entsprechend seiner streng stilisierten Dichtung hat George auch seine Schrift bewußt und intellektuell gestaltet, wodurch sie an Unmittelbarkeit verliert. Sie drückt vielmehr krasse Distanz zum Leben aus.

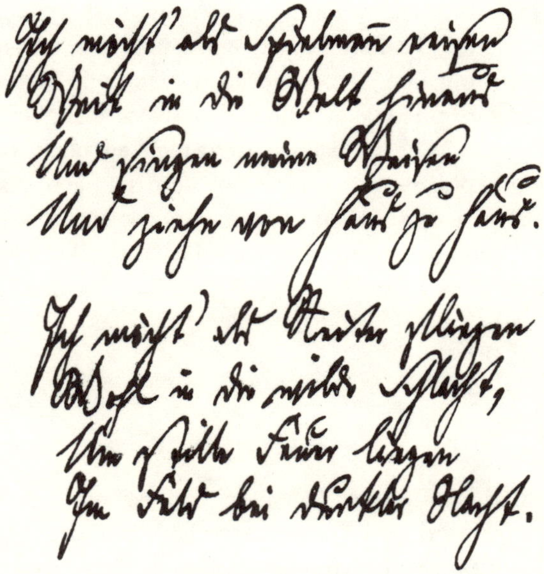

Ich möcht' als Spielmann reisen
Weit in die Welt hinaus
Und singen meine Weisen
Und gehn von Haus zu Haus.

Ich möcht' als Reiter fliegen
Wohl in die wilde Schlacht,
Um stille Feuer liegen
Im Feld bei dunkler Nacht.

Joseph von Eichendorff, geb. 10. 3. 1788 (Fische).
Die trotz aller Verschlungenheit übersichtlich und schön gestaltete Schrift veranschaulicht die unbekümmerte, natürliche Beziehung des «Taugenichts»-Dichters zur Umwelt.

und zu überprüfen. Damit wird die Distanz zu den eigenen Aussagen erreicht und mit ihr mehr Objektivität. Wie immer hat auch hier ein Zuviel negative Auswirkungen. Durch allzu große Lücken werden die einzelnen Wortkörper isoliert, es entstehen Kontakt- und Verständigungsschwierigkeiten. Aus Furcht, «logisch zu entgleisen» (Klages) meidet man spontane Äußerungen. Aber die «logische Lücke» ist freilich keine gute Lösung, sie entlarvt vielmehr die innere Unsicherheit, die im Extremfall mit innerer Leere gleichzusetzen ist.

Grosse Zeilenabstände

Meist geht Hand in Hand mit großem Wortabstand ein großer Zeilenabstand. Die Tendenz ist die gleiche, nämlich ein geistiges Ordnungsbedürfnis, das sein Spiegelbild in der Klarheit des Schriftbilds sucht. Aber während der Abstand zwischen Wortkörpern einzelnen Teilhandlungen entspricht, erkennt man an der Zeilenführung den übergeordneten Handlungsablauf. Hier wird das Ich in einen allgemeinen Zusammenhang integriert. Ob es bei einem Wunsch nach Anschaulichkeit bleibt oder die Abgrenzung problematisch wird – insofern nämlich, als durch den fehlenden Zusammenhang Eigenwilligkeit entsteht –, hängt von der Gesamtgliederung ab. Mögliche Entwicklungen vom Einzelgänger zum Eigenbrötler und bis zum Neurotiker sind darin enthalten.

Geringe Wortabstände

Dem Rechts-Links-Schema entsprechend ist mit dem geringeren Wortabstand eine verstärkte Ich-Du-Beziehung verbunden. Das Kontaktbedürfnis ist größer, das Ich rückt so nahe wie möglich an das Du. Solche Vertraulichkeit kann durch die Distanzlosigkeit, mit der sie verbunden ist, auch in Zudringlichkeit ausarten. Den kontrollierenden Funktionen des Geistes wird wenig Raum gelassen, das spontan Erfaßte kaum reflektiert. Vorherrschend ist der Impuls, weniger der Verstand. Es überwiegt das Anschauliche, das Sinnliche und Schöpferische. Ohne Gliederung dieser Eindrucksmassen, ohne Abstand zu sich und der Welt verliert der Schreiber sein eigentliches Ziel aus den Augen. Es zeigt sich der Chaotiker, der die Fülle seiner Ideen nicht anzuwenden weiß und in äußerster Getriebenheit wahllos Zusammenhänge herstellt.

Geringe Zeilenabstände

Schriften, bei denen sich die Unterlängen der oberen mit den Oberlängen der unteren Zeilen verfilzen, bedürfen eines äußerst hohen individuellen Wesensgehalts, um nicht unordentlich und konfus zu wirken. Offensichtlicher Mangel an Abstand verringert auf jeden Fall die Überschaubarkeit der Dinge wie der zwischenmenschlichen Beziehungen. Nur wer wenigstens innerhalb der Zeile genügend Ordnung hält, also Abstände setzt, kann es sich leisten, «kompreß» zu schreiben, wie es in der Typographie heißt. Andernfalls ist der lebensnotwendige Sinn für vernünftige Zusammenhänge und vernünftige Distanz schwer gestört.

Durch Analyse zur Synthese

Bis jetzt wurden nur Einzelmerkmale einer Schrift behandelt und ihre Deutungsmöglichkeiten demonstriert. Um den üblichen Gang eines graphologischen Deutungsverfahrens zu zeigen, folgt jetzt die Synthese aller zuvor besprochenen Kriterien und noch einiger anderer graphologischer Details, die die graphologische Aussage erweitern oder abrunden können.

Es beginnt mit der protokollarischen Bestandsaufnahme der Schriftmerkmale, deren Bedeutungsvariante man aus den Tabellen bereits im Hinblick auf den Rhythmus, die Substanz und die Lebendigkeit der ganzen Schrift sowie im Vergleich mit ergänzenden, übereinstimmenden oder widersprechenden Merkmalen auswählt.

Dazu ein Beispiel: Ein Faden in einer druckschwachen und in ihrem Bewegungsablauf unrhythmischen Schrift weist eher auf Labilität und einen Mangel an Stellungnahme als auf Diplomatie und Anpassungsvermögen hin. Rechtsschrägheit und Verbundenheit würden diese Annahme noch bestärken und etwaige Teigigkeit dieser Deutung den Verdacht der Haltlosigkeit hinzufügen. In diesem Fall wäre *Labilität* das ausgeprägteste Merkmal, das den Schwerpunkt setzt und andere Aussagen mit beeinflußt. So würden beispielsweise kleine Längenunterschiede keineswegs mehr auf Mäßigung und Zufriedenheit schließen lassen, sondern eindeutig auf Antriebslosigkeit und Mangel an Schwung, und eine Betonung der Unterlängen gewiß nicht für ausgeprägten Wirklichkeitssinn sprechen.

Es muß also für jede Schrift zunächst ein Gerüst erstellt werden, das die verschiedenen Eigenschaften ihrer Dominanz nach gliedert. In einer Synthese liefern dann die einzelnen Befunde ein zusammenhängendes Bild. Hier ein Beispiel dafür:

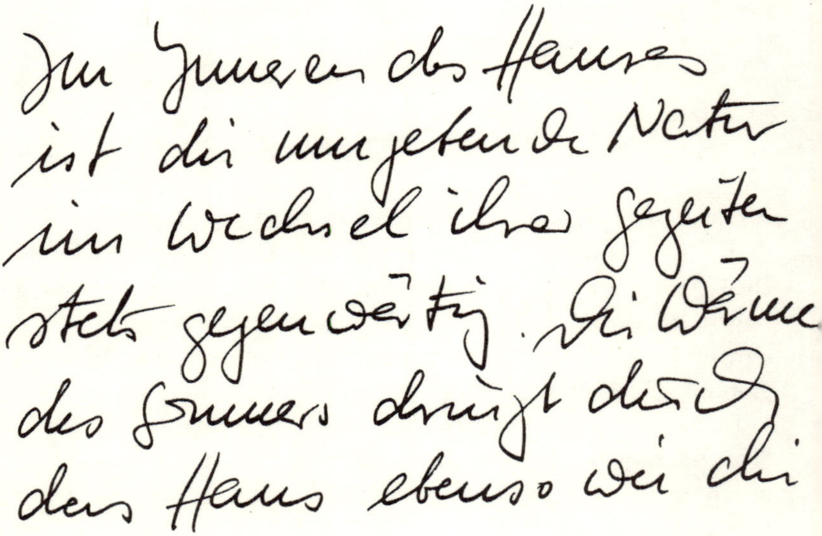

PROTOKOLL ZU DIESER SCHRIFTPROBE

Rechtsläufigkeit – Linksläufigkeit:	Auffallend linksläufig durch linksläufige Hinzufügungen, jedoch keine direkte Abschwächung rechtsläufiger Züge, d. h. kein Mangel an Mitgefühl, sondern Wißbegier, Lernbegier, Freude am «beobachtenden Verwerten». Auf die Expansion folgt dann die Sammlung. Auch Wunsch nach Anerkennung (Oberzone). Nicht gleich aus sich herausgehen wollen und wenn, dann mit Sachkenntnis und Gründlichkeit (Unterzone). Im ganzen gesehen: Introvertiertheit.
Größe – Kleinheit:	Mittlere Größe. Manchmal winzig kleine, verkümmerte Buchstaben (3. Zeile *s* in «Wechsel»; 6. Zeile *o* in «ebenso»). Plötzlicher Selbstzweifel, sporadischer Kleinmut.
Längenunterschiede:	Leicht überhöhte Längenunterschiede. Unternehmungslust.
Unterlängen größer als Oberlängen:	Gründlichkeit, praktische Neigungen, alles vertiefen wollen. Beharrungsvermögen, weil mit Linksläufigkeit kombiniert, aber keine Sturheit, weil Oberlängen gut ausgebildet und dazu unregelmäßig und lebendig. Konkretes Denken. Sinnlichkeit (begrenzt, weil kombiniert mit Schärfe).

Besonderheit: Unregelmäßige Höhenschwankungen der Längen	Mangel an seelischem Gleichgewicht, schwankendes Selbstgefühl.
Weite – Enge:	Wenig dominantes Merkmal. Tendenz zu schmalen und hohen Buchstabenformen. Bescheidenheit, kein «Sichbreitmachen». Konzentration.
Besonderheit: Weiter werdende Wortenden	Langsam erwachendes Selbstvertrauen. Anfängliche Zurückhaltung geht in Eifer und Aufgeschlossenheit über. Mangel an Unmittelbarkeit.
Schrägheit – Steilheit:	Leicht schräg, mitunter steiler werdend. Zugänglich impulsiv, gefühlsabhängig. Das Statische und das Dynamische stehen im Kampf miteinander. Ansprechbar auf Eindrücke von außen. Eindrucksbereit, aber nicht anpassungsbereit.
Besonderheit: Nach rechts umgebogene *m* und *n*.	Rastlosigkeit. Eile bekommt etwas Reißendes. Es kann nicht schnell genug gehen.
Bindungsform: Girlande	Offenheit, Anerkennungsbereitschaft, aber auch – weil die Girlande manchmal gestützt ist, d. h. der Abstrich auf dem Aufstrich zurückläuft – Gefühlsscheu. Offenheit wird kontrolliert. Trägt das Herz nicht auf der Zunge. Tiefe Girlanden zeigen den Mangel an Widerstandskraft gegen gefühlsbetonte Erlebnisse.

Verbundenheit – Unverbundenheit:	Mittlere organische Verbundenheit, im Takt mit dem Ein- und Ausatmen. Eingebundene Oberzeichen als Zeichen guter Kombinationsgabe.
Schnelligkeit – Langsamkeit:	Für Schnelligkeit spricht: Zügige Strichführung, Bewegungsrückschläge, mehr kurvig und weit, Oberzeichen ungenau und vorauseilend, zuweilen Vereinfachung des Schreibweges. Gegen Schnelligkeit spricht: Keine wachsende Schrägheit, kein breiter werdender Linksrand, Stilisierung einzelner Buchstaben. Trotzdem ist die Schrift schnell, was sich an ihrem rasanten Duktus zeigt (Bewegungsvor- und -rückschläge). Aktivität, Lebendigkeit, auch Ungeduld, weil die Eile alle statischen Elemente der Schrift mitzureißen scheint. Keine Spontaneität, weil zuviel Kontrolle. Keine Oberflächlichkeit, sondern Leistungswille (Druck, Unterlängen).
Völle – Magerkeit:	Völle in allen drei Zonen. Schöpferische Urwüchsigkeit, Kreativität, Gefühlsansprechbarkeit, anschauliches Denken, Eindrucksfähigkeit. Vereinfachungen sprechen gegen Unsachlichkeit.
Teigigkeit – Schärfe:	Keine Teigigkeit, obwohl sie zur Völle passen würde. Scharfe Schrift, straff. Vitale Fülle ist diszipliniert. Kein «Laisser-faire», sondern «Haltung».

Druckstärke – Druckschwäche:	Druckstarke Schrift. Gegen Hemmung und Härte Lockerheit. Vitale Spannkraft, Widerstände werden gern erprobt. Nachdruck überall, auch bei Nebensächlichkeiten (Druck im Aufstrich). Ausdauer, Tatkraft (Unterlängen), Aggressivität (nach rechts gerichtete druckstarke Ausfahrungen, aber nicht Streitsucht, weil Buchstaben mit Girlanden endend).
Anordnung der Schrift:	Weiter Zeilenabstand, mitunter weiter Wortabstand sprechen für Urteilsfähigkeit, Reflexionsvermögen. Bei der rasanten, schwungvollen Gestaltung der Schrift großzügige Disposition und Beanspruchung der Umgebung (schwere Lesbarkeit). Distanz. Trotz der Dynamik Zurückhaltung (weite Wortabstände).
Anfangsbetonung:	Das Verhältnis zwischen Anfangsbuchstaben und den folgenden Buchstaben des Wortes entspricht meist den Größenverhältnissen der übrigen Groß- und Kleinbuchstaben. Zuweilen jedoch Anfangsbuchstaben, die durch ihre Größe das Verhältnis zu den übrigen Buchstaben sprengen, mit ihnen «rivalisieren». Grundsätzliche Anerkennungsbereitschaft und Toleranz. Manchmal, aus einem schwankenden Selbstbewußtsein heraus (winzige Kleinbuchstaben), das Gefühl, sich behaupten zu müssen.

Schriftgutachten, männlich, 40 Jahre

Der Schreiber arbeitet bei jeder Form, auch wenn er sie aufs Wesentliche reduziert, das Besondere heraus. Er hat ein auffallendes Bedürfnis, auch rein Zweckmäßiges ästhetisch zu gestalten (Schwerpunkt: Bereicherung und zugleich Vereinfachung); nicht in übertriebener, manierierter Weise, sondern aus der Überzeugung heraus, daß jede Gestalt auch ihren Sinn haben muß. Er denkt konstruktiv, in logischen Zusammenhängen (organische Verbundenheit) und hat technisch-künstlerische Gestaltungskraft, weil, wie gesagt, auch das Sachliche kreativ behandelt wird (Vereinfachung plus Völle). Zwei Eigenschaften kommen ihm dabei zu Hilfe: ein Eindrucksgedächtnis, das sich mit Wiß- und Lernbegier Anregungen holt, über sie nachdenkt (Linksläufigkeit) und sie dann, mit eigenen Ideen angereichert, wiedergibt (keine Einschränkung der Rechtsläufigkeit), und ein trotz Sachlichkeit ausgesprochen anschauliches Denken mit gutem Vorstellungsvermögen (Völle).

Im Vordergrund steht also Kreativität, die nicht in Phantastik ausarten kann, weil sie mit einem Bedürfnis nach Klarheit und ausgesprochen praktischen Neigungen (Unterlängenbetonung) verbunden ist. Der Schreiber behandelt alles mit äußerster Gründlichkeit (Unterlängen), er braucht Zeit und Ruhe, um sich zu besinnen, er muß sich abgrenzen, um seine Gestaltungskraft zu erschließen, und gerät in Konflikte, wenn er produzieren soll, ohne lang genug an einem Problem gearbeitet zu haben (Linksläufigkeit).

Im Widerspruch zu dieser eher statisch-meditativen Veranlagung steht seine mitreißende Dynamik (Schnelligkeit) und seine große Gefühlsintensität (Unregelmäßigkeit). Er ist schneller, als er bei seiner Gründlichkeit und dem Nachdruck (Druck), den er auf alles legt, sein dürfte. Die Sorgfalt, die er selbst Nebensächlichkeiten angedeihen läßt (Druck im Aufstrich), hat zur Folge, daß er sein Programm oft nicht mehr zu schaffen glaubt. Hinzu kommt, daß seine Gefühlsimpulse seinen Formwillen zu oft beeinträchtigen. Das macht ihn unruhig und gibt seinen Bewegungen etwas Scharfes, Aggressives (nach rechts umgebogene *m* und *n*, ausfahrende, nach rechts gerichtete Striche).

In einer Art Versäumnisangst kämpfen in ihm der Antrieb (dynamische Eile, Rechtsläufigkeit, Schrägheit) und eine kontrollierende Hemmung (Druck, Linksläufigkeit, enge Buchstaben) miteinander. Da alles, was er aus der Hand gibt, perfekt sein soll, muß ein solcher Leistungswille die Spontaneität einschränken. Er hält sich deshalb zurück (teilweise gestützte Girlande) und erreicht dadurch eine Distanz zur eigenen Aussage (weiter Zeilenabstand). Erst wenn die Antriebs- und Hemmungsfaktoren in einem ausgewogenen Verhältnis zueinander stehen, wird er freier. Dann erst geht seine anfängliche Zurückhaltung in Eifer und Aufgeschlossenheit über (weiter werdende Wortenden).

Die Kontrollen, die er sich und seiner Arbeit immer wieder auferlegt, können bis zum Selbstzweifel führen (plötzlich winzig kleine Buchstaben, etwa 3. Zeile *s* in «Wechsel») und sein Selbstgefühl schwanken lassen (unperiodische Schwankungen der Langlängen). Das hat unter anderem zur Folge, daß er aus dem Gefühl, sich behaupten zu müssen, seine ausgeprägte Anerkennungsbereitschaft und Toleranz für kurze Zeit einbüßen kann (eingestreute rivalisierende Anfangsbuchstaben). Allerdings werden es immer nur Momente der Verunsicherung sein, weil er mit seinem Empfinden für das Runde einer Sache (Völle) ein Gespür für entscheidende Situationen hat. Andererseits wird er sich ihnen nie ganz hingeben.

Zwar könnte man bei seiner Urwüchsigkeit (Unregelmäßigkeit) und Sinnlichkeit (Unterlängen) vermuten, daß er das Leben so nimmt, wie es kommt, aber er wägt stets ab und versucht auch im gefühlsmäßigen Bereich seine vitale Fülle zu disziplinieren, indem er sie überschaubar macht und gestaltet (Schärfe). Auf diese Weise rettet er sich vor manch unüberlegter Handlung, denn trotz der erworbenen Kontrollen (eingestreute enge und steile Buchstaben, gestützte Girlanden, Schärfe, weiter Zeilenabstand) ist der Schreiber sehr eindruckempfänglich (tiefe

Girlanden) und bringt nicht viel Widerstand gegen gefühlsbetonte Erlebnisse auf. In Verbindung mit seiner beinahe heftigen Lebendigkeit und äußerst großzügigen Disposition (weite Wortabstände), die verrät, daß er gern seine Umgebung mitbeansprucht und erwartet, daß man auf ihn eingeht (Unleserlichkeit), könnte das zu einem Mangel an Koordination führen. Doch steht hinter allem, was seine «Handschrift trägt», eine eigenwillige, aber ästhetische Gesetzmäßigkeit (Rhythmus, organische Verbundenheit). Um sich auszuleben, braucht er allerdings einen weiten Radius und Verständnis von außen, denn der Anpassung an das allgemeine System weicht er als geborener Individualist aus.

Zusätzlich zu dieser allgemeinen und vielleicht etwas akademisch wirkenden Schriftanalyse, die vorerst bewußt nur die Grundtendenzen der Wesensäußerung berücksichtigt, lassen sich nun die verschiedensten Fragen zum Charakter der Schrift und des Schreibers stellen, und der Graphologe wird sie anhand der Basisanalyse und unter Berücksichtigung weiterer speziellerer Schriftkriterien zu beantworten versuchen.

Hier als Beispiel drei von vielen möglichen Fragen zu dieser – wie zu jeder anderen – Schrift:

1. Wäre der Schreiber geeignet, eine leitende Position im kaufmännischen Management eines Großunternehmens zu bekleiden?

Antwort: Trotz dynamischer Leistungsfähigkeit und großer Einsatzbereitschaft, trotz außergewöhnlich kreativem Denken und einem Blick für das Wesentliche muß gesagt werden, daß der Schreiber über andere Qualitäten verfügt als die, die von einer kaufmännischen Führungskraft erwartet werden. So ist beispielsweise die gleichzeitige Beschäftigung mit mehreren Projekten und Problemen mit dem Hang des Schreibers zur Vertiefung und zur Gründlichkeit nur schwer vereinbar. Optimale Lösungen wird er nur in den Bereichen erbringen, denen er sich ausschließlich und mit Lust und Liebe widmen kann.

Anpassungsfähigkeit ist nicht seine Stärke. Er wird stets nur das tun, was er persönlich für richtig hält, und im Zweifelsfall ästhetisches und moralisches Empfinden über kaufmännische Interessen stellen. Insofern fällt es schwer, ihn sich als Manager in der Wirtschaft vorzustellen.

2. Wäre der Schreiber geeignet, einen Lehrberuf auszuüben?
Antwort: Dafür spricht seine Fähigkeit, anschaulich zu denken und selbst komplizierte Sachverhalte verständlich weiterzuvermitteln. Mit seiner systematischen Gründlichkeit, der es nicht an Lebendigkeit fehlt, wäre er in der Lage, einen Unterricht interessant zu gestalten. Seine ebenso individuelle wie integre Persönlichkeit und seine vielseitigen Interessen machen es noch nicht fest geformten Menschen leicht, ihn als – unautoritäres – Vorbild zu akzeptieren.

3. Wäre der Schreiber ein idealer Ehepartner?
Antwort: Für eine Ehe nach strengen Prinzipien und genauem, immer gleichem Tagesprogramm gewiß nicht. Bei einem so kreativen Menschen muß man stets mit Überraschungen rechnen und bereit sein, sich plötzlich in außergewöhnliche Lebensumstände zu fügen, seien sie von Abenteuerlust (in jeder Beziehung!) oder von Arbeitswut gekennzeichnet. Andererseits ist er ein guter Familienvater und für alle häuslichen Probleme aufgeschlossen. Ratsam wäre allerdings, daß der Partner genügend eigene Interessen hat. Dann wird er auch Verständnis dafür haben, daß sich dieser Schreiber in periodischen Abständen in sich selbst zurückziehen muß, um sich zu verwirklichen.

Ob der Schreiber tatsächlich auf dem besten Wege zu seiner Selbstverwirklichung ist, wäre eine geeignete Frage an die Astro-Graphologie. Die Antwort gibt daher das nächste Kapitel, das den graphologischen Aspekt mit dem astrologischen kombiniert und den Wesenshintergrund einer Person noch tiefer auszuleuchten vermag.

III
Der astrologische Aspekt – graphologisch betrachtet

Die Tierkreiszeichen und ihre Schriftmerkmale

Um eine astrologische Aussage über einen Menschen machen zu können, braucht man sein Horoskop. Darunter versteht man die graphische Darstellung der Gestirn- und Erdstellung sowie die Lage des Ortes im Augenblick der Geburt eines Individuums. Diese Positionen sind einzutragen in einen Kreis, dessen 360 Grade in 12 Abschnitte zu je 30 Grad gegliedert sind. Jeder Abschnitt wird durch eines der sogenannten Tierkreiszeichen symbolisiert, und jedes Tierkreiszeichen entspricht einer Phase in einem Entwicklungsablauf. Die charakteristischen Prinzipien aller 12 Phasen zusammen ergeben das Gesamtbild der physischen und psychischen Konstitution eines Menschen.

Was von diesem idealen, weil alle Prinzipien aufweisenden Gesamtbild beim einzelnen vorhanden, was davon betont ist, welche Prinzipien eingeschränkt und welche abgeändert sind, sagt uns die Stellung der Gestirne. Von allen für ein umfassendes Horoskop in Betracht zu ziehenden Faktoren interessiert uns im astro-graphologischen Zusammenhang nur die Sonne, als Ausdruck des bewußten Lebenswillens. Die Sonne gibt der unmittelbaren Verwirklichung eines jeden Menschendaseins die notwendige Energie. Damit ist sie der Motor aller Lebensäußerungen und zeigt durch ihre jeweilige Stellung im Tierkreis an, auf welche Weise Anlagen gestaltet werden und wie sie sich auswirken. Alle anderen Komponenten eines Horoskops stehen, was ihren Einfluß auf unser Leben betrifft, hinter der Sonne zurück, denn alles, was zur Tat, zum Handeln und Gestalten führt, alles, was sich als Lebensäußerung konkret niederschlägt, wird durch die Sonne bestimmt. Die Bedeutung jeder Äußerung eines Menschen ist deshalb abhängig von dem Tierkreiszeichen, in dem am Tag der Geburt die Sonne stand. Um das zu veranschaulichen, bietet sich ein Medium an, das die menschlichen Ausdrucksmöglichkeiten unmittelbar fixiert: die Handschrift. Sie eignet sich als sichtbarer Ausdruck hervorragend zur Kontrolle der Übereinstimmung oder Nichtübereinstimmung zwischen tierkreisgemäßer Veranlagung und dem tatsächlichen psychischen Zustand. Das Horoskop gibt Aufschluß über das Startpotential. Die Handschrift zeigt, wie es – oder was davon – genutzt wurde. Ausgangspunkt für einen solchen Vergleich ist die Übertragung der astrologischen Charakteristik auf die Handschrift. Den Beziehungen, die dabei zwischen Astrologie und Graphologie aufgestellt werden, liegt zugrunde, daß der Tierkreis eine Entwicklungsreihe mit 12 Phasen ist, die, nach Wolfgang Döbereiner, in sinnvoller Ordnung den menschlichen Werdegang in einem symbolischen Kreis festhalten. Jedes Zeichen verkörpert ein bestimmtes Entwicklungsstadium, in dem das bisher Erreichte verwandelt und dann weitergegeben wird. Diese Entwicklungsstadien haben Ähnlichkeit mit Grundgesetzen, aus denen zahlreiche, für jedes Tierkreiszeichen aber typische Bedeutungen abgeleitet werden können. Damit läßt sich jedes Tierkreiszeichen eindeutig charakterisieren und das Ergebnis in ein anderes Medium – in unserem Fall in das der Graphologie – übertragen. Umgekehrt ergibt sich, daß das breite Spektrum der Bedeutungsmöglichkeiten eines Tierkreiszeichens durch mehrere graphologische Merkmalgruppen eingegrenzt werden kann.

Um das in einer kurzen Übersicht zu erläutern:

Das astrologische Jahr beginnt mit dem Zeichen Widder am 21. März, nämlich an dem Tag, da die Sonne die Ekliptik schneidet. Der Widder ist also gewissermaßen der Zündfunke, der den Tierkreis auslöst. *Widder,* das bedeutet gebündelte Energie, die notwendig ist, wenn man Pionierarbeit leisten will. Der Widder erobert Raum und setzt sich in seiner Umgebung durch. Auf graphologische Ausdrucksmerkmale übertragen, wird man hier an spitze und scharfe Formen denken, die den Antrieb zum Eindringen in fremde oder neu zu entdeckende Räume und Reviere kennzeichnen.

Das nächste Zeichen, *Stier,* muß die starke Expansion des Widders regulieren. Damit sich die Energiepotenz nicht richtungslos verliert, wird sie aufgefangen, ausgerichtet und «konserviert» bzw. eingegrenzt. So symbolisiert das «Prinzip Stier» die Ruhe und Stabilität. Hier treten in der Schrift eher übersichtliche, umschließende, runde Formen auf, die mehr statisch wirken.

Im folgenden Zeichen, *Zwillinge,* wird der vom Stier gewonnene Bestand differenziert. Mit seinem Prinzip der Unterscheidung «sortiert» der Zwilling den neugewonnenen Raum, erfaßt und kennzeichnet ihn. Der Intellekt wird aktiviert, um die verfügbare Substanz zu erschließen, sichtbar und meßbar zu machen. Zu dieser Arbeit der objektiven Bewertung der Dinge gehört das Gleichmaß in der Ausdrucksform.

Damit ist ein Programm erfüllt, das bis zur Grenze der räumlichen Möglichkeiten ging. Aus der Gewohnheit der vorwärtsdrängenden Bewegung gerissen, kommt es zur Krise. Auf sich und die geistige Auseinandersetzung mit der Umwelt zurückgeworfen, erlebt der *Krebs* die Bewegung im Innern. Die Seele quillt auf und mit ihr die Buchstaben. Sie werden üppig und breit, teigig und voll.

Wie der Stier die Widder-Energie auffing, so ist der *Löwe* Resonanzboden für die seelische Kapazität des Krebses. Er hält die Fülle fest und verleiht ihr Ausdruck, er begeistert sich an seiner Empfindung und überträgt sie unmittelbar, spontan und lebendig auf die Schrift. Sie wird groß, pathetisch und eigenwillig, weil das Gefühl auf direkteste Weise ausgedrückt wird. Der Löwe will sich keine Einschränkungen auferlegen, er geht mit dem vorhandenen Seelenmaterial unökonomisch um. Er agiert im Bewußtsein seiner Kraft.

Deshalb muß das nächste Zeichen, *Jungfrau,* zwischen dem ungebändigten Lebenstrieb und den Gegebenheiten des täglichen Lebens wieder die Balance herstellen. Die Jungfrau entwickelt seelische Ökonomie. Die vom Löwen her so stark vorhandene Spontaneität wird reflektiert und durch vernünftige Gesichtspunkte begrenzt, auch wenn dies ein Zurückschrauben der Ansprüche mit sich bringt. Das macht die Schrift klein, angepaßt und unauffällig, aber ansprechend.

Damit ist das Stadium beendet, in dem die Gefühle erschlossen wurden. Jetzt rückt die Außenwelt ins Blickfeld. Es geht nicht mehr allein um das Individuum, seine Formung, Durchsetzung und Erhaltung, sondern um die Mehrzahl der Individuen, die Gattung. Das Bewußtsein, sich der Umwelt anpassen zu müssen, wird geweckt. Man stellt die gewonnenen Erkenntnisse in den Dienst der Menschheit. Die *Waage* gibt dafür den Anstoß mit ihrem Prinzip des geregelten Miteinander. Es dient der Arterhaltung, doch kann ein Beharren auf Gewaltlosigkeit leicht zur «Beißhemmung», also zur Verkümmerung der lebenswichtigen Verteidigungsbereitschaft führen. Die entsprechende Waage-Schrift ist kurvenreich und verbindlich und – weil das Emotionale kaum eine Rolle spielt – fein und dünn. Sie braucht Spielraum, um immer auf etwas Neues eingehen zu können, und zeigt dies in einer nach rechts orientierten Schreibweise, deren an sich spröder Duktus zwischendurch ab und zu verziert wird.

Beim folgenden Abschnitt wird der Spielraum eingegrenzt. Aus der Vielzahl der Möglichkeiten stellt der *Skorpion* ein Konzept zusammen, das als Vorbild für alle verbindlich sein soll, ohne Rücksicht darauf, daß es für viele gar nicht erreichbar ist. Diese Phase trägt dazu bei, ein «Idealmodell Mensch» zu erhalten. Dafür muß subjektives Denken überwunden werden. Auch Gefühle kann man dabei nicht gebrauchen. Das zeigt sich in gerade aufgerichteten, beherrschten, oft wie «gestochen» wirkenden Schriftzügen. In diesem Tierkreiszeichen sind die meisten «Zuchtschriften» zu finden, die jede Spontaneität vermissen lassen und deren Verzierungen wie gedrechselt aussehen.

Der *Schütze* will die einzelnen Idealmodelle des Skorpions zur Gesamtschau vereinheitlichen. Sein Prinzip ist geistiges Interesse und Einsicht. Er hat den Drang, zusammenzufassen und schwer Faßbares verständlich zu machen. Dadurch, daß ihn Vorgänge außerhalb seines Lebens motivieren, neigt der Schütze sich nach vorn, kehrt sich nach außen, um aufnahmebereit zu sein. Entsprechend ist seine Schrift meist rechtsschräg und rechtsläufig. Die expansiven geistigen Denkbewegungen finden ihr Äquivalent in großen Schriftzügen und weit ausholenden Schleifen.

Das Thema des Programms von Waage bis Schütze war die Entwicklung der Verhaltensweisen, die für das Zusammenleben in der Gemeinschaft notwendig sind. Jetzt spielt das Individuum keine Rolle mehr, wichtig ist die Integrierung aller. Der *Steinbock* sucht stets das Allgemeinverbindliche, die Form, die allem Individuellen übergeordnet werden kann – das Gesetz –, und verlangt die Entpersönlichung. Seine Ausdrucksformen sind deshalb aufs äußerste reduziert, besitzen kaum Fülle und wirken karg. Diese Phase macht ihn aufgeschlossen für die «öffentliche Ordnung». Daraus wird auch seine Vorliebe für Druckschrift verständlich.

Weil aber selbst die öffentliche Ordnung nicht frei ist von emotionalen Einflüssen und Bindungen, bedarf es des *Wassermanns* mit seinem Prinzip der Befreiung von allen Zwängen. Das Allgemeinverbindliche wurde – wenn auch gezwungenermaßen – anerkannt; nun bekommt es, sozusagen aus der Distanz betrachtet, einen lockeren neutralen Aspekt. Jedweder Zwang fällt weg; das Ideal des freien Lebens wird dadurch ermöglicht. Im geistigen Bereich zeigt sich die Neigung zu freier Assoziation und künstlerischer Betätigung. Der Wassermann schreibt deshalb in erster Linie «originell». Seine Buchstabenformen und -verknüpfungen sind ungewöhnlich. Mit größter Leichtigkeit und dünnem Strich schafft er bizarre Gebilde, die sich mehr nach oben als nach unten ausdehnen. Er entfernt sich vom Konkreten und versucht der Spannung zwischen dem Ich und Du zu entkommen, indem er eine Art Über-Ich entwickelt.

Diese Tendenz, weg vom Vordergründigen zum Hintergründigen, wird weiter vertieft in der Phase *Fische*. Die Flucht ins Über-Ich genügt noch nicht, der vordergründige Raum wird überhaupt in Frage gestellt; Materie wird aufgelöst, um den Sinn hinter der äußeren Erscheinung zu erfahren. Das macht die Schrift pastos und weicht noch dazu die Buchstabenformen auf. Der Schreibduktus schwankt, die Schrift wird labil und zerfließt. Schreiben nach Vorlagemuster scheint dem Fisch allzu vordergründig. Für ihn ist das Lineare unwichtig. Er sucht das Charakteristische, den «geistigen Hintergrund» der Buchstaben.

Er liefert das Motiv zum Leben, den Zugang zu den seelischen Ursachen, die die Wirklichkeit erst «rundgehen lassen» – und so folgt denn auch im zyklischen Ablauf des Tierkreises auf die Fische wieder der Widder ...

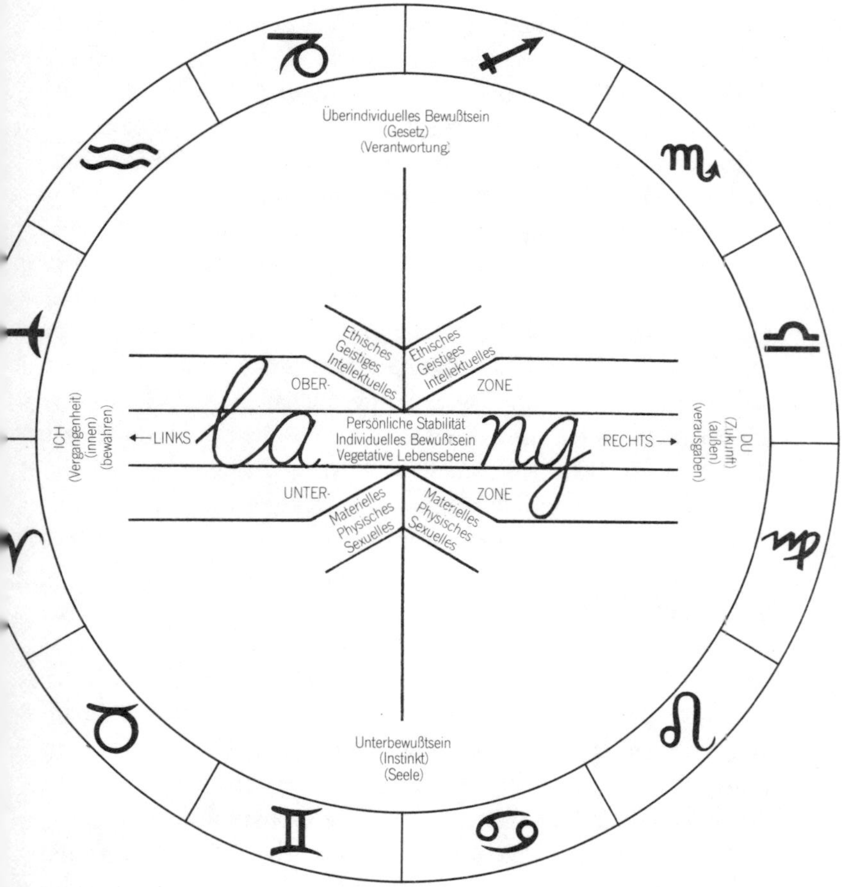

Die tierkreis-bedingten Motivationen für die Schriftgestaltung lassen sich auch zusammengefaßt in einer graphischen Übersicht erklären, indem man das im Graphologie-Teil (Seite 36) gezeigte Schema mit den verschiedenen Bewußtseinszonen in den Tierkreis hineinprojiziert. Die vier Endpunkte des Kreuzes

– Widder, Krebs, Waage und Steinbock – geben die hauptsächlichen Bewegungsimpulse an: 1. Das Ich, im Widder, der noch unverausgabt und gesammelt über den größten Energieaufwand verfügt, um sich mit der Materie auseinanderzusetzen. 2. Das Unterbewußte im Krebs, der die Seele entdeckt und in der Folge seinen Gefühlen Ausdruck verleiht. 3. Das Du in der Waage, die das Miteinander regeln will. 4. Das überindividuelle Bewußtsein im Steinbock, der die Entpersönlichung anstrebt, um das Allgemeinverbindliche, Gesetzmäßige durchzusetzen.

Es wäre allzu oberflächlich, wollte man aufgrund dieser Einstellung schon ein Urteil abgeben und das Du-Bezogene aus ethischen Überlegungen dem Ich-Bezogenen, oder das Verantwortungsvolle, Reflektierte dem Instinkthaften vorziehen. Ebenso sinnlos wäre die Behauptung, daß die Linksläufigkeit schlechter sei als die Rechtsläufigkeit und die Betonung der Oberzone durchweg eine günstigere Beurteilung erfahren müsse als die der Unterzone. So wie in einer Schrift notwendigerweise alle Richtungen enthalten sind und das dominante Merkmal mit den übrigen Schriftmerkmalen in ausgewogener Beziehung stehen muß, ist man auch nicht allein Widder oder Krebs, sondern hat an allen Tierkreiszeichen Anteil – nur, daß ein bestimmtes Prinzip dominiert, nämlich das Prinzip jenes Zeichens, unter dem man geboren wurde.

Infolge dieses lebendigen Hintergrunds eines jeden Tierkreiszeichens können keine astro-graphologischen Angaben nach der Art von Hausrezepten gemacht werden. Die Ausdrucksbreite der einzelnen Prinzipien ist ja schon immens. Wenn aber noch Eigenschaften eines anderen Prinzips integriert werden, so ergeben sich unendlich viele Aussagemöglichkeiten.

Andererseits ist es nicht entscheidend, ob in einer Schrift alle zuständigen tierkreis-spezifischen Merkmale vertreten sind oder nicht. Wichtiger ist, ob und wie Substanzgehalt und Rhythmus einer Schrift mit den tierkreistypischen Merkmalen im Einklang stehen. Das Grundsätzliche des astrologischen Hintergrunds muß vorhanden sein, aber in welcher Weise es mit andersartigen Bestandteilen verwoben wird, ist eine Frage des individuellen Niveaus. Unter diesem Gesichtspunkt kann es sogar sein, daß eine äußerst tierkreistypische Schrift negativ beurteilt werden muß, zum Beispiel die Napoleons (Seite 235). Die für den Löwen geforderte Eigenwilligkeit ist bei ihm im Übermaß vorhanden. Ohne Maß aber erfahren alle an sich positiven Eigenschaften eine negative Wertung.

Allgemein gesehen, begegnet man derart «überindividuellen» Schriften wie der Napoleons heutzutage selten. Häufiger und wesentlich schwieriger zu beurteilen sind die dem Zeitalter der Anpassung entsprechenden unausgeprägten Schriften. Viele Menschen entwickeln persönliche Eigenschaften erst gar nicht, um stets in der Lage zu sein, sich jeder Stimmung, jeder Erwartung, jeder Tendenz gemäß zu verhalten. Bei einem solchen Mangel an Individualität muß sich der Graphologe mit dem Pauschalurteil begnügen, der Schreiber sei eine unselbständige, unausgereifte «Reflexnatur». Der Astro-Graphologe dagegen sieht zusätzlich den vom Tierkreiszeichen bestimmten Hintergrund und kann daraus ableiten, welcher Art die Reflexe sind. Darüber hinaus kann er Anregungen geben, in welche Richtung die verlorene oder noch nicht entdeckte Persönlichkeit zu kultivieren wäre, und er vermag diese Entwicklungsarbeit anhand der auf den folgenden Seiten erläuterten Kriterien zu kontrollieren. Denn die Graphologie mit ihrer Kenntnis des Momentanzustands (Augenblick des Schreibens) bekommt durch die Astrologie mit ihrer Kenntnis des Hintergrunds (Augenblick der Geburt) quasi eine dritte Dimension.

In der folgenden Darstellung der Tierkreiszeichen und ihrer Schriftmerkmale ist das prinzipielle Kriterium des jeweiligen Tierkreiszeichens als Überschrift vorangestellt. Die darunter aufgeführten graphologischen Merkmale sind geeignet, dieses Prinzip auszudrücken, wobei, wie erwähnt, selbstverständlich nicht immer alle in einer Schrift vorkommen. Die astro-graphologische Bestandsaufnahme und das Abwägen der einzelnen Merkmale gegeneinander sind die notwendigen Vorarbeiten für die Aussage, ob eine Schrift tierkreis-identisch ist oder nicht.

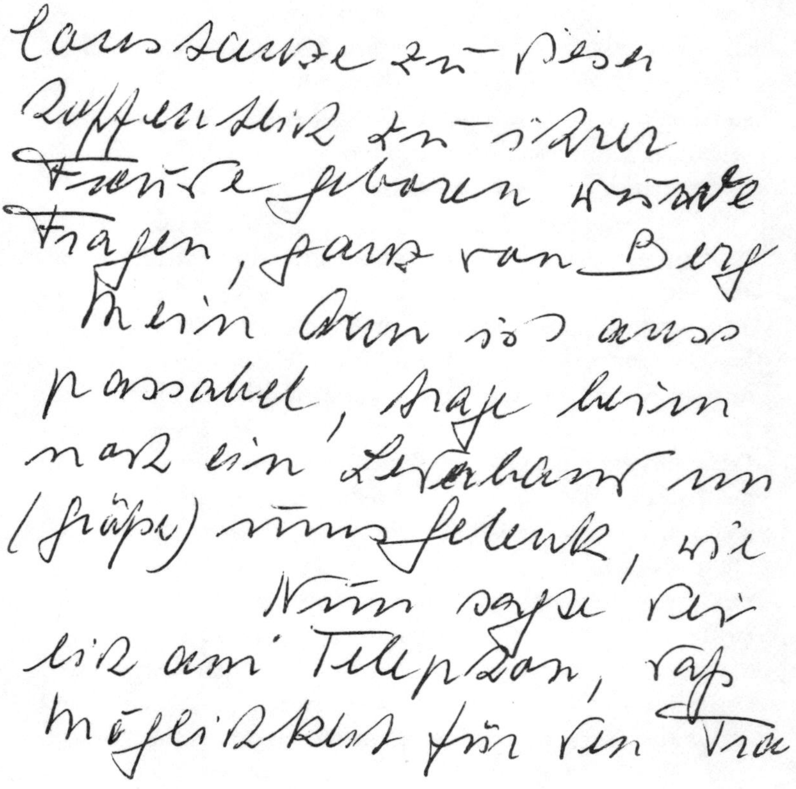

Aus dem energischen Vorwärtsdrängen und der impulsiven Intensität ist das Bedürfnis, sich spontan zu entscheiden, ablesbar. Der Kampf gegen äußere Widerstände wird mit dynamischem Subjektivismus geführt. Das kann auf einen Krafteinsatz am falschen Platz hinauslaufen.

Widder – Das spitze Dynamische

Druck	Geringe Wortabstände
Eile	Größere Zeilenabstände
Große Längenunterschiede	Vereinfachung
Winkel	Schärfe
Nach rechts gerichtete, druckbetonte Striche	Kleinheit (Mittelzone)

Der Widder ist das erste Zeichen des Tierkreises. Mit ihm beginnt die Entwicklung zum Leben. Er wirkt als Initialzündung, und dazu bedarf es einer Ladung geballter Energie. Alle Lebensprozesse werden durch ihn aktiviert. Deshalb steht er für Tatendrang und Unternehmungslust, er fordert heraus und setzt sich durch, sein Expansionsdrang kennt keine Schranken. Da, wo etwas nach Entladung verlangt, ist er zur Stelle. Da, wo etwas unausgesprochen blieb, spricht er es aus. Etwaige Folgen machen ihm keine Sorgen. Sein Weg geht geradeaus, ohne Umschweife, ohne Rast oder Rücksicht auf Hindernisse. Dementsprechend ist er direkt und ehrlich, oft aber auch taktlos und rücksichtslos. Er kann einfach keine Konzessionen machen. Seine Kraft überlegt einzusetzen, ist nicht seine Sache, auch nicht, Vorkehrungen zu treffen, um Reserven zu behalten. Energie steht ihm fast uneingeschränkt zur Verfügung, darum kann er großzügig damit umgehen, braucht die Strecke nicht abzuschätzen, ehe er startet – und rennt oft übers Ziel hinaus.

Ein Widder ist meist in Spannung, was man auch seiner druckstarken Schrift ansieht: eine Sprungfeder, die der Umwelt mit Dynamik begegnet. Bei soviel Druck kommt es leicht zu Zusammenstößen, wobei auch Niederlagen nicht ausbleiben. Dann ist für ihn das beste Mittel, um die persönliche Schlappe zu vergessen, ein neuer Angriff. So können sich geringfügige Anlässe zu großen Auseinandersetzungen ausweiten. Ohne Übersicht, weil ohne Augenmaß (enge Wortabstände) überrennt der Widder außer dem Gegner auch den Rahmen seiner eigenen Möglichkeiten.

Widder-Sein bedeutet ständig auf dem Sprung leben (Eile), nach der Devise: Wer rastet, der rostet. Wobei die Energie aber nicht gleichmäßig eingesetzt wird, sondern ruckartig in einer kontinuierlichen Folge von «Raketenstarts».

Passend zu solchen impulsiven Antrieben sind kurze, straffe, lineare Bewegungen. In graphologische Zeichen übertragen, äußert sich das Gebaren in scharfen, spitzen, vereinfachten Buchstabenformen. Widder benutzen auch lieber scharfe Bindungsformen, zum Beispiel den Winkel, als weiche Girlanden oder gar den Faden. Wenn allerdings die Eile überwiegt – und wann eilt es einem Widder nicht! – schleifen sich die Winkelecken ab, und es entstehen straffe Girlanden.

Das Hauptkennzeichen jeder Widder-Schrift aber ist ihr Druck; denn «Zweck jeder Nachdrücklichkeit der Bewegung ist die Überwindung irgendwelcher Widerstände», sagt Ludwig Klages. Widder, lateinisch *aries,* war bei den Römern der Name für ein Kriegsgerät: ein Balken, der vorn mit eisernem Widderkopf als scharfer eiserner Spitze versehen war. Er diente der Zertrümmerung von Festungsmauern. Die gleiche Energie, die hinter diesem «Sturmbock» steht, führt beim Widder die schreibende Hand und verursacht die krassen Unterschiede zwischen Auf- und Abstrich, schafft eine dritte Dimension, indem sich das Schreibwerkzeug tief ins Papier gräbt, und imitiert den römischen *aries* durch nach rechts gerichtete, druckbetonte Striche. In der Wucht einer solchen Bewegung steckt die Energie des Impulses, der Initialzündung. Kräfte werden mobilisiert, um ein Hindernis zu überrennen. Damit soll immer ein Zustand verändert werden. Seine Dynamik drängt ihn aus der sicheren Begrenzung heraus. Er wagt sich unbekümmert weit vor, denn er ist sich seiner unversiegbaren Kraftquelle bewußt (große Längenunterschiede).

In Nichtachtung der persönlichen Sicherheit setzt er sein Zentrum, sein Ich aufs Spiel (kleine Mittelzone), und zwar wertfrei: Ebenso wie eine Tapferkeitsmedaille für selbstlosen Wagemut kann er sich dabei auch ein Strafmandat für verkehrswidriges Fahren «einhandeln». Denn wenn die Situation lockt, stürmt er blindlings voran. Charakteristisch dafür sind seine weite und schräge Schrift sowie die geringen Wortabstände; der Impuls überwiegt, es bleibt wenig Raum zum Überlegen und Abschätzen der Situation. Er kann keine Grenzen einhalten und mischt sich auch in Dinge ein, die ihn nichts angehen.

Anders ist es mit den Zeilenabständen. Ist der Mut erstmal gekühlt, sieht er den Gesamtzusammenhang – doch nur so lange, bis ihn der nächste Elan wieder davonreißt. Trotzdem zeigt die Kombination von engem Wort-, aber weitem Zeilenabstand, daß seine Aktionen wohlüberlegt sind.

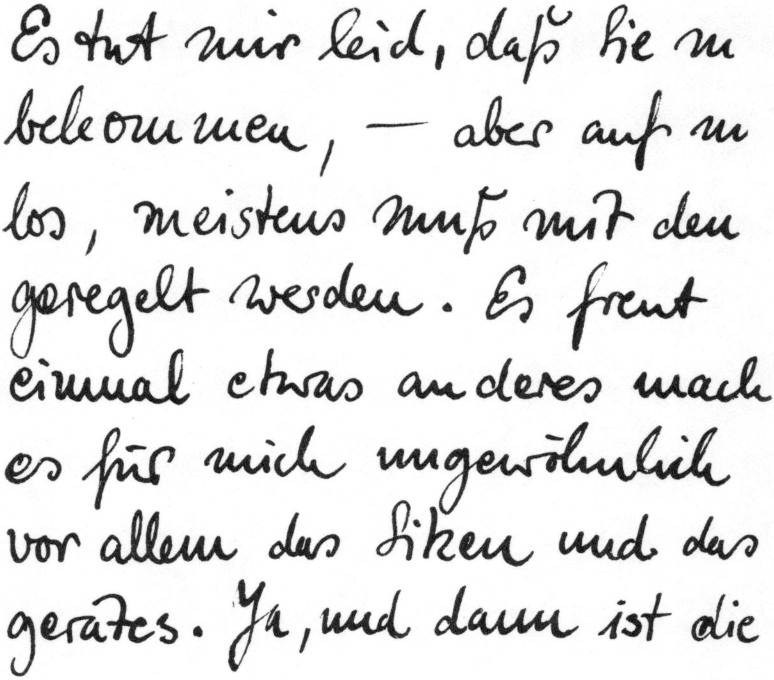
Es tut mir leid, daß Sie zu
bekommen, — aber auf zu
los, meistens muß mit den
geregelt werden. Es freut
einmal etwas anderes mach
es für mich ungewöhnlich
vor allem das Sitzen und das
gerätes. Ja, und dann ist die

Selbstsichere Stabilität ist typisch für den Stier-Schreiber, der mit Bedacht und Raumgefühl seine Kraft immer angemessen dosiert. Was er durch Mangel an Flexibilität einbüßt, gleicht er durch Beharrungsvermögen aus. Die Freude am Bestand äußert sich in der gestalteten Bereicherung der Buchstaben.

Stier – Das stabile Besitzergreifende

Teigigkeit	Bereicherungen
Kleine Längenunterschiede	Langsamkeit
Druck	Breite Buchstaben
Völle	Linksläufigkeit
Regelmäßigkeit	Unterlängen größer als Oberlängen

Der Zündfunke, mit dem der Tierkreis gestartet wurde, mußte stark sein, um alles in Gang zu bringen. Pionierarbeit verlangt ja stets mehr Dynamik als Routinearbeit. Deshalb folgt dieser Phase des Übertempos der bedächtige Stier, um die ungebärdige Natur durch Stabilität zur Ruhe zu bringen.

Der Stier ist der geborene Nutzer. Mit beiden Händen greift er ins Leben und hält fest, was er fassen kann. Er ergreift Besitz, er genießt, was er hat, und schlägt Wurzeln. Dieser Prozeß braucht Zeit, denn was er sich einmal aneignet, will er auch für immer behalten. Das bezieht sich nicht bloß auf materiellen Besitz, sondern ebenso auf Denkgewohnheiten und Gefühle. Veränderungen sind dem Stier ein Greuel. Es ist infolgedessen nicht einfach, ihn von einer Gewohnheit, einer einmal gewählten Richtung, seiner vertrauten Heimat, Religion oder Weltanschauung abzubringen. Die gleiche Treue, die ihn an seine Gemeinschaft und an Traditionen bindet, läßt ihn auch an seinen Plänen und seinem gewohnten Tagesablauf festhalten.

Als Gegenpol zum übermäßig aktiven Widder repräsentiert der Stier eher das Inaktive (Langsamkeit). Er meidet Veränderungen, verteidigt also seinen Status quo und erreicht damit größtmögliche Stabilität. Das macht ihn allerdings etwas unbeweglich. Sich schnell neu zu orientieren, fällt ihm schwer; es drängt ihn nicht in unbekanntes Territorium (kleine Längenunterschiede). Er stellt wenig in Frage, verletzt keinesfalls Grenzen, und er kommt nicht mit revolutionären Ideen daher, ist kein Neubegründer, vielmehr der ideale Erbe. Der Stier wertet das Überkommende aus (Linksläufigkeit) und festigt den

Bestand (Völle). Das schafft eine solide Grundlage für die nachfolgenden Tierkreiszeichen.

Aus alledem wird deutlich, daß der Stier mit seinem Stabilisierungsauftrag vor allem langsam schreiben muß. Heutzutage aber, angesichts des immer größer werdenden Angebots an Dingen, die es zu verarbeiten gilt, und der immer knapper werdenden Zeit dafür, muß jeder echte Stier mit seiner Umwelt in Konflikt geraten. Er kann die notwendige Stabilität kaum herstellen bzw. aufrechterhalten. Viele Stiere sind heute gezwungen, mehr zu leisten, als in ihren Kräften steht; sie müssen sich notgedrungen ein schnelleres Tempo angewöhnen. Das sollte bei der Beurteilung ihrer Schrift als erstes berücksichtigt werden.

Hand in Hand mit der Langsamkeit geht beim Stier der Trend zur großen Mittelzone, weil er aus der Geborgenheit seines Zentrums nicht heraus möchte, er will nicht wie der Widder aggressiv in fremde Territorien vordringen oder voll Ehrgeiz über sich hinauswachsen. Er will, im Gegenteil, ein Zentrum bilden, und sein Unternehmungsgeist ist schon befriedigt, wenn er Bestehendes sanieren darf. Dafür braucht er, wie der Widder, Druck. Der grundlegende Unterschied aber liegt in der Ausrichtung dieser Druck-Energie. Beim Widder ging sie, kombiniert mit den großen Längenunterschieden, als impulsive Kraftäußerung vom Mittelpunkt weg. Beim Stier wird sie im Mittelpunkt gehalten (linksläufige Mittelzone). Mangelnde äußerliche Intensität wird durch innere kompensiert. Die kleinen Längenunterschiede lassen nichts nach draußen; das heißt, es wird eifrig konserviert und dadurch Substanz geschaffen. Deshalb sollte vor allem die Mittelzone der Stier-Schrift immer voll ausfallen. Wenn er seine Substanz schon nicht dreidimensional ausdrücken kann, soll sie wenigstens durch ausladende Formen zu ahnen sein. Er will soviel Raum wie möglich umfangen, auch schreibenderweise (Völle).

Bei diesem «Substanzgewinnungsprozeß» verliert der Stier nie die Übersicht. Die Formen können zwar aufschwellen, unterscheiden sich aber klar voneinander, verfließen nicht, sondern sind sorgfältig begrenzt. Wichtig ist ja für den Stier, das

Gewonnene ordentlich abzusichern, um Bestand daraus zu machen. Seine Schriftanordnung ist deshalb gut gegliedert, mit dem notwendigen Abstand zwischen den einzelnen Worten und Zeilen. Er will einordnen, andere und auch sich selbst. Also schreibt er eher regelmäßig als unregelmäßig, obwohl ihm das bei seinem Gefühlsreichtum recht schwerfällt. Lieber leistet er sich als Ausdruck seiner Sinnlichkeit ein paar teigige Einstreuungen oder fügt aus Freude an der Gestaltung ein paar Bereicherungen hinzu. Das macht seine Schrift bei aller Regelmäßigkeit lebensprall und saftig.

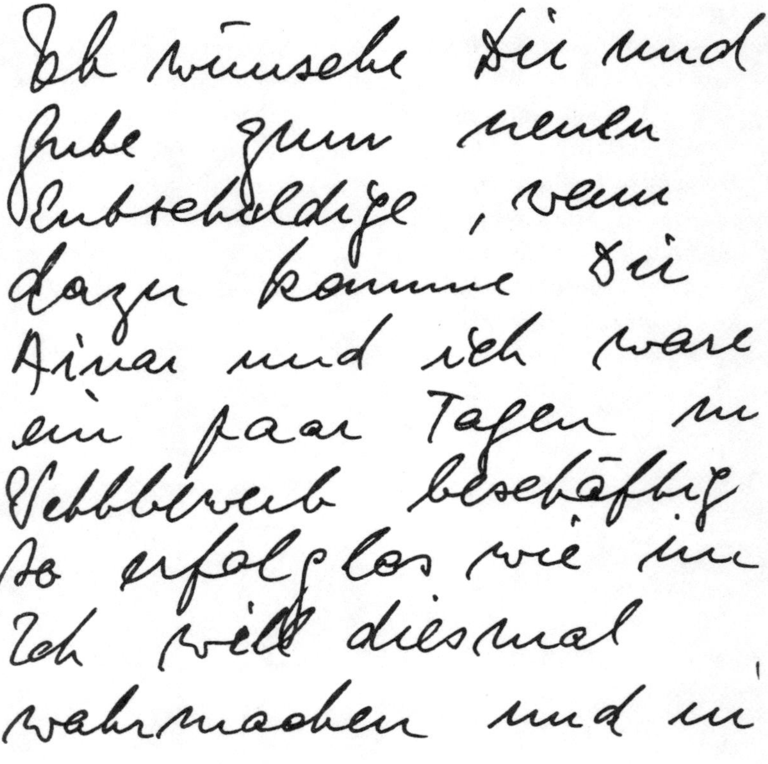

Typisch eilige Schrift eines Zwillings, der, an allem interessiert und reizhungrig, mit größter Wendigkeit die Welt erfaßt – allerdings nur die Oberfläche und immer etwas gehetzt. Die Tendenz, sich nicht festlegen zu wollen, birgt die Gefahr lavierenden Verhaltens.

Zwillinge – Das dünne Bewegliche

Druckschwäche
Eile
Faden oder runde Bindungsform
Verbundenheit
Rechtsläufigkeit
Magerkeit
Große Längenunterschiede
Schrägheit

Der Stier erfaßte die Welt so konkret wie möglich. Er schuf die materielle Grundlage für das Leben, indem er Überkommenes hütete und daraus sicheren Bestand machte. Die folgende Phase braucht diese Basis, um den nächsten Schritt tun zu können: Der Zwilling will die vom Stier gewonnene Substanz auf die Weise nutzen, daß er sich eine Übersicht über alle feststellbaren Tatsachen seiner Umwelt verschafft. Dafür muß er sich eine rationelle Arbeitsmethode aneignen, die ihm erlaubt, alles zu erfassen, ohne sich in alles vertiefen zu müssen. Der Wunsch nach allgemeiner Orientierung erfordert die Einnahme eines neutralen Standpunkts.

Der Zwilling lebt zweidimensional, flächig und ohne die Tiefe der dritten Dimension viel beweglicher. Wichtigstes Kriterium sind für ihn die Fakten, nicht ihre Bedeutung oder ihr Sinn. Alles muß bezeichnet, eingeordnet und koordiniert werden, dafür braucht er seinen Intellekt und begriffliches Denken. Erst wenn ein Gegenstand sachgerecht zerlegt worden ist, glaubt der Zwilling, darüber verfügen zu können. Er erkennt die Welt als Summe benennbarer Fakten und begreift zuweilen gerade deshalb nicht, «was sie im Innersten zusammenhält». Der Mangel an persönlichem Engagement verleiht ihm die Leichtigkeit, von Begriff zu Begriff zu eilen. Es genügt ihm, alles nur kurz zu tangieren (Druckschwäche).

Auf diese Weise besteht die Gefahr, daß er mit Wissen blendet und mit Worten jongliert. Letzteres um so mehr, als Worte ohne die Tiefe des Erlebens besonders leicht zu handhaben sind. Er kann auch Dinge zusammenbringen, die nichts miteinander zu tun haben, und lediglich interessante Wortkaskaden entstehen lassen (Verbundenheit). Kurz: Als Meister der Beredsamkeit ist der Zwilling in der Lage, über alles zu sprechen, ohne dabei ein Problem zu lösen. Als Meister der Information vermittelt er Erkenntnisse, ohne selbst produktiv daran beteiligt gewesen zu sein (Faden). Für Konfrontationen und Auseinandersetzungen fehlt ihm der Sinn, die Zeit und die Intensität. Ihn umschwebt bei all seiner vielseitigen Informiertheit immer das Flair des Nachrichtensprechers (große Längenunterschiede, Rechtsläufigkeit, Verbundenheit, Faden, Magerkeit).

Die Energie, die der Widder nach außen und der Stier nach innen richtete, verfließt beim Zwilling gleichmäßig in alle Richtungen. Deshalb ist sein hervorstechendstes Schriftmerkmal die Druckschwäche und die Leichtigkeit, mit der das Schreibwerkzeug über das Papier geführt wird. Mangel an Intensität und Widerstandskraft, aber auch Aufnahmebereitschaft und geistige Geschmeidigkeit finden darin ihren adäquaten Ausdruck.

So wie man dem Zwilling im Denken Oberflächlichkeit vorwirft, bleibt er auch beim Schreiben an der Oberfläche. Logischerweise ermöglicht die Druckschwäche mit ihrem leichten, wenig anstrengenden Dahingleiten größere Eile. Der ebenso gewandte wie bewegliche Zwilling kann körperlich wie geistig nicht stillsitzen und darf es angesichts seines stets vollen Programms auch nicht. Ohne Überblick über das System, das ihn umgibt, fühlt er sich nicht sicher. Um aber eine Orientierung nach allen Seiten hin zu erreichen, muß er Bezugspunkte sehen, muß Verbindungen und Kontakte schaffen. Jede neue Tatsache, jedes «Neuland» wird systematisch erfaßt und in das bestehende System eingegliedert. Widersprüche gibt es nicht, sie würden die Methode sprengen. Auch deshalb ist die verbundene Schrift ein wichtiges Indiz seines graphologischen Ausdrucks. Zusammen mit Druckschwäche, Eile und Faden zeigt sie seine virtuose Handhabung des Intellekts, den er vor allem zu schnellem, gewandtem Kombinieren einsetzt, weniger zur Formulierung eindeutiger Stellungnahmen. Um klar Stellung zu beziehen, müßte der Zwilling ja seine Vielseitigkeit aufgeben. Seine Stärke liegt aber gerade darin, überall gleichzeitig zu sein.

Deshalb sind bei ihm unterschiedliche Bindungsformen üblich. In heutiger Zeit, angesichts des immer größer werdenden Wissensradius, kann man ihm sogar die Fadenbindung nicht ankreiden; vorausgesetzt, daß seine Schrift auch große Längenunterschiede aufweist. Wenn nicht, wäre dies ein Zeichen dafür, daß es sich der Faden-Schreiber gar zu leicht macht.

Für die innere Anteilnahme an der äußeren Welt müßte der Zwilling seine Neutralität opfern, und das brächte seinen so ausgeklügelten Kräftehaushalt in Gefahr. Gefühlsmäßige Zurückhaltung ist bei ihm Bedingung für die notwendige Sachlichkeit. Deshalb wird seine Schrift auch mager sein. Fülle hatte der Substanz schaffende Stier, noch mehr Fülle zeigt die innere Anteilnahme des Krebses. Der Zwilling, in der Mitte zwischen beiden, vollzieht den ihm zukommenden Schritt: er schafft die Verbindungen. Er erschließt die Welt durch Handel und Verkehr (Kombination von Verbundenheit, Schrägheit, Faden, Rechtsläufigkeit, große Längenunterschiede), er vermittelt Wissen und Erfahrungen und überläßt die Stellungnahme dazu jedem einzelnen.

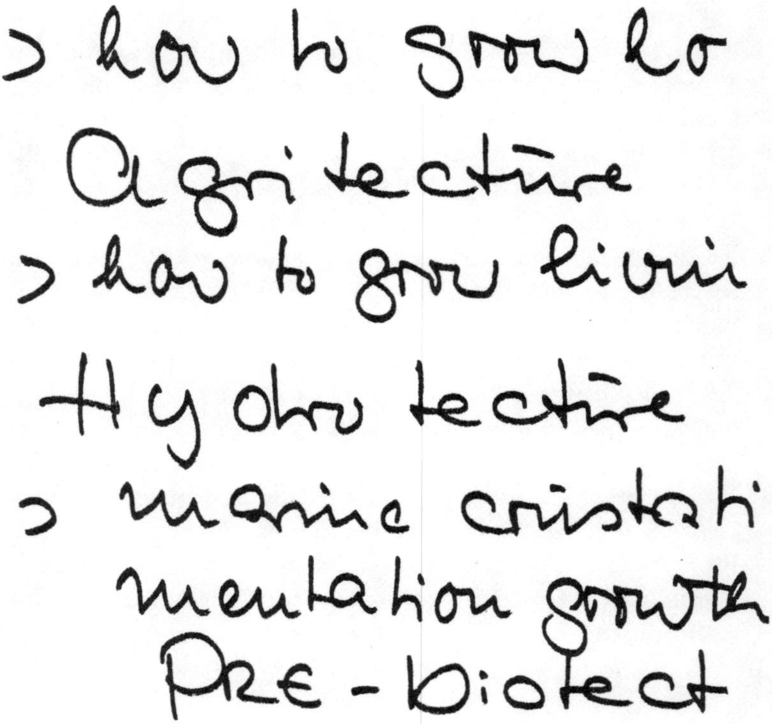

Die unbekümmert ausladenden Buchstabenformen sind Ausdruck des Organisch-Quellenden. Erleben wird mit Gestalten gleichgesetzt. Hier bedürfte das Verhältnis von innerer Vorstellungskraft zur Realität einer Korrektur.

Krebs – Das Wolkig-Quellende

Völle	Kleine Längenunterschiede
Teigigkeit	Große Mittelzone
Linksläufigkeit	Weite
Unregelmäßigkeit	Enge Abstände

Mit dem Zwilling endete ein Programm, das damit begann, daß der Widder mit seiner impulsiven Energie in den Außenraum vordrang, den dann der Stier mit Intensität in Besitz nahm, um schließlich dem Zwilling das freie Schalten mit dem Erworbenen zu ermöglichen.

Das nächste Programm beginnt mit ebenso starker Energie, nur geht sie nicht nach außen, sondern nach innen, denn «der Krebs ist der Widder des Seelischen» (Döbereiner). Die gleiche Kraft, die sich im Widder aktiv verausgabte, steckt beim Krebs in der passiven Hingabe an die Summe der Triebe, Gefühle und Stimmungen. Den ersten drei Zeichen ging es um die Beschäftigung mit dem Außenraum. Mit dem Krebs kommt eine neue Dimension hinzu. Er erschließt sein Inneres und macht es empfänglich für die Atmosphäre seiner Umwelt. Die Folgen sind stärkste Empfindsamkeit. Wie ein Seismograph reagiert er auf Stimmungsschwankungen, denn jeder Außenvorgang spiegelt sich in seinem Innern wider und jeder innere Vorgang sucht seinen Weg nach außen. So entstehen die sogenannten Launen, als Ausdruck mangelnder Gefühlsstabilität. Weil bei ihm diese Unbeständigkeit aber chronisch ist, bleibt der Krebs gerade in seiner Unbeständigkeit beständig, in seiner Weichheit fest, in seiner Nachgiebigkeit unnachgiebig. Andere würden durch die Schwankungen, denen ihr Gefühlsleben ausgesetzt ist, aus dem Gleis geworfen. Dem Krebs sind sie zur zweiten Natur geworden, er regeneriert sich laufend und hält seinen Kurs bei. Um überhaupt lebensfähig zu sein, muß er Krisen schnell überwinden.

Die Krebs-Passivität mit ihrem Hang zum Erleiden erstreckt sich auch auf andere Gebiete. So ist sein Gefühlsreichtum eher ein Hindernis für ihn, erobernd ins Leben hinauszutreten. Er kann sich nicht anbieten, er will gerufen werden. Er mag nicht planmäßig überlegen, wer oder was für ihn gut und richtig wäre, sondern überläßt es dem Zufall, was geschieht. Wer sich aus eigenem Antrieb zu ihm gesellt und es bei ihm aushält, darf bleiben. Menschen, die seiner nicht würdig sind, oder Verhängnisse, denen er zum Opfer fällt, halten ihn nicht ab von diesem Kurs. Deshalb gerät er leicht in heikle Situationen.

In späteren Jahren baut er sich einen Schutzpanzer, um seine seelische Verletzbarkeit herabzusetzen. Er kann dann ganz besonders hart und unzugänglich sein; wenn man ihn noch dazu in ungünstiger Stimmung anspricht, sagt er von vornherein zu allem nein, damit man ihn ja nicht in Versuchung führt, nachzugeben. Krebse erscheinen dadurch oft in einem ganz anderen Licht, als es ihrer ursprünglichen Veranlagung entspricht. Um unter diesen Bedingungen an sie heranzukommen, ist es notwendig, mit Geduld auf den Moment zu warten, in dem sie das Visier ihres Panzers öffnen.

Der krasse Übergang vom Zwillings- zum Krebs-Verhalten macht sich auch in der Schrift bemerkbar. Die mageren linearen intellektbetonten Schriftzüge des Zwillings quellen beim Krebs auf, werden weit, voll und teigig. Je voller eine Schrift ist, desto weniger hat der «Geist als Widersacher der Seele» (Klages) von ihr Besitz ergriffen. Das Denken in Bildern und Vorstellungen, die aus dem Unterbewußtsein aufsteigen, verlangt nach breit ausladenden Formen. Phantasie braucht Fülle. Wenn sich das kritische Denken ihrer bemächtigt, bleibt kaum etwas übrig von ihr.

Der Krebs, als erstes Zeichen eines Programms, das die Gefühle erschließt, muß soviel seelische Substanz wie möglich zur Verfügung stellen. Denn so wie Stier und Zwilling von der Energie des Widders leben, so verarbeiten Löwe und Jungfrau den Gefühlsreichtum des Krebses. Diese Fülle geht meist konform mit Weite, d. h. Aufgeschlossenheit und Ungebundenheit sind Vorbedingungen für den zwanglosen Zugang nach innen. Auf welche Weise dieses «Innen» des Lebens empfunden wird, zeigt eine andere wichtige Dominante der Krebs-Schrift: die Teigigkeit. Das Leben verliert an Disziplin und Klarheit, wird aber reicher durch eine ungemeine Fülle des Empfindens. Das Sinnliche, Warme und auch Animalische steht im Vordergrund jeder Betrachtung. Auge, Ohr, Nase, Zunge und Haut geben sich den Reizen hin, die sie empfangen, erfreuen sich an der Impression, bevor der Intellekt eingeschaltet wird und die einzelnen Reizpunkte zu klar definierbaren Begriffen ordnet. Der Genuß am Empfinden soll nicht durch einen übergeordneten abstrakten Begriff gestört werden.

So wird auch die leichte Verwundbarkeit des Krebses verständlich: Die schützende intellektuelle Haut fehlt, die erst prüft und abwägt, bevor sie etwas durchläßt. Beim Krebs geht gleich alles tief, Angenehmes wie Unangenehmes, deshalb kann er die Erregbarkeit seiner Gefühle kaum kontrollieren (Unregelmäßigkeit). Es sei denn durch den Rückzug in sich selbst. Unter Ausschluß der Öffentlichkeit – was sich in Linksläufigkeit ausdrückt – regeneriert er sich «an der Quelle».

Nur wenige Krebse bringen die Disziplin auf, Buchstaben regelmäßig zu gestalten. Das fällt oft kaum auf, weil sie eine ausgeprägte Mittelzone haben, enge Abstände zwischen Worten und Zeilen machen und keine großen Längenunterschiede schreiben. Die Ich-Sicherung, die aus dem breiten Mittelband spricht, trägt dazu bei, daß sich ihr Wesen trotz großer Schwankungen konstant hält. Es zeigt die breite Schicht, in der ein Krebs ruht, wenn auch die Materie ringsherum sich ändert.

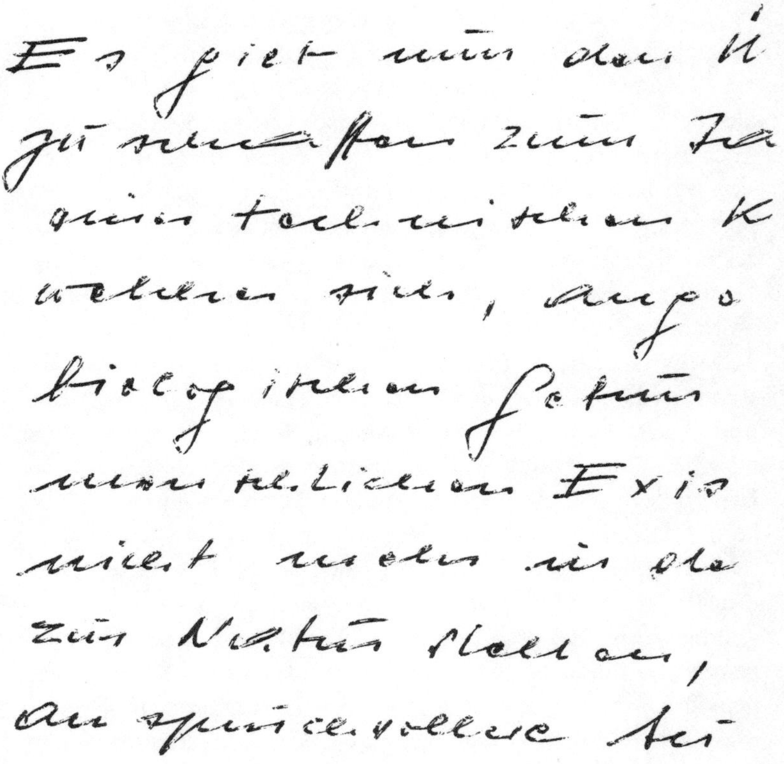

Typische Schrift eines autoritären, aber großzügigen Löwen, der mit Leidenschaft für die eigene Überzeugung eintritt. Großer Raumanspruch und eine überlegene Stellung sind ihm selbstverständlich. Trotz seines spontanen Wesens umgibt ihn eine Aura der Unantastbarkeit.

Löwe – Das spontane Eigenwillige

Eigenwilligkeit im Ausdruck	Weite
Große Anfangsbuchstaben	Weite Wort- und Zeilenabstände
Druck	Große Mittelzone

Wenn der Krebs die Tierkreisphase ist, an der sich psychische Energie bildet, so ist der Löwe jener Bereich, in dem diese nach außen drängt. Dieses Symbol ist gleichzusetzen mit Lebenskraft, einer Lebenskraft aber, die nicht zu verwechseln ist mit der aggressiven, zu ständiger Aktivität antreibenden Energie des Widders. Die Energie des Löwen besteht in einer Vitalität, die konstant vorhanden ist, aber nur spontan ausbricht. Das Wissen um das Vorhandensein genügt ihm, um gelassen am Leben teilzunehmen. Er hält seine Reserven für unerschöpflich, sich selbst für unverwundbar; er kennt das Gefühl der Angst nicht, das jeden überfällt, der einmal mit seiner eigenen Unzulänglichkeit konfrontiert wurde.

Im Sinne des fortlaufenden astrologischen Programms steht dem Löwen das Reservoir an psychischer Energie des vorhergehenden Krebs zur Verfügung, ohne daß er unter dessen Sensibilität leiden müßte. Er will nicht und muß nicht seelisch anteilnehmen. Seine Aufgabe ist es, aus dem ungesichteten Gefühlsreichtum «Gestalt werden zu lassen», die Emotionen, die den Krebs beherrschen, in den Griff zu bekommen und das Beste daraus zu machen. Sein Verhalten wird von dem Verlangen getrieben, «das Leben als Beute heranzuholen» (W. Döbereiner). Das Bewußtsein, über das größtmögliche Potential an Leben, an Vitalität zu verfügen, macht ihn innerlich unabhängig und führt zu seiner vielbeneideten Souveränität. Man sagt dem Löwen Stolz nach. Sicher hat er ein recht starkes Eigenwertgefühl, aber jeder Zweifel könnte sein Selbstverständnis stören und ihm die innere Balance rauben, auf die er angewiesen ist, um etwas auf Anhieb zu treffen. Deshalb entspringt seine souveräne Verhaltensweise eher dem Gefühl der inneren Sicherheit als der Vorstellung, etwas Einmaliges zu sein. Seine manchmal naive Ich-Betonung sollte ihm unter diesem Aspekt verziehen werden. Kränkungen, denen der Krebs in so schmerzhafter Weise ausgesetzt ist, fechten ihn ohnedies nicht an. Kritik ist ihm gleichgültig. Er braucht die Umwelt nicht zur Orientierung, er bestimmt über sie.

Die Assoziation Löwe und große Schrift, die sich unwillkürlich aufdrängt, ist nur bedingt richtig. Sicher ist, daß der Löwe keine kleine Mittelzone schreiben darf, daran sollte ihn schon sein «Gefühls- und Willenspathos» (Klages) hindern. Im übrigen aber ist seine Schrift eher eigenwillig als groß. Auch hiermit demonstriert er seine Unabhängigkeit, diesmal von der Schriftnorm. Er gestaltet, wie es ihm in den Sinn kommt, aber nie gekünstelt, gemacht oder unfrei, sondern immer schwungvoll und selbstsicher. Eine Löwe-Schrift muß etwas Unmittelbares haben, darf nicht gezwungen oder überlegt wirken. Da, wo die Sonne ungefiltert und direkt herrscht – denn im Löwen ist sie «zu Hause» –, werden Tatmenschen hervorgebracht. Sie scheuen den Umweg über Pinsel und Federhalter, sie verwirklichen sich nicht am Schreibtisch, sondern im Weltgetümmel, so wie es, extrem übersteigert, der Vollblutlöwe Napoleon vorlebte.

Das Hauptcharakteristikum einer Löwe-Handschrift muß darum in der Selbstverständlichkeit liegen, mit der auch unübliche Formen zu Papier gebracht werden. Das gleiche Selbstgefühl, das sich die eigenwilligen Formen leistet, dimensioniert auch das Ausmaß der Mittelzone und äußert seine kraftvolle Elastizität in starkem Druck. Mit diesen drei Merkmalen wäre die Löwe-Schrift schon definiert. Als Ergänzung käme hinzu, daß eine so kräftig angelegte Persönlichkeit nicht eng schreiben darf. Ökonomisches Denken und Fühlen passen schlecht in den weiten Rahmen einer mehr naiven Ansprüchlichkeit. Ihrer vitalen Fülle und warmen Ungezwungenheit würden auch Magerkeit und Schärfe nicht entsprechen. Sie zwängen den Löwen dazu, von der Anschaulichkeit des Lebens abzuweichen. Er müßte sich von seinen Emotionen distanzieren und braucht sie doch gerade als Antrieb und Motor. Bei ihm gibt es keine Trennung zwischen Wunsch, Wille und Wirklichkeit. Wenn er etwas wünscht, will er es sofort tun oder haben, und zwar unter höchstem Einsatz. Das verlangt Ruhepausen zwischendurch, eine gewisse Lässigkeit – um dann bei der nächsten Gelegenheit mit größter Eleganz und Souveränität wieder eine Leistung zu vollbringen, die alle staunen läßt.

Es wäre ein Irrtum, zu glauben, dem Löwen fehle es bei seinem Mangel an Begrifflichkeit an Überblick und Umsicht. Gerade er hat den Blick fürs Zentrale, er weiß instinktsicher, worauf es ankommt, und ist wie kein anderer für führende Positionen geschaffen. Allerdings sind seine Dispositionen großzügig, von Beschränkung und Mäßigung hält er nichts. Mit ihm Schritt zu halten und seinen Anforderungen zu genügen, ist nicht einfach, denn er nimmt seine Umgebung recht stark in Anspruch. Als Schriftmerkmal tritt diese Eigenschaft in großzügiger Schriftanordnung zutage. Die Zeilen- und Wortabstände sind weit. Die Schrift hat etwas Unnahbares, ein Löwe läßt sich nicht gern antasten.

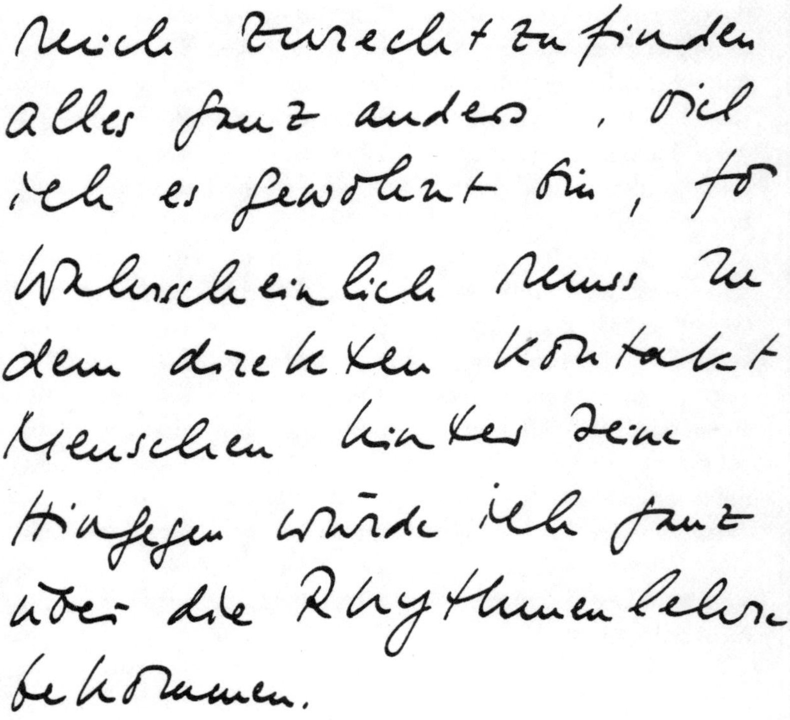
mich zurecht zu finden
alles ganz anders, als
ich es gewohnt bin, so
wahrscheinlich muss zu
dem direkten Kontakt
Menschen hinter dem
Hingegen würde ich ganz
über die Rhythmenlehre
bekommen.

Mit der typischen Fähigkeit, sich rasch zu orientieren, erfaßt diese Jungfrau ihre Umgebung im Hinblick auf das jeweils Zweckmäßige. Dementsprechend vermeidet sie jeden fruchtlosen Widerstand und Umweg und paßt sich an.

Jungfrau – Das Freundlich-Zurückhaltende

Kleinheit	Vereinfachung
Mangel an Eigenwilligkeit	Druckschwäche
Gefälligkeit	Enge
Girlande oder runde Bindungsformen	Verbundenheit
	Magerkeit

Der Krebs erschloß die psychische Energie, der Löwe fing sie ein und verfügte darüber. Die Jungfrau macht sie allgemein zugänglich. Mit ihr geht das «Emotionsprogramm» zu Ende. Als Endprodukt wird von ihr die «bewältigte Seele» gefordert. Also sorgt sie als erstes dafür, daß sich die geballte psychische Potenz nicht mehr in einzelnen Kraftakten entlädt, und reguliert die Staustufen zu gleichmäßigem Fluß. Durch diese Kanalisierung erreicht sie zwei Dinge auf einmal: Sie bekommt die Gefühlsäußerungen in den Griff und kann den Energiereichtum im Sinne einer optimalen Nutzung dosieren.

Mit einer solchen Aufgabe kann nur jemand betraut werden, der seelisch zu wirtschaften versteht, einer der genau überblickt, was man sich an Gefühlen und Eigenarten gerade noch leisten kann und was nicht mehr. Der nichts dem Zufall überläßt und das Steuer immer selbst in der Hand hält. Die Jungfrau kennt denn auch das beste Mittel, um Lebenskraft zu sparen: die Anpassung.

Diese reibungsloseste Art, mit der Umwelt in Beziehung zu treten, garantiert ihr die größte Sicherheit. Dementsprechend verhält sie sich angemessen und zweckentsprechend; für sie heiligt nicht der Zweck die Mittel, sondern die Zweckmäßigkeit. Ihr geht es um die Verbesserung des Verhältnisses zwischen Nutzen und Aufwand; sie fordert die Rationalisierung, und zwar auf allen Gebieten: physisch, geistig, seelisch und sogar moralisch (O. Adler). Die kluge Jungfrau und Rationalisierung, das paßt zusammen, denn um das jeweils zweckmäßigste Verfahren zu erkennen, muß sie das, «was anliegt», rein verstandesmäßig durchdringen. Jeder Lebensimpuls passiert somit einen

Verstandesfilter, bevor er sich äußern darf. Alles wird gedämpft, gemäßigt und kontrolliert. Das gilt auch voll für die Schrift, die in erster Linie klein ist – klein weniger aus Mangel an Selbstgefühl als aus Sinn für die «realen Verhältnisse». Die Jungfrau ist wohl am weitesten von allen Tierkreiszeichen davon entfernt, sich fortreißen zu lassen und die Realität zu vergessen. Aus Angst vor dem Unberechenbaren, dem sie sich nicht mehr anpassen kann, beobachtet sie die Umwelt genauestens. Das, was sie registriert, analysiert sie gleich darauf; darum entgeht ihr nichts, und sie ist, wie niemand sonst, in der Lage, auf feinste Veränderungen sofort zu reagieren. Der «gute Riecher», den man ihr zuschreibt, basiert auf dieser Fähigkeit, Dinge zu sehen, die für andere noch gar nicht wahrnehmbar sind, sich am Horizont aber bereits abzeichnen.

Mit Eigenwilligkeit und Größe könnte sie ihren Beobachterstatus keinesfalls aufrechterhalten. Er verlangt eine kleine, vorsichtige Schrift, die sich nicht ausschreiben darf, weil die ständigen Anpassungsforderungen eine Festlegung verhindern; eine Schrift, die auch keine große Mittelzone ausbilden darf, weil sie die eigenen Bewältigungsmöglichkeiten skeptisch beurteilt.

Als Kontrastprogramm zum Löwen enthält ihre Schrift außer der Kleinheit auch die anderen, dem Löwen entgegengesetzten Merkmale, nur sind sie nicht so kraß ausgebildet.

Da ist die Enge, klar verständlich aus dem Bedürfnis nach Mäßigung und Steuerung; die Magerkeit, ebenso verständlich aus dem Impuls, das Leben begrifflich erfassen zu wollen und der unberechenbaren Lebendigkeit eine geordnete Dingwelt vorzuziehen. Und da ist auch noch, als Ausdruck ihrer ökonomischen Einstellung, der Trend zur Vereinfachung. Auf der Suche nach dem sachlichsten und knappsten Ausdruck weiß die Jungfrau mit Sinn für Maß und Form zu stilisieren und liefert mit dieser Veranlagung die geborenen Designer.

Ihr Anpassungszwang nimmt ihr jedoch oft den Mut zur Konsequenz. Sie kann nicht radikal eine bestimmte Sache vertreten. Sie muß immer zugänglich bleiben, sich auf das einstellen, was man von ihr will. Ihr Entgegenkommen ist eine

Maßnahme, um ständig in Verbindung mit der Außenwelt zu bleiben. Das merkt man auch der Schrift an. Die zugrunde liegende Sachlichkeit und Kühle ist in Verbindlichkeit gebettet, so daß sie gefällig wirkt und ansprechend. Daß sie sich auf entgegenkommende Art mit der Umwelt auseinandersetzt, zeigen Girlanden, Bogen und kleine, bescheidene Schwünge. Trotz all ihrer Reserviertheit wird man selten auf eine unfreundliche Jungfrau stoßen.

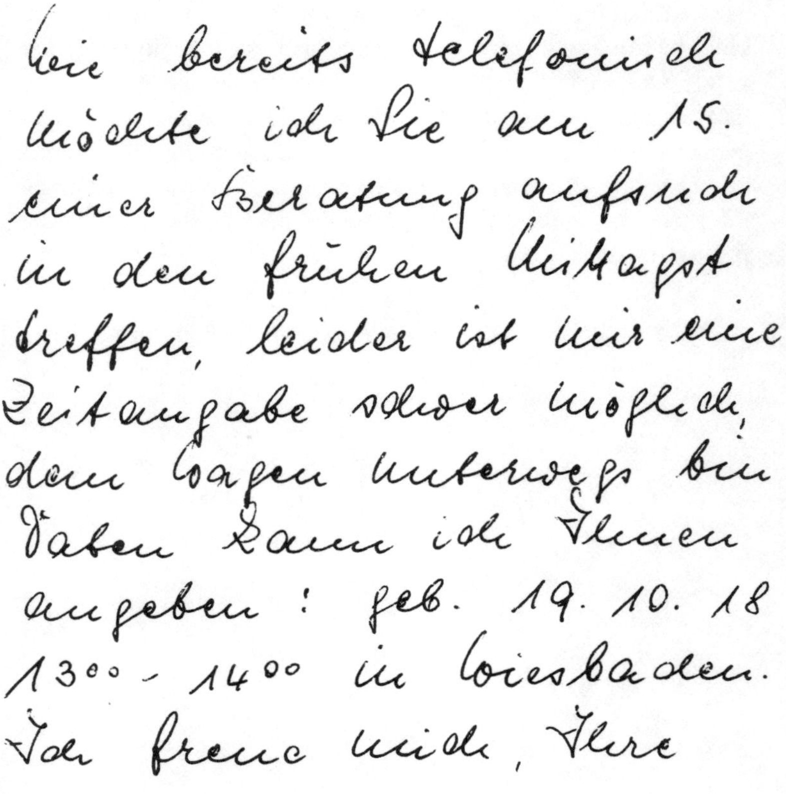
Wie bereits telefonisch
möchte ich Sie am 15.
einer Beratung aufsuch
in den frühen Mittagst
treffen, leider ist mir eine
Zeitangabe schon möglich,
denn Wagen unterwegs bin
Daten kann ich Ihnen
angeben: geb. 19. 10. 18
13°° - 14°° in Wiesbaden.
Ich freue mich, Ihre

Im Vordergrund steht das Bedürfnis nach Ausgleich und Vermittlung. Trotz allem Entgegenkommen aber bleibt die Schreiberin kühl und beherrscht. Nach Waage-Art versucht sie Harmonie notfalls sogar zu erzwingen, was zu stilisierter Freundlichkeit führt.

Waage – Das Stilisiert-Ausgewogene

Ästhetische Stilisierung, Anordnung und Bereicherung	Weite
Rechtsläufigkeit, vor allem in der Oberzone	Verbundenheit
Girlande	Schrägheit

Von Widder bis Jungfrau entwickelte sich ein Programm, bei dem das Ich die Auseinandersetzung mit der Umwelt in allen Nuancen erprobte. Den Abschluß in dieser Entwicklungsreihe bildete die Jungfrau. Sie paßte das Ich an die Bedürfnisse der Allgemeinheit an. Damit wurde die wichtigste Vorarbeit geleistet für die nun folgende zweite Hälfte des Tierkreises. In dieser geht es nicht mehr um das «Abenteuer Ich», sondern im Gegenteil um das Ausschalten der eigenen Person zugunsten der Gemeinschaft. Die erfolgte Anpassung erhält ihren Sinn, das jetzt gesicherte Individuum erkennt, daß es auch noch andere Menschen gibt und daß es verpflichtet ist, diese anderen mitzuerhalten. Mit diesem Schritt aus der persönlichen Abgrenzung wird das Kollektivbewußtsein geboren.

Der Widder, als entgegengesetztes Prinzip zur Waage, mußte «handeln», das heißt, er griff tätlich ein. Die Waage «handelt» nicht, sie greift geistig ein. Sie ist stark im Denken, dafür schwach im Handeln. Deshalb leidet sie unter jeder Art von Entscheidung, die man ihr abverlangt. Geistig kann man sich auf zwei Seiten einstellen, ohne sich entscheiden zu müssen. Mit jeder Handlung dagegen erfolgt eine Festlegung. Eben weil sie das Subjektive, Individuelle und Extreme meiden will, sucht die Waage nach einer Form, die ein harmonisches Zusammenleben sichert. Als erste Maßnahme dazu wählt sie den Ausgleich. Alles soll verbunden werden, möglichst auch die gegnerischen Fronten. Alles, was das Gleichgewicht bedroht, wird – um die Vorstellung von Harmonie nicht zu stören – übersehen. Konflikte werden gemieden, wo immer sie sich ergeben könnten.

Der Widder sucht die Reibung, die Waage geht ihr geflissentlich aus dem Weg. Sie bemüht sich mit allen Kräften, objektiv zu sein, und meint, sie hätte ihr Ziel erreicht, wenn ihr Fühlen und Denken identisch ist mit den Wertmaßstäben der Allgemeinheit.

Das subjektiv kritische Engagement des Widders ist ihr ein Greuel. Die Waage will sich auf alles einstellen, ohne aber Stellung zu beziehen. Denn in dem Moment, wo sie sich auf eine Sache festlegt, müßte sie ja eine andere ablehnen. Das kann der Widder machen, der sein persönliches Gefühl in alles Fremde hineinträgt und die Dinge nach eigenen Vorstellungen verändert. Für ihn ist die innere Wirklichkeit wahr. Nicht dagegen für die Waage. Ihr geht es um die äußere Wirklichkeit, die vom persönlichen Bewußtsein unabhängig ist. Sie ordnet die Welt zu einem widerspruchslosen Ganzen und arrangiert es nach Augenmaß. Emotionen gibt es bei ihr kaum; sie geben ihr ohnehin kein Sicherheitsgefühl. Ohne Emotionen aber kann sie unvoreingenommener handeln und ihren Äußerungen eine gleichmäßigere Note geben.

Zu diesen Äußerungen gehört auch die Schrift. Die von der Waage angestrebte Harmonie wird nicht etwa in das Merkmal Regelmäßigkeit übersetzt. Der Waage geht es um mehr als nur Gleichmaß, sie sucht die Ausgewogenheit, die maßvolle Beherrschung. Sie will das Ebenmaß, wobei der Wille entscheidender ist als die Fähigkeit, es zu erreichen. Wie schon zuvor erläutert, läßt sich Ebenmaß nicht erzwingen, es verlangt innere Klarheit und damit das, was wir Einsicht nennen. Weil nun Waagen nicht etwa einsichtiger als andere Tierkreiszeichen-Menschen auf die Welt kommen, können sie auch nicht ebenmäßiger als andere schreiben; nur der Wille dazu ist stärker vorhanden. Zu Hilfe kommt ihnen dabei ihre «emotionslose Zugänglichkeit». Sie macht die Schrift weit, leicht schräg und rechtsläufig, ohne eines dieser Merkmale zu übertreiben. Der Wille zu Ausgleich und Vermittlung erweitert den Horizont der Waage, deshalb die Weite. Ihre Wendung zum Du drückt sich in der Rechtsläufigkeit aus, und weil sich diese Zuwendung mehr im Geistigen als im Seelischen abspielt, tritt die Rechtsläufigkeit verstärkt in der Oberzone auf – wie überhaupt die Unterzone der Waage-Schrift leicht vernachlässigt wird. Der Wunsch nach Anpassung stellt die Schrift leicht schräg, aber nur sehr leicht, denn Hinreißbarkeit oder Dynamik sind ihr fremd. Natürlich schreibt die Waage weder Arkade noch Winkel, denn sie will ihrer Umwelt ja entgegenkommen und Konfrontation auf jeden Fall vermeiden. Der ihr gemäße Ausdruck ist die Girlande als Zeichen der Aufgeschlossenheit und der Nachgiebigkeit.

Neben diesen einzelnen Merkmalen zeichnet das Schriftbild eine ästhetische Stilisierung aus, wobei allerdings der einzelne Buchstabe relativ unentwickelt bleibt, das ginge sonst zu sehr ins Persönliche. Die Waage versucht, ästhetische Leitbilder in Schriftzüge zu übersetzen, und benutzt dafür je nach Geschmack Verzierungen, Schwünge und eine graziöse Strichführung. Sie möchte Ausgewogenheit erwerben. Ein natürlicher Rhythmus (Ebenmaß) läßt sich aber, wie schon gesagt, nicht erzwingen. Deshalb ist die Waage, entgegen der landläufigen Vorstellung, eben doch nicht so vorschriftsmäßig «geeicht» wie unsere Handelsgewichte.

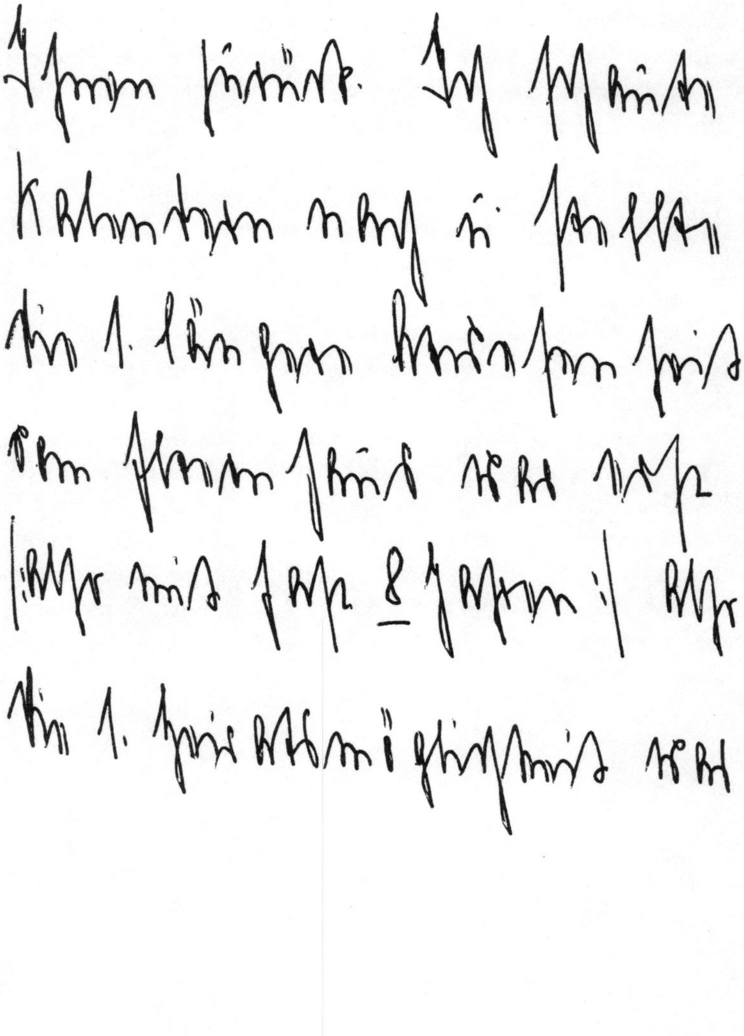

Das ganze Ausmaß an kämpferischer Aggressivität, das ein typischer Skorpion zu bieten hat, ist hier verdeutlicht. Die Vorrangstellung des Prinzips fordert übertriebene Selbstkontrolle. Diese Skorpion-Frau ist zwar unbestechlich, bringt aber mit ihrer lebensfeindlichen Härte kein Verständnis mehr für Menschliches auf.

Skorpion – Das beherrschte Scharfe

Große Längenunterschiede	Magerkeit
Schärfe	Weite Wort- und Zeilenabstände
Steilheit oder Linksschrägheit	Kleine Mittelzone
Winkel, straffe Girlanden, Arkaden	Regelmäßigkeit

Mit der Waage erwachte das Bewußtsein für die anderen. Sie tat den ersten Schritt in die Gemeinschaft und sorgte für ein ausgewogenes Miteinander. Der Skorpion geht darüber hinaus, er möchte dem Miteinander Dauer verleihen. Noch entschiedener als die Waage gibt er den individuellen Standpunkt auf. Er denkt nicht an «ich», an «hier» und «jetzt», sondern an «wir, die Menschheit», «morgen und immer». Sein Bewußtsein vollzieht den Übergang von der «Gemeinschaft Mensch» zur «Gattung Mensch». Dafür muß er sich von allem Persönlichen distanzieren. Enge Kontakte und Vertrautheiten erzeugen gefühlsmäßige Bindungen, die ihn bei seiner Aufgabe behindern würden. Er braucht den Abstand, um sein Seziermesser zücken und das «Idealmodell Mensch» herausschälen zu können. Er braucht die reine Struktur ohne das Leben, das sie umkleidet, das Grundmodell ohne Abweichungen als Muster der Spezies Mensch, denn seine Aufgabe ist es, dafür zu sorgen, daß die Norm eingehalten wird.

Wie der Widder untersteht der Skorpion dem Mars. Man merkt das an seiner Schärfe, an der bohrenden Kritik, mit der er immer auf den Kern einer Sache dringt. Er legt die Hintergründe bloß und macht auch dann nicht halt, wenn die Wahrheit unbequem wird. Im Gegenteil, er ist fähig, sich selbst zu vergessen, sich zum Opfer zu bringen für ein Leitbild, das Allgemeingültigkeit beanspruchen kann. Der skorpionische Mars nutzt seine Stoßkraft nicht mehr direkt. Die Unternehmungen, die der Widder-Mars initiierte, werden vom Skorpion-Mars kritisch betrachtet. Und nur, was absolut standhalten kann, wird akzeptiert: als Maßstab. Er stellt festgefahrene Anschauungen oder Konfessionen in Frage, entschlackt übergewichtige Vorstellungen und zwängt dabei auch Seelisches in ein Korsett, aus Überzeugung, daß es sich einem übergeordneten Prinzip unterordnen muß.

Auch das rein Triebhafte am Mars, der das männlich Treibende darstellt, erhält im Skorpion seine geistige Zuordnung. Für ihn ist die Sexualität die «Aktivierung des Erbgedächtnisses» (O. Adler). Der strenge, manchmal sogar puritanische Skorpion erfüllt damit eine Verpflichtung: Er erhält die Art. Darum spricht man beim Skorpion von «kalter Leidenschaft». Der ungestümen, marsischen Dynamik des Widders wird eine Kraft entgegengesetzt, die über seelisch-emotionale Zusammenhänge hinaus ein Prinzip verfolgt. Beim Widder-Mars wurde noch das Gefühl angesprochen, er stand im Leben. Beim skorpionischen Mars behindert die Distanz zum Leben die seelische Elastizität. Weil sich bei ihm das Leben der Idee unterzuordnen hat, weil er «das Fleischliche überwinden» will, neigt er zu Fanatismus und zur Askese. Er muß sich daher Assoziationen zu Tod, Gewalt oder Macht gefallen lassen. Das Weiterdenken des Skorpions über sich selbst hinaus und an die nächsten Generationen berührt immer die Schwelle des Todes.

Der Zwang zum Ideellen, dem seine Seele unterliegt, läßt ihn strenger und härter urteilen und konzentrierter sein Ziel verfolgen als andere. Man wird ihn darum nicht gerade in Positionen antreffen, die eine spezielle weiche, liebevolle Zuwendung verlangen, und wenn, dann geschieht es im Dienste des Prinzips mit Bestimmtheit, Klarheit und Kühle.

Entsprechend sind die Schriftmerkmale des Skorpions mehr von der Vorstellung als vom Gemüt bestimmt. Der Skorpion schreibt mager und scharf. Er abstrahiert die Fülle des Lebens; darum wären Buchstabenvölle und ein saftiger, teigiger Strich, mit dem er sich dem Leben hingibt, verfehlt. Der Skorpion will nichts dem Zufall überlassen. Er muß jederzeit bereit sein, Angriffe zu parieren. Darum paßt er auf, hält den Federhalter straff und zeichnet jeden Buchstaben akkurat scharf. Dasselbe kann vom Gesamtschriftbild gesagt werden. Sein geistiges Orientierungsstreben drückt sich in äußerer Klarheit und Abgrenzung aus. Zuweilen wird die Nüchternheit zu stark; die Schrift bekommt etwas Gewolltes und Starres. Sie wirkt wie in ein Schema gepreßt.

Der skorpionischen Kritiklust entspricht der Winkel oder zumindest die straffe Girlande. Weiches Entgegenkommen läßt sich schlecht vereinen mit einem Leitbild, dem man um jeden Preis folgen will. Am besten eignete sich dafür die Arkade. In unserer Zeit aber, die in erster Linie nach Anpassung verlangt, darf man dem Skorpion die Auswahl lassen zwischen Arkade, Winkel und straffer Girlande, wenn er nur keinen Faden schreibt.

Wer kritisiert, ist unzufrieden mit dem, was er hat. Dem Skorpion genügt die Realität nie. Der ganze Lebensplan erscheint ihm korrekturbedürftig. Und weil sein scharf kontrolliertes Seelenleben sich nur gering nuanciert äußern kann, wirkt seine Korrektur wie Schwarzweißmalerei. Diese Tendenz zeigt sich in der Schrift in starker Längenunterschiedlichkeit. Die Mittelzone schwindet und mit ihr die zufriedene Einordnungsbereitschaft. Ein Skorpion ist anspruchsvoll. Er sucht schwierige Aufgaben, die ihm Reibungsflächen bieten. An ihnen beweist er seine Festigkeit und Loyalität. So wie er einerseits in der Lage ist, Menschen zu faszinieren, gebraucht er andererseits seine Suggestionskraft, um das ihm vorschwebende Modell eines möglichen Idealzustands als Impuls weiterzugeben. Seine steil aufgestellten Buchstaben demonstrieren den kühlen Kopf, den Sieg des Urteils über das Emotionale. Manchmal veranlassen ihn seine asketischen Tendenzen zu einer linksschrägen Lage, nämlich dann, wenn er sich zu überwinden sucht. Falls sich eine solche Linksschrägheit mit Arkadenduktus und Magerkeit verbindet, ist der Fanatiker nicht mehr fern. Auf «Menschliches» wird dann keine Rücksicht mehr genommen, der Bilderstürmer kommt zum Zug.

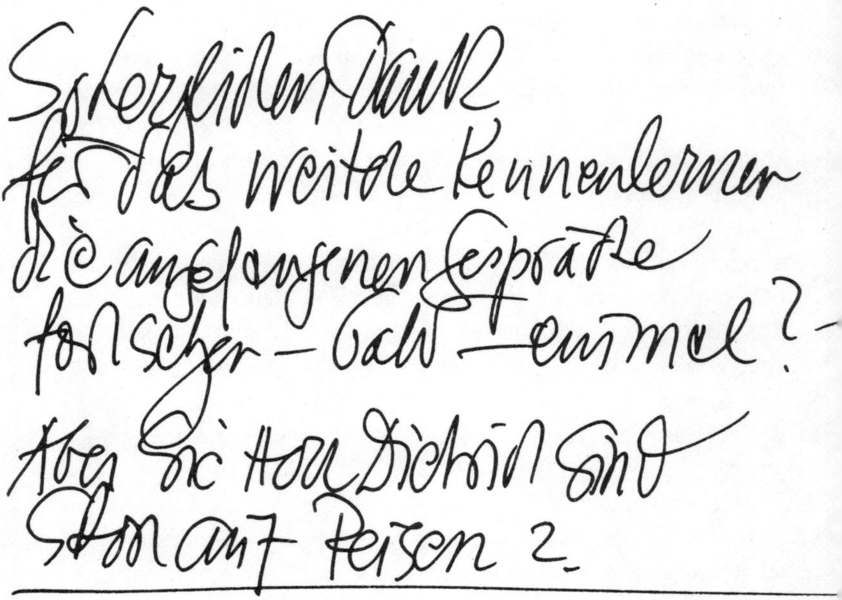

Die dynamische Beweglichkeit der Schreibspur verrät den Schützen, der hochfliegend die Erdenschwere überwinden will und die Orientierung statt in der Realität im Ideellen sucht. Das Ich will sich über die Wirklichkeit erheben und vergißt dabei, Schein und Sein zu trennen.

Schütze – Das Schwungvoll-Ausgedehnte

Schwungvolle Bogen	Rechtsläufigkeit
Oberlängen größer als Unterlängen	Runde Bindungsformen
Schrägheit	Druckschwäche
Verbundenheit	Eile

Die Waage leitete das Gemeinschaftsprogramm mit der «Du-Erfahrung» ein. Sie sorgte durch Ausgleichsbemühungen für ein allgemeines harmonisches Zusammenleben. Der Skorpion verlieh dem Zusammenleben Dauer dadurch, daß er das Persönliche aus jeder Beziehung nahm. Jetzt liegt es am Schützen, losgelöst von eigenen Emotionen wie ein Luftballon in die Welt des Geistes zu fliegen. Er will fremdes Leben verstehen, ihn interessiert, was andere denken und aus welchem Grund sie handeln. Innerhalb des Tierkreisprogramms verkörpert er die Stelle, wo das Völkerkundemuseum stehen könnte. Er sammelt Motivationen für sich und wird «einsichtig», indem er sie bei anderen nachvollzieht. Das heißt: Er begreift andere – und verkennt oft sich selbst dabei. Er beschäftigt sich mit den vielfältigen Synthesen der persönlichen Entwicklung und wird so zum Experten für jede Form von Weltanschauung.

Ob Religion, Philosophie, Psychologie oder Metaphysik – stets ist sogleich sein geistiges Interesse geweckt. Immer zieht er eine geistige Erfahrung einer naturwissenschaftlichen Erkenntnis vor, denn der Schütze möchte zwar – frei nach Kant – den gestirnten Himmel über sich, aber vor allem das moralische Gesetz in sich haben. Er will zum Ausdruck bringen, daß es ein Vorbild des Seins, Verhaltens und Handelns gibt, ein Ideal, das zwar nicht total verwirklicht werden kann, doch unser Handeln motivieren sollte. Seine Handlungsweise ist darum nicht zweckmäßig ausgerichtet, sondern verfolgt ein ethisches Prinzip. Er ist quasi die zuständige «Informationsstelle für ethische Optimierung».

Aus dieser Beschreibung darf nun nicht geschlossen werden,

daß jeder Schütze als Idealmensch auf die Welt kommt. Immerhin – und das kommt vom Jupiter, dem Herrscher dieses Zeichens – ist jeder Schütze sicher, daß es so etwas wie «den rechten Weg» geben müsse, eine höhere Instanz, die auch höhere Einsichten hat. Jupiter symbolisiert die Fülle, den Reichtum, die Einsicht, die Weisheit und Gerechtigkeit. Und ein Mensch, der sich dieses Segens teilhaftig glaubt, ist überzeugt, besser Bescheid zu wissen und eher recht zu haben als andere. So kommt es bei den Schützen leicht zu moralischer Überheblichkeit. Sie neigen dazu, die Wirklichkeit allzu schnell zu verlassen und sich aufzuschwingen in Bereiche, die sie zwar nur ahnen, von denen sie aber sprechen, als seien sie dort zu Hause. Nur noch die Fische, die auch von Jupiter regiert werden, können so schnell in eine Art Inflation der Anschauungen geraten. Man neigt zu Aussagen durch willkürliche Vermehrung von Ansichten, die aber nicht gewachsen und erworben sind, sondern aufgebauscht und damit zur Unaufrichtigkeit gegen sich selbst und andere verleiten. Ein sehr häufiges Kennzeichen in Schütze-Schriften ist aus diesem Grund eine unechte Völle: aufgebauschte Schleifen mit spitzkantigen Abbiegungen.

Was aber alle Schützen gemeinsam haben, sind die großen Bogen. Sie entstehen aus dem Elan, mit dem sie die höheren Regionen erreichen möchten. Getragen von ihrem Enthusiasmus äußern sie sich gern in großzügigen Gesten oder zumindest in solchen, die durch Schwünge einen Teil ihrer idealischen Natur verraten. Immer auf der Suche nach etwas Erhebendem, wollen sie sich selbst erheben und halten infolgedessen nichts von kleinlichen, eckigen, vorsichtig-mißtrauischen Gesten. Der Schütze schreibt mit großen Längenunterschieden, weit und vor allem schräg, denn er ist zugänglich, weltverbunden und entzündbar. «Seid umschlungen, Millionen» läßt der typisch ideell übertreibende Schütze Beethoven im Schlußchor seiner Neunten Sinfonie singen. So sehr, wie es den Anschein hat, liebt der Schütze – und liebte Beethoven – nun seine Mitmenschen auch wieder nicht.

Er ist ihnen zugetan als Gesamtheit, aber er bricht nicht gern seinen Gedankenflug ab, um sich konkret einer Aufgabe im zwischenmenschlichen Bereich zu widmen.

Alles, was an ihn herangetragen wird, muß auf den Sinn, den er im Leben sieht, abgestimmt werden. Ein bißchen «Reim dich oder ich freß dich» steckt dahinter und führt zu verbundener, wenn nicht sogar übermäßig verbundener Schrift. Dabei ist der Druck schwach, um die notwendige Beweglichkeit zu ermöglichen. Ohne den freizügigen Bewegungsspielraum der raumschaffenden und erweiternden Sphären, die Jupiter dem Schützen eröffnet, würde er seine Unruhe nicht loswerden. Sie treibt ihn, das Universum bis zu den Sternen auszukundschaften, und dieser Drang hält den Schützen im Gleichgewicht.

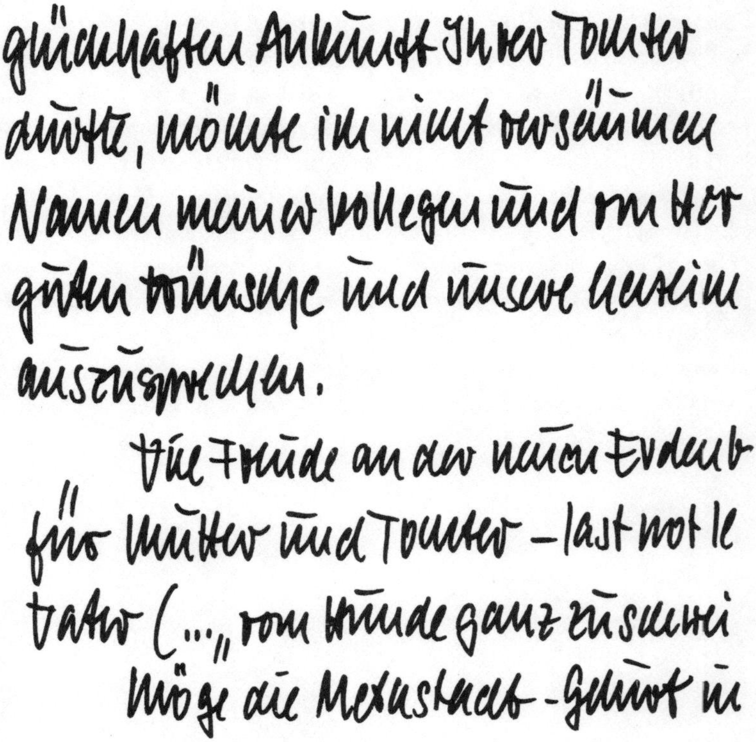
glücklichen Ankunft Ihrer Tochter
erfuhr, möchte ich nicht versäumen
Namen meiner Kollegen und von Her
guten Wünsche und unsere herzlichen
auszusprechen.
Die Freude an der neuen Erdenb
für Mutter und Tochter – last not le
Vater (..., vom Winde ganz zu schwei
Möge die Messestadt-Geburt in

Nur wer sich jederzeit fest in der Hand hat, kann es zu einer solchen, trotz ihrer Eigenart wie gedruckt wirkenden Schrift bringen. Mit seinem Sinn für Maß, Ordnung und das Wesentliche beherrscht dieser Steinbock jede Lage und sich selbst. Ohne feste Lebensregeln wäre es mit seiner Selbstsicherheit allerdings vorbei.

Steinbock – Das Streng-Konzentrierte

Gute Gliederung	Magerkeit
Regelmäßigkeit	Winkel
Enge	Druck
Vereinfachung	Schärfe

Der Steinbock leitet den Schlußabschnitt des Tierkreises ein. Jetzt wird das Resultat gefordert, das, was sich vom Widder bis zum Schützen entwickeln konnte. «Nur was aus der eigenen Anlage herausgewachsen ist und sich bewährt hat, darf bleiben. Dadurch schälen sich die Gesetzmäßigkeiten und Maßstäbe heraus, nach denen sich das Leben verhält» (W. Döbereiner). Jetzt bestimmen übergeordnete Gesichtspunkte, was von der Breite der Lebensdimensionen, die jeder individuell gewonnen hat, Geltung verdient und was nicht.

Der Fülle des Schützen, der in Eindrücken, Einsichten und Anschauungen schwelgen konnte, wird eine Verdichtungstendenz entgegengesetzt. Sie verdickt alles Flüssige, schließt alles Offene, hemmt alles Schnelle, konturiert alles Verschwommene, beschneidet alles Wuchernde, verknappt alles Volle, versachlicht alles Emotionale, stabilisiert alles Bewegliche, ordnet alles Ungeordnete und härtet alles Weiche. Zu allem muß Abstand gewonnen werden, um das Dauernde und Allgemeine erkennen zu können. Nur was sich lange Zeit und bei größten Anforderungen bewährt, hat für den Steinbock Gültigkeit. Er will das Leben bewältigen. Was nicht in die endgültige Form eines Gesetzes gebracht werden kann, was sich nicht juristisch oder mathematisch klar formulieren läßt, hat für ihn keinen Sinn. Er nimmt den Kampf auf mit dem noch Ungeformten und wird als «Architekt des Lebens» (A. Fankhauser) wirksam. Im Gegensatz zu seinem Kontrastprinzip, dem Krebs, der alles organisch wuchern läßt, sucht er den Widerstand und kämpft für eine bestimmte Form. Bei ihm ist alles beabsichtigt und bewußt angelegt. Nichts darf zufällig oder leicht geschehen. Der Steinbock plant und baut als Architekt mit der Stilrichtung «moderne Sachlichkeit». Er duldet keine Übertreibungen, Verzierungen oder unnötigen Einzelheiten; mit seiner Vereinfachungstendenz will er das Wesentliche festhalten.

Dieses Durchbildungsbedürfnis macht auch nicht halt vor der eigenen Person. Geduld und Stetigkeit sowie die Fähigkeit, Prioritäten zu setzen, indem sie das Wesentliche vom Unwesentlichen unterscheiden, helfen den Steinböcken entscheidend beim Aufstieg. Ihr Leben gleicht einem mechanischen Apparat, es verläuft systematisch und zuverlässig mit geregelter Einteilung wie eine Uhr.

Ihrem Wunsch gemäß, allem den Anschein des Allgemeingültigen zu geben, bringen viele Steinböcke es fertig, wie gedruckt zu schreiben. Neben der Einheitlichkeit in der Bewegung ist hervorstechend vor allem die Kombination von Schreibdruck und Regelmäßigkeit. Sie zeigt die vorhandene Vitalität, die Kraft und Emotion, die immer kontrolliert sind. Ein Steinbock handelt nie willkürlich, er unterliegt nur allergeringsten Stimmungsschwankungen. Auf diese Weise treibt er nie Raubbau mit seinem großen Potential an Energie. Die richtige Dosierung – mit der Tendenz, eher zu sparen – ermöglicht ihm langes zähes Durchhalten. Er ist zwar kein Dauerbrenner wie der Widder, aber ein Dauerglimmer. Man vergleiche das letzte Wort einer Steinbock-Schriftprobe mit dem ersten, und es werden keine Anzeichen für Ermüdung erkennbar sein. Bis zum Schluß sind der Neigungswinkel, die exakte Durchformung der Buchstaben, der Druck und das einmal eingeschlagene Tempo konstant geblieben. Große Schreibgeschwindigkeit können die Steinböcke dabei freilich selten erzielen. Das widerstrebt ihnen auch. Wichtiger ist der regelmäßige Takt, das systematische Vorwärtskommen. Ihre Mühlen mahlen langsam, aber stetig. Winkel und Enge demonstrieren die absichtsvolle Bewußtheit, die hinter jedem Steinbock-Strich steht.

Ein Steinbock braucht klare Äußerungen wie ja oder nein, das aber kann die Girlande in ihrer entgegenkommenden Art nicht zum Ausdruck bringen. Dem Steinbock gebührt der Winkel, wie auch die Magerkeit und Vereinfachungstendenz.

Sein Drang, Inhalte überschaubar zu machen, abstrahiert die Völle und sucht die knappe, präzise Aussage. Die Entpersönlichung des Lebens nimmt der Schrift die runde Beschaulichkeit; der Steinbock spricht amtsdeutsch und schreibt es auch.

Das allein ist aber nicht sein Ziel, die Abstraktion muß ihren Sinn bekommen. Jetzt, wo die Struktur bloßliegt, setzt er seinen Formungswillen an und schafft durch die unterschiedliche Verteilung von Substanz und Zwischenraum ein Bauwerk nach Maßstäben, Normen und Gesetzen, das, was wir öffentliche Ordnung nennen. Analog zu diesem geistigen Ordnungsbedürfnis wird man selten ein ungegliedertes Steinbock-Schriftstück in die Hände bekommen. Zeilenverhäkelungen und unübersichtliche, dichte Anordnungen sind ihm zuwider. Er liebt Absätze, klare Blöcke, gerade Zeilen und wäre im Mittelalter ein exzellenter Kalligraph und Dokumenteschreiber gewesen.

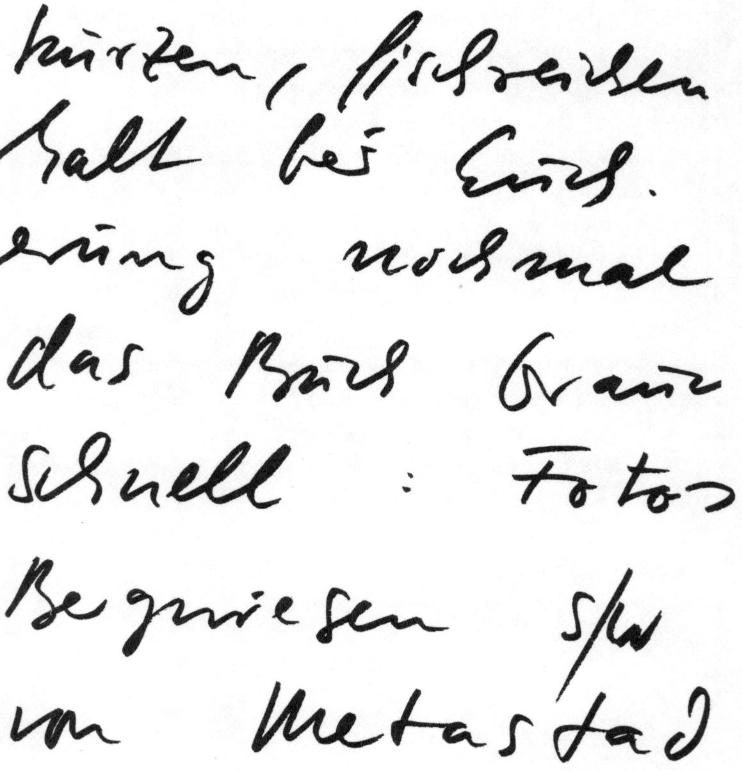
kürzen, Einschreiben
halt bei Erschei-
nung nochmal
das Buch ganz
schnell : Fotos
Begwiesen s/w
von Metastad

Dieser spontane, bewegliche Wassermann besitzt eine blitzschnelle Auffassungsgabe, doch läßt er sich von den Dingen nicht tangieren. Er bezieht Stellung, ohne engagiert zu sein. Dabei besteht die Gefahr, sich geistig zu zersplittern.

Wassermann – Das Schwerelos-Ungebundene

Druckschwäche	Schnelligkeit
Originelle Buchstabenformen	Oberlängen größer als Unterlängen
Unverbundenheit	Große Längenunterschiede
Schrägheit	Magerkeit

Da Wassermänner unabhängig sein wollen von der Animalität des Menschen, kommt der Antrieb zum Leben nicht aus ihnen selbst; sie suchen ihn vielmehr durch Anstöße von außen zu gewinnen. Sie brauchen kein Ziel, keine Wünsche, nur Reize, die sie animieren. Ein Wassermann verhält sich also nicht «aus sich heraus», sondern zehrt von den Angeboten der Umwelt. Ohne ein Ich, das er verteidigen und erhalten muß, ohne besorgt sein zu müssen, ob sein Ich in die Umwelt paßt, steht er immer über dem Weltgetriebe.

Ihn treibt kein «du sollst» mehr, wie noch den Steinbock, er idealisiert den kategorischen Imperativ, denn er geht aus von einem gesellschaftlichen Idealzustand, in dem jeder von sich aus weiß, was sein soll und was nicht – und in dem alle menschlichen Schwächen fehlen. Den Wassermann interessiert der Einwand nicht, daß sein Ideal konkret unerreichbar bleibt. Ihm genügt, daß gedanklich alle Probleme gelöst sind und nur noch des konkreten Nachvollzugs bedürfen. Er schwebt in höheren Regionen – oft zum Ärger seiner Mitmenschen, die ihn arrogant und überheblich finden. Natürlich erscheint ein Mensch verdächtig, dessen Absichten nicht gleich erkennbar sind. Der immer eine «Distanz zum Direkten» hat und dadurch kühl und überlegen wirkt. Der Festlegungen meidet und den Brennpunkten menschlichen Zusammenlebens aus dem Weg geht, um nicht in einer Situation gefangen zu sein, die seinen Horizont verengen könnte.

Der Wassermann braucht Weite, er ist ein Freigeist, seine Stärke sind die geistigen Erkenntnisse. Deswegen interessiert er sich für alles, ohne sich jedoch dabei zu engagieren.

Um sich vom Umweltangebot durchdringen zu lassen, macht er gern Abstände in Worten und Buchstaben. Alles, was er erfährt, wird gleichrangig nebeneinandergestellt. Und dann beginnt das große Spiel mit der Assoziation. Er jongliert mit den Begriffen und entdeckt gerade durch unmethodisches, zweckfreies Denken neue Zusammenhänge. Eben weil er die ausgetretenen Pfade üblicher Denkgewohnheiten meidet, gelingen ihm mit paradoxen Zusammenstellungen außergewöhnliche Einblicke oder Entdeckungen, und so gehen die meisten Erfindungen der Menschheit auf das Konto der Wassermänner. Aber nicht nur das: Statistisch gesehen stellen die Wassermänner auch die meisten Philosophen, Schriftsteller, Musiker, Maler – und Eigenbrötler. Ihr Gegenzeichen, die Löwen, stellen die wenigsten. Ein chinesisches Sprichwort sagt: «Wo die Idee gegenwärtig ist, kann sich der Pinsel die Arbeit sparen.» Der Wassermann sorgt für die Vergegenwärtigung der Idee. Der Löwe kann sich die Arbeit deshalb sparen, weil ihm alles selbstverständlich ist. Er lebt aus, was der Wassermann denkt und indirekt durch die Musik oder die Poesie zum Ausdruck bringt.

Die Schriftmerkmale des Wassermanns sind beinahe ebensowenig festzulegen wie er selbst. Immer wieder überrascht er mit einer neuen Wendung, so daß die Ungewöhnlichkeit und Regellosigkeit, oft auch Widersinnigkeit, mit der er Buchstaben formt und aneinanderreiht, sein hervorstechendes graphologisches Charakteristikum ist. Oft benutzt er ungewöhnliche Bindungen, oder er formt die Schrift vollkommen abweichend von der Schulvorlage, genial, skurril, sogar verschroben. Ein häufigeres Merkmal ist auch die Unverbundenheit. Sie kommt seiner Inkonsequenz entgegen, er überschreitet die Konventionen. Mag sein, daß er die Buchstaben normal schreibt, aber ihre Verbindung wird durch neu zuströmende Gedanken immer wieder unterbrochen. Unter Umständen schreibt er aber auch unoriginell, ganz sachlich, schmucklos, vereinfacht. Das ist dann der neutrale Wassermann, der eigene Beweggründe verbergen will, der kühle und überlegene, der sich am Rand des Geschehens hinsetzt und sich in nichts hineinziehen läßt.

Allgemein ist bei Wassermännern immerhin Lockerheit festzustellen und eher Druckschwäche und Leichtigkeit in der Strichführung, denn es müssen ja keine Widerstände überwunden werden. Wassermänner kämpfen weniger als andere mit der Materie, weshalb auch ihre Oberlängen die Unterlängen überwiegen. Das soll nicht heißen, daß sie unbedingt intellektueller eingestellt sind als die Unterlängenschreiber. Nur wird man sie seltener bei Ackerbau und Viehzucht finden, sie verdienen sich ihr «Brot» sozusagen lieber indirekt. Deshalb weichen auch ihre Buchstaben meist von der Anschaulichkeit des Lebens ab, sind mager, sachlich, ohne Schwellungen und Rundungen, dafür aber fließend und schnell, *o* und *e* zeigen strichhafte Form. Das, was beim Krebs als lebensfeindlich zu interpretieren wäre, wird dem Wassermann nicht übelgenommen. Er darf abstrahieren, weil er Leben griffig machen will.

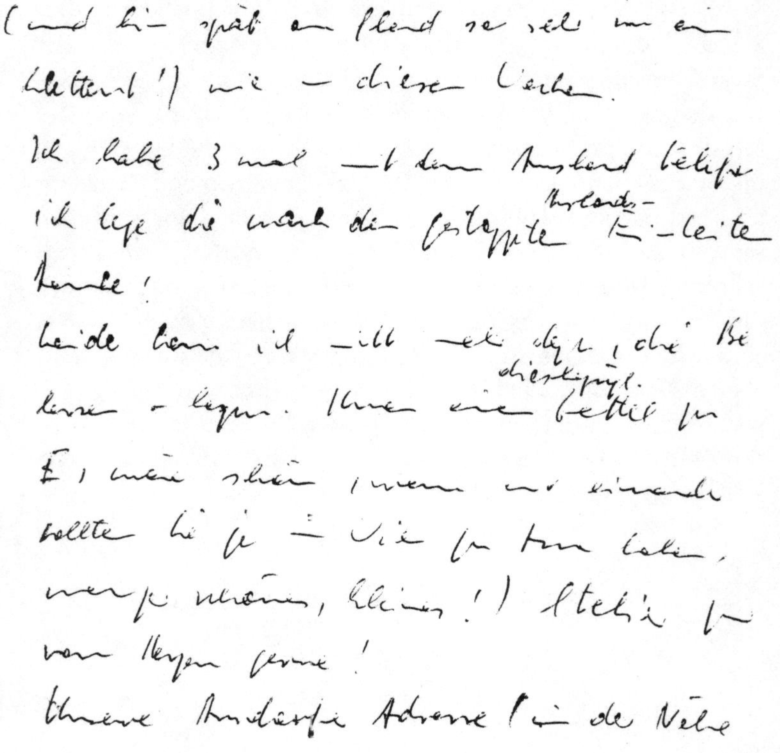

Hochsensibel, offen und anpassungsfähig ist dieser typische Fisch, der, ohne sich lange in konkrete Sachverhalte hineinarbeiten zu müssen, Zusammenhänge erfühlt. Seine Erkenntnisse behält er aber gern für sich, denn es liegt ihm nicht, seine Meinung durchzusetzen.

Fische – Das sensible Aufgelöste

Weiche Bindungsformen (Faden, Girlande)	Vereinfachungen
Druckschwäche	Weite
Enge Wort- und Zeilenabstände	Schrägheit
	Teigigkeit
	Völle

Mit den Fischen, der letzten Phase des Tierkreises, ist der vom Steinbock begonnene Rückzug des Individuums erreicht. «Das Ich löst sich in der Anonymität auf» (W. Döbereiner).

Das Zeichen Fische, das sind symbolisch die im Meer des Unterbewußten bewegten Bilder der Seele; sie sind gleichsam aus der Welt des Realen verdrängt, aus der Emotion geflüchtet ins «es». Der Fisch fühlt sich von der Wirklichkeit weniger tangiert als belästigt. Er stellt im Tierkreis ein Regulativ dar, das den Menschen befähigt, passiv zu sein, um im Falle ungeeigneter Anpassungszwänge zu überleben. Der Tintenfisch als Wappentier der Fische demonstriert dieses Verhalten, indem er sich dem Zugriff durch Vernebelung entzieht. Er löst seine Konturen auf und verblüfft den Verfolger durch scheinbare Substanzlosigkeit. Ohne definierbar oder greifbar zu sein, lebt er seine Eigenart aus.

In gleicher Weise ist auch für den Fische-Menschen die vordergründige Realität nicht so wichtig. Das Ich verzichtet auf seinen Durchsetzungsanspruch, es zieht sich in die Passivität zurück und verläßt sich auf den inneren Kompaß. Der Fisch Rudolf Steiner, Begründer der Anthroposophie und der Waldorf-Schulen, machte daraus eine «Weltanschauung der Intuition». Er demonstrierte durch die Erfolge seines Systems, daß die Fische unbeeinflußt vom Zweckdenken, ungestört von der Vernunft der Wahrheit näher kommen als andere, ohne sie freilich immer artikulieren zu können. So ist es dem Fisch möglich, die geistigen Ursachen für das zu finden, was sich in der konkreten Welt begibt. Als letzte Station und gleichzeitig an der Schwelle zu neuer Zielsetzung im Widder, stellen die Fische die Frage nach dem Sinn des Lebens und entwickeln Verhaltensmechanismen, mit denen sie das Wesentliche hinter den Erscheinungen suchen.

Die wichtigste Fische-Eigenschaft ist darum die Empfänglichkeit, die Offenheit für äußere Impulse. Fische stellen wenig Fragen. Sie brauchen keine sachlichen Auskünfte, um sich zu orientieren, weil sie ja Situationen intuitiv erfassen. Dadurch fällt ihnen der Zugang zu den Hintergründen besonders leicht – wenn es ihnen gelingt, das, was sie aufnehmen, zu koordinieren.

Die Gefahr, sich gerade dadurch, daß sie alles verstehen, alles nachempfinden können, zu verlieren, ist bei ihnen besonders groß. Oskar Adler prägte dafür den Ausdruck der «moralischen Medialität»: Jedes seelische Leben wird mitgelebt, als wäre es das eigene. Wer hier nicht Prioritäten setzen kann, ist verloren. Er kann sich der Umwelt nicht erwehren. So bleibt ihm nur die Flucht aus dem Leben, mit dem er nicht fertig wird, und der Anspruch auf den Schutz, der Wehrlosen zusteht. Ein solcher Fisch verfolgt kein Konzept mehr. Durch die Überfremdung von außen lebt er hundert Leben, nur nicht sein eigenes. So birgt die Chance, eine nahe Beziehung zum Chaos zu haben und dadurch das noch nicht verstofflichte Reservoir des Lebens kennenzulernen, eben auch eine große Gefahr. Das Wasser fließt nicht mehr, es zerfließt. Aber immer bleibt es Wasser, das nur, je nachdem, in welches Gefäß es gegossen wird, die Form ändert, nie aber sein eigentliches Wesen.

Dieses Bild läßt sich gut ins Graphische übertragen. Der Fische-Strich ist nie gespannt, er hat von sich aus keine Richtung, er ist schlaff, aber elastisch, von fester Labilität. Außerdem fehlen der Schrift alle die Merkmale, die eine aktive Zielsetzung anzeigen, wie beispielsweise scharfer Winkel und Schärfe, denn um zu agieren braucht der Fisch den Anstoß von außen, auch wenn es nur ein Hauch ist. Ist er einmal in Gang gekommen, läßt er sich leiten von der Gunst der Dinge und scheut jede gewaltsame Durchsetzung. Ein harter Druck, der Hindernisse überwinden will, ein Winkel, der Widerstand leistet, wären deshalb unangebracht, sie widersprächen der Leichtigkeit, mit der

der Duktus verlaufen möchte. Das Bedürfnis, für jedwede Veränderung der Situation empfänglich zu bleiben, gestattet dem Fisch auch die legitime Benutzung der Fadenbindung. Sicher drückt sich damit seine Flucht vor Entscheidungen aus, aber seine intuitive Art des Wollens läßt eben keine gradlinige Bewegung zu. Sein Antrieb ist nicht zielgerichtet, der Fisch ist passiv und geöffnet für akute Strömungen, deshalb muß er eine Tendenz zum Bogigen und Ausweichenden haben, ebenso zum Weichen und Pastosen. Die scharfe Schrift erfaßt jedes Detail und grenzt es ab in seinen Konturen. Der Fisch ist an Konturen nicht interessiert, er will sie auflösen und statt der Einzelheiten den sinnlichen Eindruck, den Stimmungston erfassen.

Hauptmerkmale der Fische-Äußerung sind also Wesenszüge, die ohne Nachdruck sind, wie die in ihrer Bedeutung verwandten Merkmale Druckschwäche, Teigigkeit und eine aufgelöste, weiche Form der Bindung. Sie alle bringen die Aufgeschlossenheit für die jeweilige Stimmung zum Ausdruck, die nicht durch eine vorweggenommene Zielrichtung unterdrückt werden soll.

Es wäre aber falsch, daraus zu folgern, daß Fische kein Ziel haben oder keine Absichten. Sie verfolgen ihre Pläne nur auf indirekte, sich natürlich ergebende Weise, die – um beim graphischen Bild zu bleiben – der gebogenen Linie keinen geradegerichteten Zwang antun will.

Inwieweit präzisiert die Astrologie die graphologische Analyse?

Durch die Astro-Graphologie erhält man einen relativ objektiven Beurteilungsmaßstab für den individuellen Wesensgehalt einer Schrift – ein Kriterium, das nicht allein für die Analyse des gegenwärtigen Zustands, sondern auch für den Blick in die Zukunft von großer Wichtigkeit sein kann. Unabhängig von der Erlebnisbereitschaft und der Interessenrichtung gibt es ja einen Ausdruckszwang, weil das Tierkreiszeichen ein bestimmtes Verhalten vorschreibt. Verhält man sich kontinuierlich zeichentypisch, so bekommt der eigene Lebensweg präzise, feste Konturen dadurch, daß die innere Anlage durch entsprechende äußere Formen stabilisiert wird. Verhält man sich aber kontinuierlich zeichen*un*typisch, so klaffen auch Anlage und Verhalten auseinander. Es entsteht eine Wesensdissonanz, deren uneinheitlicher Ausdruck sich in einem gestörten Lebensweg widerspiegeln wird. «Charakter ist Schicksal», heißt es. In welcher Hinsicht die Summe unserer Verhaltensweisen, die man Charakter nennt, Schicksal ist, vermag die Astro-Graphologie zu präzisieren. Um ein Beispiel zu geben, knüpfen wir an die auf Seite 131 bereits mit den Mitteln der Graphologie erstellte Schriftanalyse an und begutachten die gleiche Schrift jetzt unter astrologischem Aspekt. Es wird sich dabei zeigen, ob und wie weit der Schreiber sich selbst verwirklicht hat.

Es wird vielleicht erstaunen, daß der Schreiber dieser vollen, dynamisch-unregelmäßigen Zeilen ein Steinbock ist! Auf den ersten Blick sind selbst die beiden wichtigen tierkreis-identischen Merkmale, Druck und Vereinfachung, kaum erkennbar. Kein Wunder, denn der Schreiber verdickt weder alles Flüssige, noch hemmt er alles Schnelle. Das Emotionale versachlicht er schon gar nicht und verknappt auch alles Volle nur geringfügig, dafür beschneidet er jedoch alles Wuchernde – um es mit den

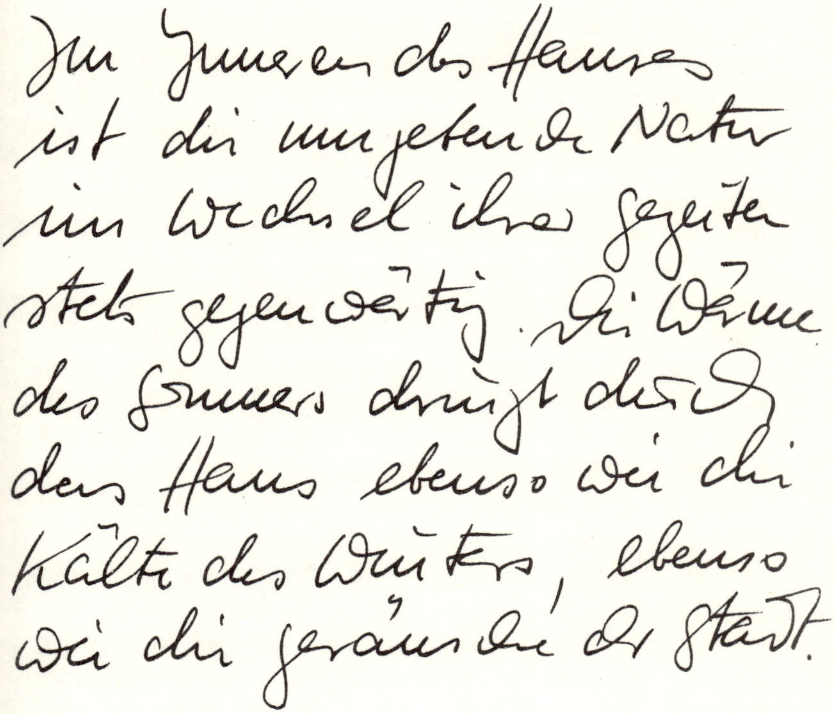
Im Innern des Hauses ist die umgebende Natur im Wechsel ihrer Gezeiten stets gegenwärtig. Die Wärme des Sommers dringt durch das Haus ebenso wie die Kälte des Winters, ebenso wie die Geräusche der Stadt.

Worten der astrologischen Terminologie auszudrücken. Alles Bewegliche wird keineswegs stabilisiert, alles Weiche gewiß nicht gehärtet, aber – er nimmt den Kampf mit dem Ungeformten auf. Diesen steinbock-typischen Aspekt, nämlich die kreative Sachlichkeit, die sich in Vereinfachung trotz Völle äußert, erfaßte bereits die graphologische Beurteilung.

Das Bedürfnis, durchzubilden, zu formen und zu gestalten, ist absolut vorhanden, es kann jedoch mit dem Arbeitsanfall nicht Schritt halten. Der Einfallswinkel dieses Steinbocks ist zu groß, und er besitzt – was für ihn das schwerste Handikap darstellt – in nur ganz geringem Ausmaß die Fähigkeit, auszusortieren und zu delegieren (Völle und Druck selbst im Aufstrich, das heißt, er widmet sich mit Intensität auch der kleinsten Einzelheit). Hieran wird deutlich, wie sich ein ganz kleiner Fehler im Steinbock-Prinzip «aufschaukeln kann». Die Unfähigkeit, nein zu sagen, sich abzugrenzen und sich einzuschränken (Girlande), hat eine Überflutung zur Folge, die der Steinbock mit seinen Mitteln nicht bewältigen kann. Wenn er seine systematische, ruhige Regelmäßigkeit beibehalten will, kann er alle Dinge nur halb machen – was mit dem Steinbock-Prinzip der Gründlichkeit unvereinbar ist. Dafür opfert er lieber seine Ruhe und Einteilung und widmet sich den Dingen so, wie sie kommen, mit einem Tempo, aus dem oft Hast wird. Dadurch entsteht zuweilen das Gefühl, nicht mehr nachzukommen, die vielfältigen Aufgabenbereiche aus dem Griff zu verlieren, ja, das ganze Leben nicht mehr bewältigen zu können. Und ein Steinbock, der das Leben nicht mehr nach seinem Willen gestalten kann und allzuviel dem Zufall überlassen muß, verliert einen Teil seiner Sicherheit (gequetschte, kleine Buchstaben).

Wenn dieser Steinbock die Unruhe, die jetzt schon das sonst hohe Niveau dieser Schrift drückt, ausgleichen will, wenn er sich Unsicherheit, Streß, Vergeßlichkeit, ein permanent schlechtes Gewissen und als Folge davon ein allgemeines Lebensunlust- und Zerrissenheitsgefühl ersparen will, sollte er den Mut zur Konfrontation mit dem Mißlichen entwickeln. Dieser Schreiber könnte z. B. Winkel, das Zeichen für Härte und Entschiedenheit, in der Schrift gebrauchen. Die Bereitschaft, aufs äußerste zu selektionieren sowie sich selbst und anderen entschieden Widerstand entgegenzusetzen, würde den stabilen Teil seiner nur überlagerten Steinbock-Qualitäten sofort wieder einsetzbar machen. Der scheinbar paradoxe Ausspruch «weniger wäre mehr» findet hier eine einleuchtende Interpretation.

Damit wären wir bereits bei der zentralen Frage der Astro-Graphologie: Welche Feststellungen vermag sie hinsichtlich der Selbstverwirklichung bzw. der Selbstverwirklichungschancen eines Menschen zu treffen und welche Fingerzeige kann sie geben, wenn die Synthese von Sternbild und Schriftbild eine Wesensdissonanz erkennen läßt?

Das soll im folgenden «Astro-graphologischen Praktikum» verdeutlich werden.

IV
Astro-Graphologie als Schule der Selbstverwirklichung

Ein astro-graphologisches Praktikum

Auf den ersten Blick erscheinen die anschließenden «24 vorgelebten Beispiele» vielleicht willkürlich zusammengestellt und in ihrer Verschiedenartigkeit kaum miteinander vergleichbar. Ohne Rücksicht auf Nationalität und Geschlecht, auf Beruf, Begabung oder historischen Zeitraum sind sie zu Gegensatzpaaren geordnet, deren Kombination nur von zwei Kriterien bestimmt wird: vom Tierkreiszeichen und von der Art der Handschrift.

Diese beiden Kriterien genügen jedoch, um über die Charakterzüge des Schreibers und über die Triebfedern seines Handelns hinaus das Quantum seiner Vitalität und den Grad seiner inneren Balance zu erkennen. Damit aber ist das Wesentliche eines Menschen erfaßt, unabhängig, wie schon gesagt, von seiner Herkunft, Beruf und Geschlecht und vor allem auch unabhängig von seinen speziellen Talenten. Denn ob jemand musikalisch oder malerisch begabt, ob jemand zum Dichter geboren ist oder zum Feldherrn, das ist weder aus der Schrift noch aus dem Tierkreiszeichen ablesbar.

Anhand des Tiefengehalts einer Schrift lassen sich zwar Angaben über die Kreativität des Schreibers machen, und ihre Zielrichtung, ob zur technischen oder künstlerischen Seite hin, sollte dann im Zusammenhang mit anderen Merkmalen gefolgert werden können. Aber die spezifische Begabung eines Furtwängler oder die genialen Einfälle eines Alfred Nobel sind nichts als Zutaten, die den Kampf um die innere Balance und das Streben nach Selbstverwirklichung nur nuancieren. Es gibt substanzvollere Handschriften als die Goethes oder auch Mozarts – aber ihre Urheber besaßen nicht deren Genialität. Und es gibt enttäuschend unkreative Schriften, wie die von Strindberg oder Thomas Mann, die – ohne Kenntnis der Unterschrift – wohl niemand einer Persönlichkeit des Geisteslebens von herausragender Bedeutung zuordnen würde.

Die Graphologie wird in den folgenden Analysen herangezogen, um den Substanzgehalt, das Niveau einer Schrift zu bestimmen, die Astrologie, um die Stelle zu bezeichnen, die eine Abweichung vom vorgegebenen Verhaltensmuster, meist eine Disharmonie, erkennen läßt.

In diesem Sinn sollen die zwölf Gegensatzpaare jene beiden Grundmöglichkeiten veranschaulichen, die sich bei gleichem Tierkreiszeichen, aber unterschiedlichen Verlebendigungen ergeben, nämlich: die Möglichkeit, sich wesensgemäß zu verwirklichen oder eben nicht zu verwirklichen. Um das zu dieser Feststellung führende astro-graphologische Verfahren so anschaulich wie möglich zu demonstrieren, wurden besonders typische – und historisch wie psychologisch nachprüfbare – Beispiele ausgewählt. Zwischen diesen exemplarischen oder extremen Fällen liegen, entsprechend der Individualität einer jeden Handschrift, zahllose Zwischentypen und Schattierungen, die astrographologisch ebenso individuell zu behandeln wären.

Die folgenden «24 vorgelebten Beispiele» mögen ein Bild davon geben, «wie es gemacht wird».

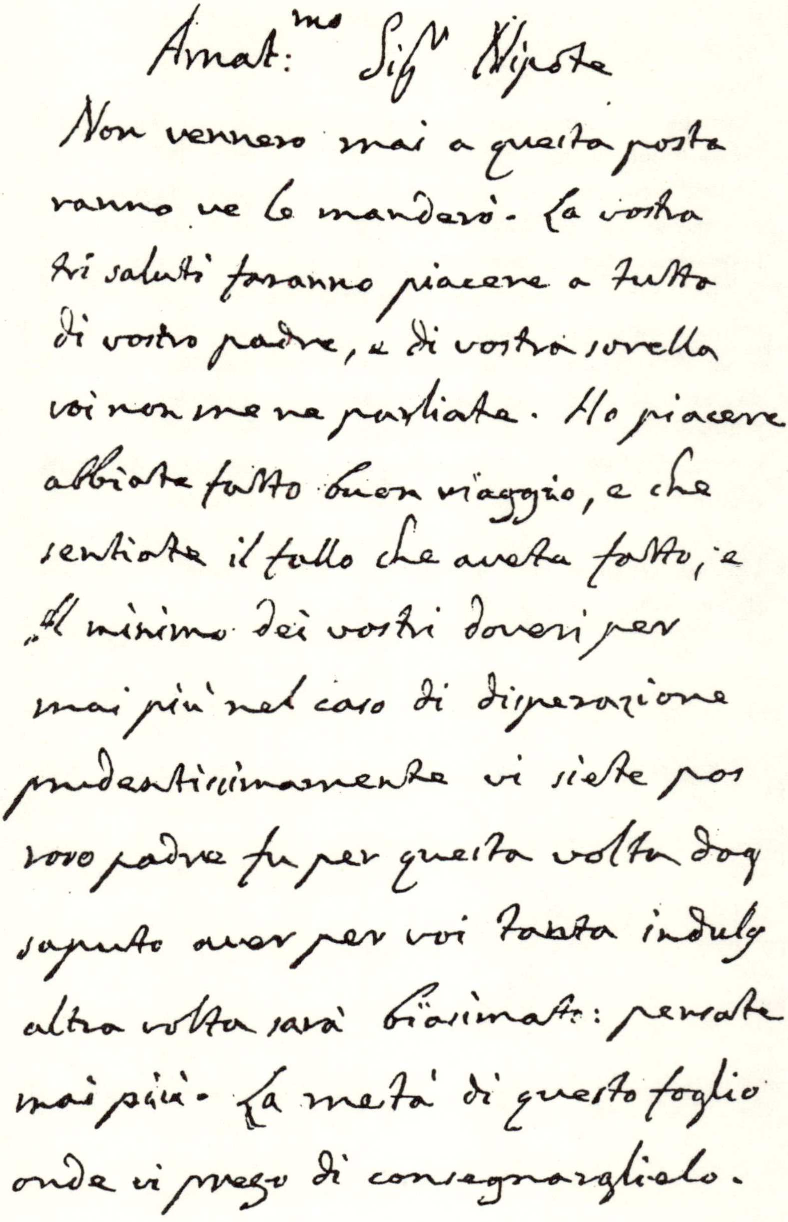
Amat:mo Sig:r Nipote
Non vennero mai a questa posta
ranno ve le manderò. La vostra
tri saluti faranno piacere a tutto
di vostro padre, e di vostra sorella
voi non me ne parliate. Ho piacere
abbiate fatto buon viaggio, e che
sentiate il fallo che avete fatto, e
il minimo dei vostri doveri per
mai più nel caso di disperazione
prudentissimamente vi siete pos
vostro padre fu per questa volta dog
saputo aver per voi tanta indulg
altra volta sarà biasimato: pensate
mai più. La metà di questo foglio
onde vi prego di consegnarglielo.

Der verwirklichte Widder

Giacomo Casanova, geb. 2. 4. 1725

Es gibt viele Möglichkeiten, den Energiezustand «Widder» ins Leben zu übersetzen. Kaum eine Verkörperung aber macht das Widder-Prinzip so deutlich wie der Abenteurer. Er versteht das Leben als Herausforderung und erobert es, indem er sich ihm ohne Rückhalt hingibt. Deshalb freut sich der Astrologe, daß Casanova, der klassische Prototyp des Abenteurers, ein Widder ist, und der Astro-Graphologe freut sich noch viel mehr, weil aus der Schrift dieses Widders, der sich so bedenkenlos seinem Widder-Wesen überließ, eine gelungene Lebensbewältigung zu erkennen ist. Trotz der oft chaotischen Umstände seiner Existenz erwarb sich Casanova eine Eigengesetzlichkeit des Ausdrucks, die nur derjenige erreicht, der im Leben ganz aufgegangen, aber nie untergegangen ist.

Die Schrift hat alle Anzeichen eines dynamischen Widder-Naturells, ohne, wie man vielleicht erwartet hätte, einen Hang zur Übertreibung. Sie ist relativ weit und hat große Längenunterschiede, sie ist vereinfacht, eilig, klein und druckstark. Der für den Widder angemessene Winkel ist hier in die Arkade integriert, eine typische Bindungsform italienischer Schriften. Mit ihrer überwölbenden, raumschaffenden Tendenz ist die Arkade das Zeichen großen Formgefühls, dem Casanova durch den Winkeleinschlag noch eine betonte Absicht hinzufügt. Dem schönen Schein und der eigenen Repräsentation opferte er eine ganze Menge Geld, das gehörte einfach zu einem Herrn von Welt; Heuchelei aber – die oft mit Arkadenschriften einhergeht – war ihm fremd.

Casanova schreibt klar und präzis, trotz großer Eile detailgenau (i-Punkte äußerst korrekt) und eher klein als groß, was gegen Wichtigtuerei und Selbstüberschätzung spricht. Nicht ohne Grund heißt es denn auch, «der schlechte Ruf Casanovas erklärt sich zum großen Teil aus der Aufrichtigkeit seiner Bekenntnisse» (Frenzi). In der Unbefangenheit, mit der er in einer von Heuchelei geprägten Zeit sein Leben aufzeichnete, liegt seine menschliche und literarische Stärke. Die weder romantisierte noch idealisierte Darstellung entspricht dem schonungslos offenen Widder, der alles, was er fühlt und denkt, spontan und ohne Umschweife ausspricht – auch das, was andere nur oder kaum zu denken wagen. Trotz aller Dynamik und Extravertiertheit verliert er sich indessen nicht an die turbulente Welt um ihn. Die Schriftlage schwankt, sie fügt sich mit ihren betont schrägen Langlängen und steilen Kurzlängen der zeitgenössischen Stilisierungsmode, folgt ihr aber nicht monoton. Die Neigung der Ober- und Unterlängen nach rechts entspricht den starken geistigen und materiellen Interessen, die von der Ich-Sphäre (Mittelzone) kontrolliert werden. Das heißt, selbst bei den Ausschweifungen der damaligen Zeit verlor sich so leicht niemand, weil die Mittelzone als das Rückgrat der Schrift und des Schreibers steil blieb, so sehr auch die Langlängen fielen.

Man blieb sich selbst treu, und Casanova gibt mit seiner Biographie und seiner Schrift ein Beispiel dafür, daß selbst bei großer Ansprechbarkeit im Geistigen und Sinnlichen das Statische über das Dynamische zu siegen vermag. Seine Schrift ist trotz aller Lebendigkeit regelmäßig in der Bewegung. Hinter der Ungleichmäßigkeit steht eine rhythmische Betonung. Das bedeutet, über der anscheinenden Willkür seines Verhaltens «steht die Geneigtheit, das Individuelle, Persönliche notfalls bis zur Selbstüberwindung zu unterdrücken» (Pophal). Es mag im Zusammenhang mit Casanova absurd erscheinen, aber man kann ihm unter dieser Voraussetzung Moralempfinden nicht absprechen. Er anerkannte sittliche Gesetze, und zwar mehr als legale, mit denen er wegen seiner unkonventionellen Lebendigkeit denn auch öfter in Konflikt geriet. Die Zusammenstöße mit der Polizei trübten jedoch nie sein gesellschaftliches Ansehen – vielleicht ein Beweis dafür, daß man aus der Kenntnis seines Charakters seinen Vergehen gegen allgemeine Ordnungsprinzipien keine große Bedeutung beimaß.

Seinen Feinden gegenüber zeigte er sich erwiesenermaßen

sehr mutig und trotzte jedem Widerstand (Winkelarkade, Druck, Eile, Weite). Seine nach links gerichteten *d*-Köpfe verraten, daß er empfindlich war. Jeder echte Widder frißt Kränkungen jedoch nicht in sich hinein, sondern beantwortet sie direkt, oft mit aggressiver Unbesonnenheit. Die nach rechts geführten Ausfälle der *m*, teilweise auch der *a* und *e*, erinnern an Florettstiche und lassen ahnen, daß Casanova sich gut zu rächen wußte und dabei das zulässige Maß wohl manchmal überschritt.

Man hat Casanova vorgeworfen, seine großen Talente, seine genialen Ideen, seine hohe Intelligenz genauso verschwendet zu haben wie die materiellen Güter anderer. Sicher werden weder ein Stier noch eine Jungfrau oder ein Steinbock Verständnis dafür haben, daß man günstige Gelegenheiten ergreift, eine Weile mit der Sache spielt und sich dann, ohne die Gelegenheit wirklich genutzt zu haben, wieder anderen Dingen zuwendet. Finanzieller Gewinn ist Casanova, der als schlechtbezahlter Bibliothekar starb, tatsächlich nie geblieben, wohl aber ein durch viele menschliche Erfahrungen erworbener Lebensreichtum, wie man aus seinen Memoiren und seiner Handschrift entnehmen kann. «Wer noch mit 68 Jahren so schreiben konnte, der durfte so leben», meinte Hebbel dazu. Astro-graphologisch könnte man berichtigen: «Wer noch mit 68 Jahren so schreiben will, der muß so leben.»

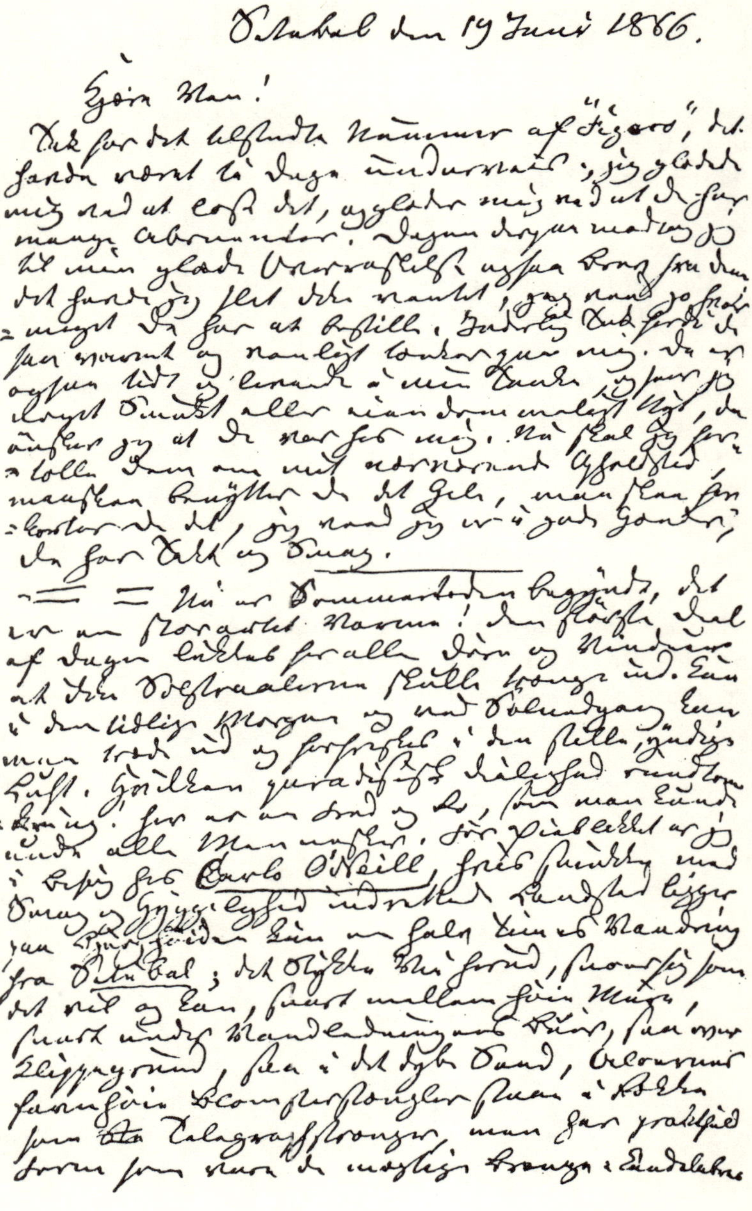

Setubal den 19 Juni 1886.

Gode Ven!

Tak for det tilsendte Nummer af „Figaro", det havde været tre Dage undervejs; jeg glædede mig ved at læse det, og glæder mig ved at De har mange Abonnenter. Dagen derpaa modtog jeg til min glade Overraskelse ogsaa Brev fra Dem det havde jeg slet ikke ventet, jeg veed jo hvor=meget De har at bestille. Inderlig Tak fordi De saa varmt og venligt tænker paa mig. De er ogsaa tidt og ofte i mine Tanker og har jeg [illegible] eller [illegible] malet Noget, da ønsker jeg at De var hos mig. Nu skal jeg for=tælle Dem om mit nærværende Opholdssted, maaskee bruger De det Hele, man kan for=korte det, jeg veed jeg er i gode Hænder; De har Takt og Smag.

== Nu er Sommertiden begyndt, det er en storartet Varme! den største Deel af Dagen lukkes for alle Døre og Vinduer at ikke Solstraalerne skulle trænge ind. Kun i den tidlige Morgen og ved Solnedgang kan man træde ud og forfriskes i den stille, kjølige Luft. Hvilken paradisisk Skjønhed rundt om=kring! her er en Fred og Ro, som man kun finder [illegible] alle Mennesker. Jeg [illegible] er jeg i Besøg hos Carlo O'Neill, hvis [illegible] med Smag og Hyggelighed indrettede Landsted ligger paa [illegible] en halv Times Vandring fra Setubal; det [illegible] Vei hjem, snart [illegible] som det [illegible] og kan, snart mellem høie Mure, snart under Vandledningens Buer, saa over Klippegrund, saa i det dybe Sand, [illegible] [illegible] snart i [illegible] som Telegrafstænger, man har praktisk brugt dem som de mægtige Grene i Candelabre

Der nicht verwirklichte Widder

Hans Christian Andersen, geb. 2. 4. 1805

Selbst bei großem Kummer, der beispielsweise Fische oder Krebse zur Passivität verurteilt, versucht der Widder sein Gleichgewicht durch Aktivität wiederzufinden. Er besitzt von allen Tierkreiszeichen die stärkste Energie und äußert sich entsprechend. Andersen, der die meiste Zeit seines Lebens fern seiner Heimat Dänemark auf Reisen war, scheint sich in dieser Beziehung an seine Widder-Natur gehalten zu haben. Schon mit 14 Jahren, als ihm der enge Geburtsort keinen Bewegungsspielraum mehr ließ, machte er sich auf in die Großstadt Kopenhagen: allein, ohne Protektion, fast ohne Geld und ohne festes Ziel, nur von dem Bedürfnis getrieben, irgend etwas zu unternehmen. Er wußte nur nicht was.

Diese Kombination von großer Dynamik ohne Bestimmtheit und ohne Zielrichtung zeigt sich 47 Jahre später immer noch, zu dem Zeitpunkt, als er den uns vorliegenden Brief schrieb. Aus der Schrift sprechen Eile, Dynamik, auch Druck, aber es mangelt ihr an Straffheit, an den deutlich konturierten, oft winkeligen und spitzen Ausdrucksformen, mit denen der Widder seine Umwelt herausfordert und sich gegen sie durchsetzt. Andersens Schrift besitzt zuviel Energie auf zu weichem Untergrund (Girlanden und Fadenbindung). Das macht seine Situation schwierig; denn Takt und Feinfühligkeit, die dem weichen Untergrund entsprechen würden, sind für den Widder Fremdworte. Voll Selbstvertrauen meint er, mit dem Kopf durch die Wand gehen zu können, ohne Rücksicht auf seinen Kopf oder die Wand. Diese Schrift aber zeigt kaum eine Spur von Aggression.

Das Verhältnis des Dichters zur Umwelt war zwar nach Widder-Art sehr intensiv (Rechtsläufigkeit, Zeilenverhäkelung) aber nicht kämpferisch, sondern eher beifallheischend. Deshalb verletzten ihn die Konfrontationen oft, die er selbst gesucht hatte. Er forderte durch seine Hilflosigkeit die Umwelt zu Übergriffen geradezu heraus und verlor bei jedem unangenehmen Ereignis mehr und mehr Stabilität und Selbstbewußtsein (stellenweise winzige Kurzbuchstaben). Dinge, die für normale Menschen Bagatellen sind, machten ihn zittern und schwindeln, heißt es von ihm, und entsprechend zeigt die Schrift mit ihrer großen Reizempfindlichkeit (zarte Schärfe) eine Unruhe, die auf überempfindliche Nerven deutet.

Ein Freund des Dichters, Johannes Carsten Hauch *(Das Schloß am Rhein oder Verschiedene Standpunkte)*, hat Andersens Verhalten und Schicksal in der Figur des Poeten Eginhard karikiert, «der auf der Suche nach Bewunderung den Rhein hinabreist, sich Ausländern aufdrängt, jede Gelegenheit ergreift, vorzulesen, keine negative Kritik vertragen kann und so übernervös ist, daß er den Verstand verliert. Zuletzt sieht man ihn auf dem Weg in ein Irrenhaus, umgeben von einer Menge Menschen, deren Spottrufe er für Applaus hält.» (M. Stirling)

Es stimmt, daß Andersens übergroße Empfindsamkeit ihn oft in einen solchen Erregungszustand versetzte, daß die Menschen seiner Umgebung fürchteten, er würde den Verstand verlieren oder sich etwas antun. Diese Furcht war nicht unbegründet, denn man erkennt an dem wilden Gestikulieren der Schrift und der nicht unerheblichen Anfangsbetonung den verzweifelten Wunsch, etwas Besonderes darzustellen. Aus der teilweise winzigen Mittelzone dagegen spricht das Mißtrauen gegen sich selbst. In dieser Spannung zwischen Ehrgeiz und Minderwertigkeitsgefühl richtet er die Anklage gegen sich selbst, wie die druckstark nach abwärts gerichteten *u*-Bogen und Querungen zeigen. Ausdruckswissenschaftlich gesehen ist das ein Angriff gegen die Mittelzone, also eine ausgesprochen selbstzerstörerische Tendenz. Seine Erfolge und die Auszeichnungen, mit denen man ihn später überschüttete, halfen nicht – wie das Entstehungsdatum dieses Briefes zeigt – diese Unausgeglichenheit zu überwinden. Die leidvollen Erfahrungen der Vergangenheit konnte auch der spätere Ruhm nicht vergessen machen.

Wie sehr er mit sich selbst beschäftigt war, beweisen die ohne Gliederung, ohne Absätze zusammenfließenden Zeilen seiner Handschrift. So äußert sich ein Dichter, dem die Ideen erst allmählich beim Schreiben kommen, der also vorher kein klares Konzept hatte. Auch die unscharfen Konturierungen und fließenden Bewegungen bestätigen: Es ist die Schrift eines Traumtänzers, der sich vor der konkreten und darum harten Realität voller kantiger und scharfer Formen in eine irreale Welt flüchtet. Ohne Einsatz seiner Widder-Energie kann er sich dort seinen Kindheitseindrücken (Rückbiegungen) und Empfindungen hingeben.

Dank seiner Phantasiebegabung schöpfte Andersen aus dieser Vorstellungswelt seine berühmten Märchen; denn im Unterschied zu den deutschen Romantikern sammelte er sie ja nicht aus dem Volksgut, sondern er erfand sie. Aber diese «irreale Produktivität» seiner Dichtkunst, die man auch in seiner Schrift feststellen kann, täuscht nicht darüber hinweg, daß er am realen Leben scheiterte.

Monsieur Le Feld Marechal
hier par Lent. que je fait
Ajudant; La lettre que
ecrit. J'ai Vuë avec pla
part Baltique dans son
il S'est fait presque aut
autant d'ouvrage que
qu'on y travaille. Je
que Vos derniere Lett
point tentée d'y rep
Voyage les arrangem
Couronnement la Cerem
qui S'en sont Suivie
pas d'ailleurs laissé
Vous pouvés a Lent
deux flügel Ajuda
moi une liste d'une

Der verwirklichte Stier

Katharina II. von Rußland, geb. 2. 5. 1729

Da kommt eine fünfzehnjährige Prinzessin aus einem deutschen Zwergfürstentum an den russischen Hof nach St. Petersburg, nur in Begleitung ihrer Mutter. Doch die verhält sich politisch so ungeschickt, daß sie alsbald in Ungnade fällt und nach Hause zurückkehren muß. Die Tochter aber, mutterseelenallein, setzt alles daran, um in der Fremde Karriere zu machen und genau das zu werden, was man von ihr erwartet: eine Russin und eine gute Zarin. Sie selbst schrieb später, zehn an ihrer Stelle wären gestorben, zwanzig wahnsinnig geworden. Sie aber schaffte es. Ihre große Lebenschance war, daß Kaiserin Elisabeth sie zur Gattin des Thronfolgers auserwählt hatte. Alles weitere, Akklimatisierung in einer völlig unvertrauten Welt, die Ausschaltung ihres schwachen Ehemanns, die Machtergreifung als Zarin aller Reußen und die Errungenschaften ihrer vierunddreißigjährigen Regierungszeit waren ihr eigenes Werk.

Katharina war ein Stier par excellence, und kein Verhaltensprogramm hätte für ihre Lebensaufgabe besser gepaßt. Der Stier braucht zwar eine Art Vorgabe des Schicksals, eine Initialzündung, die den Stein ins Rollen bringt, dann aber weiß er die günstigen Voraussetzungen zu nutzen und wuchert mit seinem Pfund. Nehmen wir gleich das Problem der Akklimatisierung: Das junge Stier-Fräulein wurde in Deutschland aus ihrer Umgebung, ihrer «Herde» herausgerissen und einer neuen «Herde» zugeteilt. Nichts trifft den Stier empfindlicher, als außerhalb zu stehen, nicht integriert zu sein. Doch die kleine Prinzessin begann mit unglaublichem Eifer, sich den neuen Lebensumständen anzupassen. Sie lernte Russisch, sogar noch im Nachthemd; sie trat zum orthodoxen Glauben über und verbrachte in der Kirche mehr Zeit als jeder andere; sie reiste im Lande umher und lernte das Volk kennen; kurz, sie wurde russischer als eine echte Russin. Wenn sie sich in diesem Land behaupten wollte – das wußte sie genau –, mußte sie starke Wurzeln schlagen, sich vor allem der herrschenden Tradition und dem kulturellen Erbe anpassen.

Daß sie die Zeit bis zu ihrer Machtergreifung, immerhin siebzehn Jahre, überlebte, ohne verbannt, eingekerkert oder ermordet zu werden, verdankte sie der klugen Handhabung ihres Stier-Instrumentariums. Bei all den Fallen, die ihr gestellt wurden, half nur ihr Instinkt – schon deshalb, weil das instinktive Stier-Verhalten eine ordentliche Portion Vorsicht und Zurückhaltung beinhaltet. Und gerade weil sie merkte, daß sie von ihrem intuitiven Verhalten sicherer als von fremden Ratschlägen durch den Hofdschungel geführt wurde, kultivierte sie es.

Mit ihrer kraftstrotzenden Schrift gab sie der Nachwelt das Zeugnis eines Stiers, der alle Register seiner Ausdrucksmöglichkeiten zu ziehen weiß. Ein so «kompletter» Stier ist nicht in die Knie zu zwingen – selbst dann nicht, wenn er sich eine Blöße gibt und ein paar Register zu stark zieht: z. B. bei der Linksläufigkeit und den geschmacklosen Bereicherungen der Schrift, deren fast unangenehme Teigigkeit die manchmal etwas aufdringliche Intensität ihrer Bemühungen signalisiert. Doch diese Eigenschaften werden kaschiert durch Regelmäßigkeit und Druck, durch disziplinierte Völle und Weite, freundliche Rechtsschrägheit und eine Arkade, die alles zu verdecken und zu überspielen weiß.

Der sehr ausgeprägte Selbsterhaltungstrieb des Stiers, der hier deutlich als Opportunismus in Erscheinung tritt, wandelte sich nach ihrer Machtergreifung zu siegessicherer Selbstgefälligkeit. Sie entwickelte einen Hang zum schönen Schein. Doch gerade die Kunst, sich in Szene zu setzen und ihren Nimbus zu pflegen, hat ihr den größten Teil der Volksgunst eingebracht. Wer vermochte zu durchschauen, daß ihre weltoffene Art, ihr humor- und verständnisvolles Wesen, gekoppelt war mit einer gehörigen Portion Habsucht, Berechnung und Heuchelei (übermäßige Linksläufigkeit, Arkade, Deckstrich)? Daß ihre Frömmigkeit gespielt war und sie sich mit männlicher Kampflust weiblicher Waffen bediente, um ihren Machtanspruch durchzusetzen?

Immerhin, sie hatte es nicht ganz leicht mit sich selbst. Ihren bohrenden Ehrgeiz und rastlosen Tätigkeitstrieb empfand sie sehr wohl als lästigen Zwang, wie die für den Stier untypischen großen Längenunterschiede der Schrift verraten. Rußland profitierte von Katharinas vielseitigen Aktivitäten in reichem Maß und auf allen Gebieten. Sie regierte mit Schwung, aber auch mit großer Umsicht, vor allem im administrativen Bereich; denn als echter Stier nahm sie auch die langweilige bürokratische Seite des Herrscheramtes ernst. Im Unterschied zu ihren Vorgängern auf dem Zarenthron legte sie Wert darauf, die Dokumente, die sie zu unterzeichnen hatte, vorher durchzulesen. Diese Frau ließ sich kein X für ein U vormachen, ebensowenig wäre sie auf Potemkinsche Dörfer hereingefallen.

Es ist allgemein bekannt, daß Katharina «die Große» auch nicht die Teilnahme am «prallen Leben», das andere Ende der Stier-Skala, vernachlässigte. Sie animierte ihre Untertanen zu einem Bevölkerungszuwachs von 20 auf 36 Millionen und ging ihnen in der Liebesaktivität munter voran. Auch diese Komponente ihres Wesens hat seine Wurzeln in der sinnenfreudigen Stier-Natur und ist obendrein an ihrer Schrift ablesbar (verzierte Unterlängen, Teigigkeit). Man sollte der Kaiserin allerdings weniger die Zahl ihrer Liebhaber vorhalten als ihre Verschwendungssucht. Wie jeder Stier hatte sie einen ausgesprochenen Geschäftssinn, sogar einen übermäßig entwickelten (Unterlängen und übermäßige Linksläufigkeit), doch in stier-untypischer Weise gab sie Unsummen aus für ihren persönlichen Aufwand, für Belohnungen und Abfindungsgeschenke an ihre Kavaliere. Gänzlich hinausgeworfen waren diese Gelder indessen nicht, denn sie sicherte sich mit solchen Zuwendungen ihre Beliebtheit und ihre Machtstellung. Schließlich ist auch das Festhalten an dem, was man erreicht hat, eine hervorstechende Stier-Eigenschaft. Wahrscheinlich kann es überhaupt nur einem Stier gelingen, aus einem so waghalsigen Abenteuer einen so gesicherten Bestand zu schaffen.

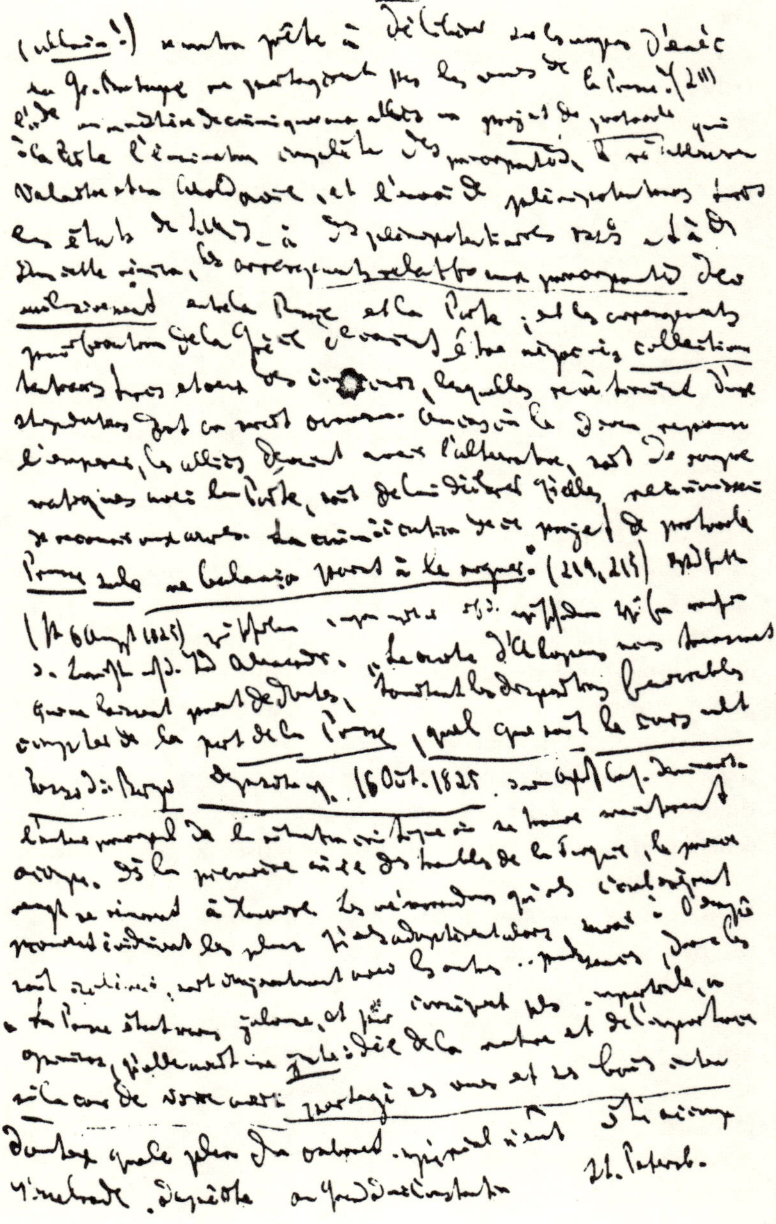

Der nicht verwirklichte Stier

Karl Marx, geb. 5. 5. 1818

Das Stier-Prinzip ist als Bollwerk gegen den ins Leben hinausstürmenden Widder gedacht. Es soll für Ruhe, Stabilität und Ausgeglichenheit sorgen, die Werte festigen. Das will zu Karl Marx absolut nicht passen – selbst ohne daß man einen Blick auf seine Schrift geworfen hat. Doch so wenig «stierhaft», wie es in Anbetracht seines Lebensverlaufs und seines Lebenswerks scheinen mag, war Marx nun auch wieder nicht, zumindest nicht in seinem Denken. Denn es ging ihm, wie jedem Stier, um die vernünftige Organisation der Umwelt, in seinem Fall: der Gesellschaft. Und das muß ihm bis zu einem gewissen Grade und in der Theorie auch gelungen sein, sonst gäbe es keinen Marxismus. Beim *Ausleben* seines Stier-Programms indessen, bei der Handhabung seines individuellen Stier-Instrumentariums in der Lebenspraxis, hat er zweifellos versagt, weil ihm – was für einen Stier unverzeihlich ist – der Bezug zur Realität fehlte und ihn nicht einmal interessierte. Der marxistische Marx-Biograph Fritz J. Raddatz hat das mit dem lapidaren Satz belegt: «Marx wollte nicht praktisch sein, er verachtete bereits das Wort.»

Der «normale» Stier indessen will mitten im Leben stehen, im praktischen mehr noch als im theoretischen. Als Ausdruck seines gesunden Anspruchs darauf schwillt die Mittelzone seiner Schrift meist an. Genau an dieser Stelle aber weist die Schrift von Marx Magerkeit und Überkleinheit auf. Auch wenn man ihm zugute hält, daß er den objektiven Zusammenhängen den Vorzug gibt und infolgedessen den Äußerungen seines subjektiven Ichs nur geringe Größe und wenig Raum zubilligt, spricht das Merkmal Überkleinheit doch für den «grauen Theoretiker». Zusätzlich begeht Marx aber noch eine andere Stier-Todsünde: Er schreibt linksschräg. Und damit geht er, gesellschaftlich gesehen, auf Gegenkurs. Allerdings nicht in reformerischem, nicht in revolutionärem Sinn. Vielmehr drückt sich in dieser «unnatürlichen» Linksschrägheit, zusammen mit der verworrenen Anordnung des unordentlich Geschriebenen betrachtet, ein gestörtes Verhältnis zur Außenwelt überhaupt aus.

Alles deutet darauf hin, daß Marx bei der Auseinandersetzung mit dem Leben bereits in seinen Entwicklungsjahren den kürzeren gezogen und deshalb die übliche Schutzhaltung des irritierten Intellektuellen eingenommen hat, der sich in einen Elfenbeinturm zurückzieht und dort nach seinen eigenen Gesetzen lebt. Damit mag ein Skorpion fertig werden, ein Stier jedoch, dem es rechtens um das Miteinander, um Kommunikation und Koexistenz gehen sollte, verliert dabei seine Balance. Da nützt auch die vorgebliche Sachlichkeit (Kleinheit, Magerkeit) nichts. Sie entpuppt sich als Vortäuschung, indem sie Wirklichkeitssinn nur vorspiegelt. Die behauptete Nähe zu den Dingen und zu den Menschen beruht nicht auf Erlebnis und Erfahrung, sie ist wieder nur erdacht, philosophisch postuliert und ohne echte Beziehung zur Gemeinschaft. Für deren Beurteilung oder gar Therapie ist ihm mangels praktischem Umgang und Verständnisbereitschaft eigentlich kein verbindlicher Maßstab zuzutrauen.

Es sieht nicht so aus, als ob Marx das Leben des Proletariats, mit dem er sich in seinen Werken so gründlich auseinandersetzte und zu dessen Anwalt er sich machte, je «vor Ort» studiert, daß er die Werktätigen an ihren Arbeitsplätzen aufgesucht oder gar ihre Sprache gesprochen hätte. Alles aber spricht dafür, daß er die Schattenseiten des Lebens anderer *praktisch* gar nicht wahrnahm bzw. nicht unbedingt kennenlernen wollte. Selbst das eigene familiäre Elend nahm er kaum wahr. Zeitgenossen haben die Ansicht vertreten, daß Marx seine häusliche Misere aus eigenen Kräften hätte überwinden können, wenn er nicht so gleichgültig gegenüber allen Äußerlichkeiten, und das heißt auch, nicht so unordentlich und unsauber gewesen wäre.

Ob die Kenner der Familienverhältnisse recht haben mochten oder nicht: Die Überkleinheit der Schrift (Existenzschwierigkeiten), ihre Linksschrägheit (Lebensangst), Magerkeit und Vereinfachung (Gefühlskälte, Rücksichtslosigkeit) und die abstruse Ungegliedertheit des ganzen Schriftstücks – das in seiner Art keinen Einzelfall darstellt, sondern für Marx typisch ist –, ergeben zusammengenommen das graphologische Erscheinungsbild eines entwurzelten, seelisch armen Menschen. Astrographologisch haben wir es mit einem Stier ohne Herde zu tun, zumindest ohne reale Herde, denn in der Theorie hatte er sich ja eine erschaffen.

Die wenigen positiven Identitätsmerkmale, die Marx sich erhielt, etwa die Völle in den «Ballons» der Oberschleifen und die Teigigkeit des Strichs, vermögen den «Verlust der Mitte» nicht aufzuwiegen. Sein scharfer Verstand und seine dialektische Gewandtheit, die kaum Sinnlichkeit, eher materielle Interessen signalisierende Komponente seines Innenlebens sind Gaben, die dem Wirtschafts- und Gesellschaftstheoretiker gewiß zustatten kamen. Zur Herstellung einer Lebensbalance reichten diese Eigenschaften indessen nicht aus. Trotz seiner geistigen Leistungen war und blieb er ein Verhaltensgestörter, den seine starke Affektivität im Kontakt mit der Außenwelt intolerant, gehässig und menschenfeindlich erscheinen lassen mußte.

Paradoxerweise tritt uns astro-graphologisch ausgerechnet in Marx ein «A-sozialer» par excellence entgegen, ein Mensch, dem soziales Mitgefühl fremd war, kein Lehrer also, kein Vorbild. Nicht einmal «Gesinnungsgenosse» wollte er sein. Kein Wunder, daß unter diesen Umständen, frei nach Dante, «Zweifelmut und Zagheit» seine einzigen und ständigen Begleiter waren.

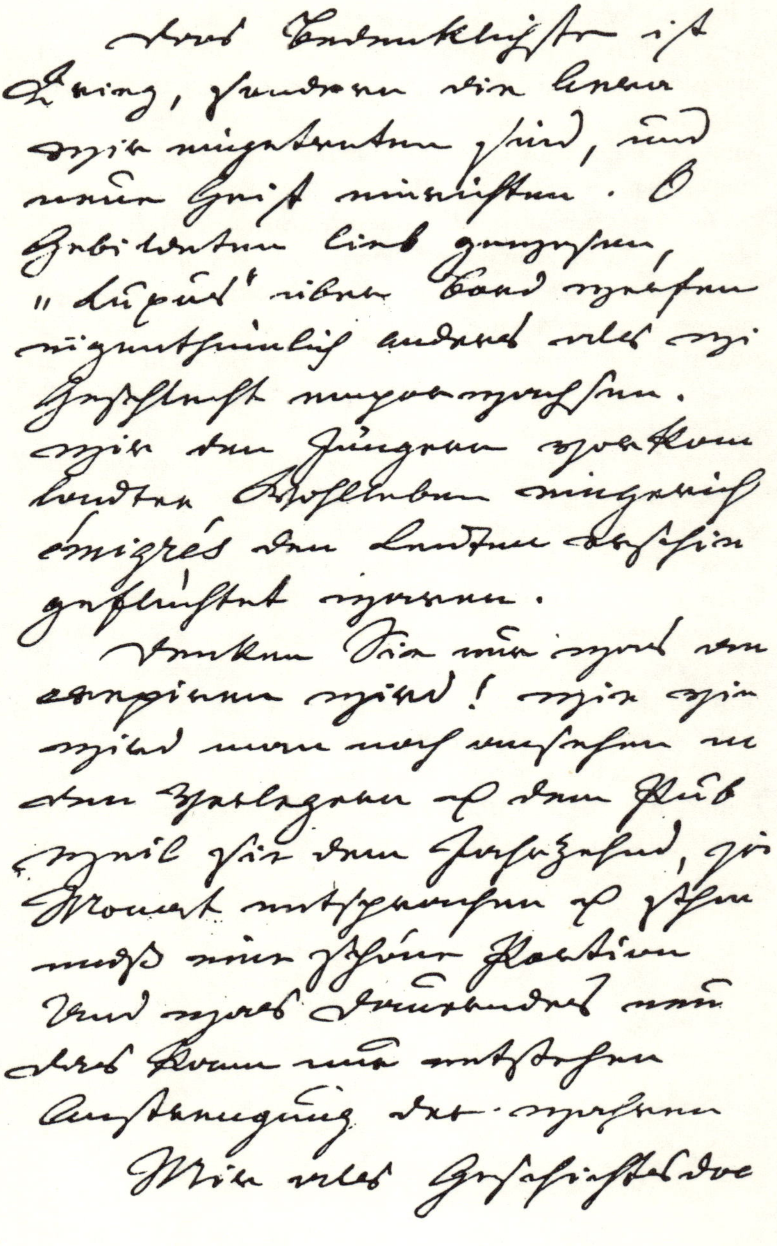

Der verwirklichte Zwilling

Jacob Burckhardt, geb. 25. 5. 1818

Der Basler Jacob Burckhardt verdankt seinen Ruf als einer der bedeutendsten Kunst- und Kulturhistoriker des 19. Jahrhunderts der Tatsache, daß er der bis dahin entweder romantisch verklärten oder von strengen klassischen Maßstäben geprägten Kunstbetrachtung durch objektive Anschauung, sachliche Bestandsaufnahme und vergleichende Analyse zu neuen Aufgaben und Maßstäben verhalf. Als typischer Zwilling brachte er die notwendigen Voraussetzungen für diese reformatorische Leistung mit: einen beweglichen Geist, die Fähigkeit zu abstraktem Denken, Objektivität und Sachlichkeit sowie schnelle Kombinationsgabe. In seiner Schrift sind all diese Elemente veranschaulicht: das Sachlich-Realistische durch die Kleinheit und Magerkeit; während Schrägheit, Rechtsläufigkeit und Druckschwäche bezeugen, daß er der Außenwelt vorbehaltlos und voller Einfühlungsvermögen gegenüberstand; und die Eile verrät, daß er alle Eindrücke mit Elan, mit äußerster Beweglichkeit im Handeln und Denken verarbeitete.

Daß dieser Zwilling als betonter Verstandesmensch auch einen Sinn hatte für nicht verstandesmäßig Erfaßbares, für «gewachsenes Leben» (Klages), war für seine Aufgabe von besonderem Vorteil. Als der große Realist unter den Kulturhistorikern hatte er einen Blick für den Wert des scheinbar Unwesentlichen, des Nicht-Erhabenen, ohne daß er sich darüber an das Detail verloren hätte. Das zeigen die Bereicherungen seiner Buchstaben, die hier und da angebracht, das Gesamtbild verschönern, ohne ihm die Klarheit zu nehmen. Sein Kunstinteresse, gleichsam angeboren, entsprang ursprünglicher Anschauungsfreude. So wie er Freude daran hatte, sein Schriftbild zu ästhetisieren, fand er Freude am Ästhetischen. Und doch ließ er diesen Aspekt der Kunstanschauung nie Oberhand gewinnen.

Die starke Verbundenheit, typischstes Zwillings-Merkmal,

verhalf ihm zu leichter, fließender Gedankenentwicklung, zu synoptischem Erfassen geschichtlicher Zusammenhänge – und genau darum ging es ihm: um die vergleichende Zusammenschau der kulturellen und künstlerischen Entwicklung in den verschiedenen Epochen und bei verschiedenen Künstlern des gleichen Kulturkreises oder der gleichen Zeit, während es bis dahin üblich gewesen war, Entwicklungen der Menschheit, in welchem Bereich auch immer, nach dem historisch-chronologischen Ablauf zu schildern. Burckhardt stellte andere Aspekte, andere Entwicklungsabläufe, neue Querverbindungen zur Diskussion und dazu die Eigengesetzigkeit künstlerischer Formprobleme in den Vordergrund.

Jacob Burckhardt fühlte sich als Wahrer der europäischen Kultur, und sicher ist er einer der letzten großen Humanisten gewesen, doch genaugenommen arbeitete er an der Infragestellung dieser Kultur. Die sachbezogene Denkweise, die durch ihn in die Kultur- und Kunstbetrachtung Eingang fand, stellte eine Gefahr dar. Denn die emotionale Zurückhaltung des Zwillings fördert zwar die neutrale, objektive Sicht, die Folge davon ist indessen, daß man unwillkürlich glaubt, Dinge begriffen zu haben, nur weil sie intellektuell formuliert worden sind. Das «Hintergründige» wird durch die «Bevorzugung des Faßbar-Wirklichen» (Pophal) leicht übersehen.

Sein später einsetzender Kulturpessimismus verrät, daß Burckhardt sich selbst über Wert und Unwert des sachlich-analytischen Denkens Gedanken machte. Das Schwanken der Längenunterschiede, besonders der Unterlängen, bestätigt diesen Pessimismus. Zudem erwirbt der eigentliche Girlandenschreiber mehr und mehr Winkel und tut damit seiner Natürlichkeit Zwang an. Seine seelische Elastizität wird eingeschränkt, er versteift sich aus Schutzbedürfnis. Andererseits finden sich im Werk und in der Schrift Burckhardts noch immer genügend Anzeichen dafür, daß Objektivität und Sachlichkeit die Begeisterungsfähigkeit und die Freude an Traditionen nicht vollends zu unterdrücken vermochten. Beweise: Wenn der Schreiber seine Schrift auch vereinfacht, um ihr Nüchternheit zu verleihen, so läßt er sich doch keine Gelegenheit entgehen, einzelne Buchstaben beinahe begeistert mit geschmackvollen Zutaten zu versehen, und trotz aller Eile nimmt er sich die Zeit, das Gesamtschriftbild durchzustilisieren.

In den letzten dreißig Jahren seines Lebens veröffentlichte Burckhardt nichts mehr. Vielleicht ahnte er, daß man zur ganzheitlichen Erfassung einer Epoche ebensoviel intuitives Verständnis wie Intellekt aufbringen muß und die Intuition denn doch mehr und mehr vom Intellekt verdrängt worden war. Vielleicht sah er, daß er mit der neuen Betrachtungsweise, die er in die Kunstwissenschaft einführte, den Weg zur Intellektualisierung der Kunst mit vorbereitet hatte? Zwillinge beherrschen heute die Welt, das heißt, das sachlich-naturwissenschaftliche Denken hat sich durchgesetzt, die humanistische Bildung gilt nichts mehr. Angesichts der Leistung Jacob Burckhardts zu sagen, daß man sich auch zum Schaden einer Wissenschaft und zum Schaden der Kunst selbst verwirklichen kann, wäre ungerecht. Er war ja nur einer der Wegbereiter jener auf breiter Front und nahezu gleichzeitig einsetzenden Strömung, die das Prinzip Zwilling zu einseitig betont. Zweifellos hat Jacob Burckhardt beispielhaft bewiesen, wozu ein Zwilling fähig ist, der sein brillantes Instrumentarium einsetzt, um auf festgefügtem Fundament Neues aufzubauen.

7.

Ein Kauz, ein ganz wunderlicher Kauz dachte zuweilen auch über sie, denn sie hatte sich wie seit der Luftwechsel anfing, die Wirkung zu versagen, oder daß Glück sie berauscht hatte: ihr Befinden war [redacted] schlechter geworden, der Zustand schien übrig zu lassen, sie fühlte sich schwach, müde, appetitlos, Doctor Leander hatte ihr aufs entschiedenste Ruhe, Stille So saß sie, wenn sie nicht liegen mußte, in Gesellschaft der still [redacted] und sang, eine Handarbeit leitete, diesem oder jenem Gedanken nach.

Ja, er machte ihr Gedanken, dieser eben das Merkwürdige war, nicht sprach über seine als über ihre eine Weise [redacted] sich er in ihr eine seltsame Neugier, ein ihr eigenes Sein [redacted] hervor. Eines Tages [redacted] hatte er

„Nein, es sind rätselvolle [redacted] Gestalten, die so wenig kann man ablassen, deren zu sehen und zu Geschöpf, eine Sylphe, ein Duftgebild, ein Märchentraum [redacted] War sie für sie? Die Jahrmarktsgaukler oder Schlachtenbrüder. Sie konnte an sogar ihren Kopf an seine Schulter und blickt dabei verschlagen lächelnd – Ja, man zerbricht sich die Köpfe über diese Erscheinung!

Der nicht verwirklichte Zwilling

Thomas Mann, geb. 6. 6. 1875

Das Lebensproblem dieses Zwillings war, um den Titel des Hauptwerkes von Ludwig Klages abzuwandeln, «der Geist als Widersacher des *Lebens*». Der Konflikt hatte im deutschen Geistesleben schon Tradition, er bestimmte u. a. auch Dasein und Philosophie von Arthur Schopenhauer und Friedrich Nietzsche. Aber ein Zwilling ohne die selbstverständliche Bejahung des Intellekts fühlt sich – «in der Lebenslandschaft verloren und verliert sein Sicherheitsgefühl» (Döbereiner). Der Intellekt ist seine Hauptstütze, das Instrument, mit dem er sich in der Welt zurechtfindet. Er hat sich zu Ungunsten anderer Qualitäten besonders stark entwickelt.

Was wird nun geschehen, wenn ein Zwilling entdeckt, daß ihm der Hauptlieferant seiner Lebenskraft suspekt, ein Umdisponieren jedoch nicht mehr möglich ist? Er bekommt Lebensangst. Und was ist von der elastischen, beziehungsreichen Denk- und Verhaltensweise des Zwillings in dieser Schrift noch nachweisbar? Sachlichkeit, Realitätssinn und ausgeprägtes kritisches Interesse an der Umwelt. Thomas Manns Schrift ist klein, mager und hat große Längenunterschiede. Aber diese drei zwillings-typischen Merkmale sind übertrieben.

«Alle Überwertigkeiten sind negativ», lehrt Klages. Hier verschärft sich die negative Aussage noch durch das Fehlen wichtiger Zwillings-Eigenschaften wie Verbundenheit, rundere Bindungsformen, Eile, Druckschwäche. Die Überkleinheit der Mittelzone, die man in Zusammenhang sehen sollte mit der Magerkeit und der überaus sorgfältigen, pedantischen Gestaltung der Buchstaben, signalisiert einerseits die Liebe zum Detail, die Fähigkeit, auf sublimste Weise zu differenzieren und zu nuancieren. Andererseits bezeugt sie, wie wenig Thomas Mann im «vollen Leben» drinstand. Der krasse Ausschlag der Ober- und Unterlängen verstärkt diesen Eindruck noch. Der Zwiespalt zwischen Denken und Trieb oder – wie schon zu Anfang gesagt – zwischen Geist und Leben nimmt ihm die Ruhe der Mitte, enthüllt den Zweifler, dem Zufriedenheit fremd ist. Wie man weiß, bezog der Schriftsteller gerade aus diesem spannungsreichen Gegensatz die Themen zu seinen Hauptwerken und gewann damit immerhin Kraft aus der Schwäche.

Alle übrigen Zwillings-Schriftmerkmale sind im Ansatz vorhanden, aber ihr Entfaltungsspielraum ist eingeengt. Den natürlichen Schreibfluß hemmen die Wortzerstückelung und die außerordentliche Enge. Aus Angst vor den Fährnissen des Lebens zieht sich der Vorsichtige zurück auf sich selbst und beschäftigt sich mit geradezu zärtlicher Selbstbespiegelung. Gegen die dabei störende Umwelt schirmt er sich durch prinzipielle, ja hagestolze Zurückhaltung ab. Auch das «Leben nach genauem Tagesplan» (starre Regelmäßigkeit, überkleine Mittelzone), das Thomas Mann sich bekanntlich selbst auferlegt hat, ist offensichtlich mehr als ein Schutz nach außen gedacht. Die Unmittelbarkeit und Elastizität des Zwillings wird geopfert, um der Umwelt und sich selbst eine tadellose äußere Haltung vorführen zu können. Der Mangel an Hingabebereitschaft und Vertrauen in das Leben aber erzeugt unweigerlich Pessimismus.

Der Schriftsteller zeichnete denn auch vorwiegend Stadien des Verfalls, sei es der einer Familie, einer Gesellschaftsschicht oder einer ganzen Stadt, als Gleichnis für die eigene wie die allgemeine Depression. Seinem Bruder Heinrich gestand Thomas Mann Stimmungen «wirklich arger Art mit vollkommen ernst gemeinten Selbstabschaffungsplänen». Verbissen kämpft er gegen diese Vorstellungen an (dachziegelförmig abfallende Wörter) und ergreift allerlei Abwehrmaßnahmen (spitze Winkel und forcierter Druck). Aus Furcht vor Unselbständigkeit und Unruhe klammert er sich immer wieder an Einzelheiten fest und verlagert den Akzent auf Nebensächliches, was einmal mehr pedantisch wirkt.

Unmittelbar vermag sich der Schreiber nicht zu geben, doch er weiß aus der Not eine Tugend zu machen: Er versucht, der zwanghaften Selbstbeobachtung durch gewollte Konzentration auf das Innere und Äußere seiner Mitmenschen zu entgehen. Er analysiert sie, um sich von sich selbst abzulenken. Kein Wunder, daß er aufgrund dieser Einstellung kaum eine warmherzige Beziehung zu entwickeln vermag. Das sich selbst abgerungene und schließlich berufsmäßige Interesse an der Eigenart des Gegenübers, die es zu analysieren – und zu karikieren – gilt, schließt zwanglose Kommunikation und erst recht absichtslose Freundschaft aus.

Als scharfer Beobachter ohne enge Kontakte beherrschte Thomas Mann die Szene wenigstens indirekt, und er begnügte sich, zunächst unbewußt, später resignierend, mit dem literarisch gefilterten und sezierten Abbild des Lebens.

«Es bedarf großer Energie», schrieb er, «will man nicht von der psychischen Klarsicht verbraucht und zerstört werden. Und der Schriftsteller läuft, indem er das Leben als Rohmaterial benutzt, Gefahr, sich noch weiter davon zu entfernen.» Wer die vor kurzem veröffentlichten Tagebücher Thomas Manns liest, kann sich ein Urteil darüber bilden, in welchem Maß der große Schriftsteller dieser Gefahr tatsächlich erlegen ist.

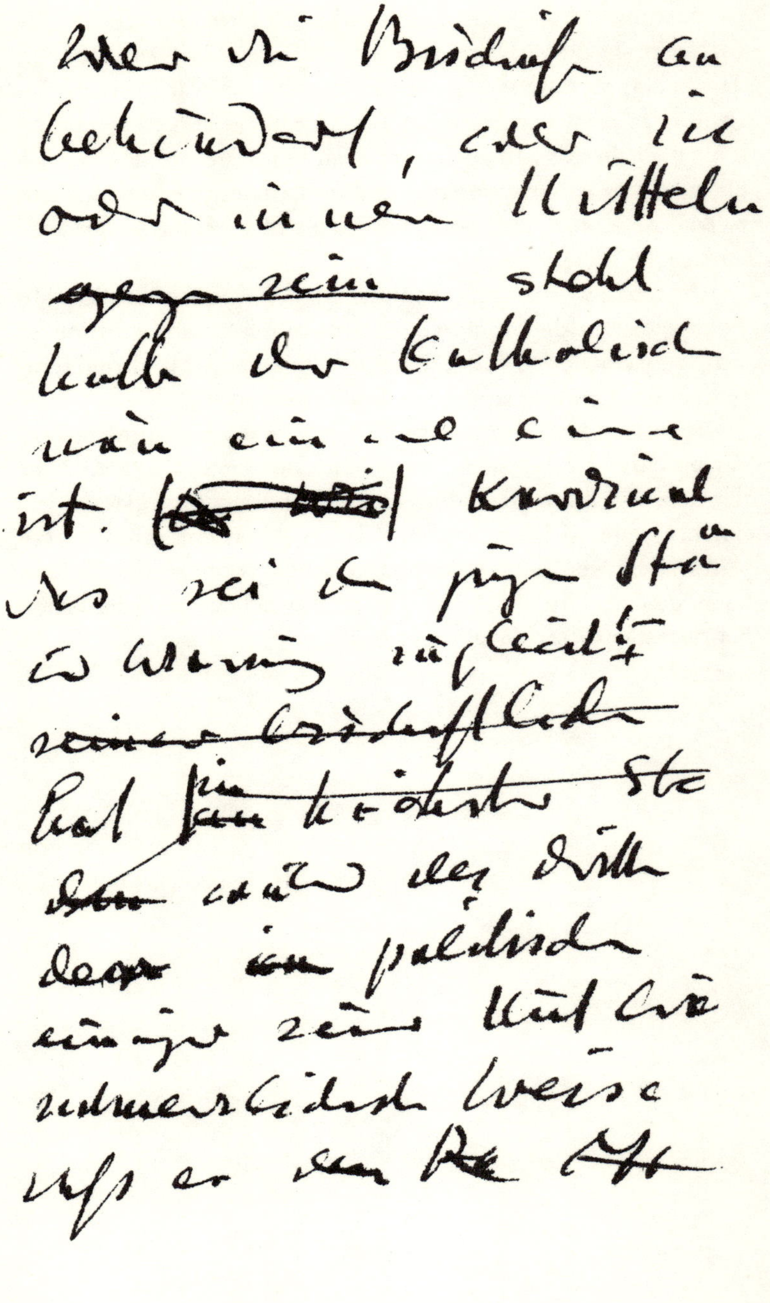

Der verwirklichte Krebs

Stefan Andres, geb. 26. 6. 1906

«Mein Vermögen ist: hören, sehen, schmecken und vor allem fühlen, fühlen ... und schreiben aus vollem Herzen», äußerte Stefan Andres einmal über sich selbst. Aus jedem Wort dieses Bekenntnisses quillt vitale Sinnenhaftigkeit. Kein Wunder, denn es geht dem Krebs darum, Eindrücke zu empfangen und in «aufnehmender Weise» aktiv zu sein. Als derjenige in der Evolution des Tierkreises, der die Seele entdeckt, *erfühlt* er die Welt erst, bevor er sie logisch erfaßt. Es gelingen ihm dadurch überraschende Erfahrungen auf nicht rationalem Weg. Intuition sagt man zu einer solchen «Eingebung», die gewöhnlich größere Tiefe, Unmittelbarkeit und Stärke des Erfassens zeigt als das diskursive Denken. Hans Hennecke schrieb über Stefan Andres: «Der Dichter in ihm wußte sehr viel mehr als der Theoretiker. Er ließ seine Einbildungskraft selbst reflektieren, anstatt sie durch Reflexion mattzusetzen. Wo er sie aber zugleich über sich selbst reflektieren ließ, da gelangte sie in unerschütterlicher Weise zu tiefer Einsicht in Urfragen des Lebens und der Kunst.» – Damit ist ein Krebs im fortgeschrittenen Stadium seiner Selbstverwirklichung charakterisiert.

Zum gleichen Ergebnis kommt man bei der Betrachtung von Andres' urwüchsiger, voller und teigiger Schrift. Hier geht es um gewachsenes Leben, nicht um das Interesse am Detail, sondern um das Erfassen auf einen Blick, als Augenmensch mit gleichsam pastosem Farbensinn und Freude an zupackender Darstellung. Man erahnt seine dichterische Spannweite, die von der Lyrik über Epik und Dramatik bis zu einem Weinbuch reichte, in dem u. a. auch das Typische einer jeden Flasche herausgestellt wird. Der Schrift wird als Ganzes mehr bildhafter als intellektueller Ausdruck verliehen, so wie Andres im Leben und in seinem Werk die graue Theorie mit praktischem Sinn kompensierte.

Eine überzeugende Parallele dazu ist sein Verhältnis zur Kirche. Als abtrünniger Novize durchbrach er zwar die Form, die ihn zum Frommsein zwang, aber die Bindung zur Kirche blieb – und er blieb auch auf der Suche nach einer ihm gemäßen Glaubensform, nach *Gottes Utopia.* Dahinter steckt die Ablehnung alles Dogmatischen. Als Gegenpol zum formerhaltenden Steinbock, kann der für die emotionale Beweglichkeit zuständige Krebs gar nicht anders handeln. Man lasse sich durch die Buchstabenvereinzelungen, die auf den Analytiker hinweisen, nicht verwirren. Andres schreibt nicht vereinzelt, sondern er verbindet latent. Rudolf Pophal nannte dieses Phänomen, bei dem der oft intellektuellen Verbindung des lebensgesetzlich Unverbundenen ausgewichen wird, «vitale Unverbundenheit». Das bedeutet: Die vereinzelten Buchstaben sind so angeordnet, daß sie durch Hinzufügung weniger Striche zu einer Einheit verbunden werden können. Und das Gemisch aus Verbundenheit und Unverbundenheit bezeugt, daß hier auf die Intuition der logisch folgernde Verstand folgt. Wer die Verbindungsstriche zwischen den Buchstaben zieht, merkt, daß es fast ausschließlich rechtsläufige Linien sind, die ergänzt werden müßten. Dadurch fällt plötzlich ins Auge, was die linksläufigen Abbiegungen schon vermuten ließen: daß die Schrift hochgradig linksläufig ist.

Auch diesen Zug krebsischen Wesens schöpft er voll aus: nämlich indem er «in Selbstbesinnung das eigene Wesen in Erfahrung zu bringen» sucht (W. Döbereiner). Kaum ein anderer deutscher Gegenwartsschriftsteller hat dem Träumen eine derart dominierende Rolle zuerkannt. Seine Äußerung (in *Der Knabe im Brunnen*), daß es «viel schwerer sei, Gedanken und Träume auf die Weide zu führen und zu hüten und fett heimzubringen als Kühe», beweist, welchen Wert er dem Unterbewußtsein beimaß. Aus ihm schöpfte er den Reichtum seiner Bilder. In ihm liegen seine Reserven. In der Rückwendung zur Quelle – man beachte den Titel des Buches mit stark autobiographischen Zügen «Der Knabe im *Brunnen*» – fand er Kraft zur Regeneration, um sich mit Hingabe wieder zu verausgaben.

Stefan Andres verstand zu leben. Zuweilen konnte man Bedenken haben, wenn er als eiliger, unregelmäßiger Girlandenschreiber mit all seiner Völle und Teigigkeit offen bis zur Naivität, gutmütig, impulsiv und auf äußere Reize leicht reagierend, als Krebs ohne Abwehr hinaus ins feindliche Leben ging. Die mit steilen Buchstaben gemischte, nur leicht schräge Lage der Schrift aber beweist, daß er bei aller lebensbejahenden Dynamik innere Disziplin besaß. Die von Kindheit an geübte Begegnung mit dem eigenen Wesen, durch die «sich die Seele konstituiert» (W. Döbereiner), ließ ihn die Schwelle zum Zeitlosen übertreten und in der Art eines «Stoff-Wechsels» aus dem Realen das Irreale formen, das ihm als Lebenshintergrund den Halt gab.

Die Erde will keinen Rauchpilz
kein Geschöpf ausspeien vom
mit Regen und Zornesblitzen
die unerhörten Stimmen des

Mit uns will sie die bunten
und grauen Kletten erwarten
den König Esel, die Hoheit
und den Feuerspeienden Salam

Für uns pflanzt sie Korallen
Wäldern befiehlt sie, Ruhe
dem Marmor, die schöne
noch einmal dem Tau, über

Die Erde will ein freies Geleit
jeden Tag aus der Nacht
daß noch tausend und ein
von der alten Schönheit

Ingeborg Bachmann

Der nicht verwirklichte Krebs

Ingeborg Bachmann, geb. 25. 6. 1926

Eine Krebs-Frau als Dichterin, das paßt. Verfügt doch der Krebs als der Tierkreisabschnitt, der den Gefühlsbereich aktiviert, über eine große Erlebnisfähigkeit, und Lyrik in ihrer reinsten Form ist ja unmittelbarer Gefühlsausdruck. Daß die Schreiberin dieser Zeilen offen ist für das Erleben der Außenwelt, zeigen auf den ersten Blick die Rechtsschrägheit und die Girlande. Die auffallende Druckschwäche verstärkt die Offenheit in Richtung Empfindlichkeit und sogar bis zur Widerstandslosigkeit gegenüber der Flut der Eindrücke. Mit der Weite als zusätzlichem Zeichen der Offenheit, mit der Fadenbindung, die einerseits einen Mangel an Abgrenzung, andererseits gerade dadurch enorme Beeindruckbarkeit ausdrückt, bietet die Schrift – und die Schreiberin – nach allen Seiten hin Blößen und Angriffsflächen.

Es ist selbstverständlich, daß der Krebs für die Offenheit und Blöße, mit der er der Umwelt gegenübersteht, ein Gegengewicht braucht, eine Schutzvorrichtung. Er findet beides in seiner Passivität. Krebs-Menschen haben die Fähigkeit, sich in sich selbst zurückzuziehen, Unangenehmes durch bewußte Ruhigstellung zu verdauen und sich dadurch selbst nach Vorfällen, die ihre Hinnahmefähigkeit stark strapaziert haben, relativ schnell zu regenerieren. Äußeres Merkmal dafür ist hier die Linksläufigkeit der Schrift. Der Schwung nach außen wird wieder zurückgenommen, man hält inne in der Verausgabung und sammelt sich. Ein anderes Merkmal zeigt sich im breiten Mittelband. Die Aufnahmebereitschaft wird zugunsten des Insichruhens und Aussichselbstschöpfens abgeblockt. Ohne diese bewußt betriebene Introvertiertheit würde der Krebs, ungeschützt den offenen Wogen des Lebens ausgesetzt, Schiffbruch erleiden. Daraus ergibt sich, daß der Krebs darauf achten muß, seine Kräfte nicht zu überschätzen.

Genau da aber müssen die Schwierigkeiten bei Ingeborg Bachmann gelegen haben. Ihr Kräftesaldo stimmte nicht. Sie verausgabte sich und fand nicht die Ruhe, neue Nervenkraft zu sammeln. Ihre Schrift zeigt keinerlei Tendenz, sich selbst zu sichern, sich in der Entspannung wieder zu rekreieren. Ihre Preisgabe an das Leben zeugt von Hilflosigkeit. Ihre Sensibilität ist weniger ein Zeichen von Kreativität als von Verletzbarkeit. Die Außenwelt dringt in ständigem Ansturm auf sie ein und wird ihr dadurch unerträglich. Sie weiß, daß sie sich nur retten kann, indem sie sich in ihre Innenwelt zurückzieht, doch davor fürchtet sie sich, weil sie weiß, daß ihr Intellekt unter kaum steuerbarem Leistungsdruck steht und sie zu ständigem Fortschreiten des Denkens zwingt (äußerste Rechtsläufigkeit, Eile, Vereinfachungen).

In ihrem Roman *Malina,* der stark autobiographische Züge trägt, hat Ingeborg Bachmann diesen Konflikt zur Sprache gebracht. Dem hypersensiblen «erzählenden Ich wird die eigene Innenwelt zum Problem» (H. Pausch). Das Scheitern des Rückzugs in sich selbst wird richtig erkannt, denn «das Ich, das sich von der Welt ausschließt und völlig seinem Gefühl lebt, muß schließlich die Kehrseite dieses Verhaltens erfahren. Da das Ich sich seinem Gefühl nicht spontan hingibt, sondern den Impulsen reflektierend und rationalisierend folgt, wird das Emotionale intellektualisiert und damit inflationiert».

Der Versuch, sich abzugrenzen, angedeutet durch einen Arkadenansatz in den Fadenbindungen oder durch abrupt abbrechende Wortenden, mochte die Dichterin bei oberflächlicher Bekanntschaft als einen Menschen von neutraler Undurchdringlichkeit erscheinen lassen. Sie konnte verblüffen durch die Diskrepanz ihres sensiblen, hilflosen und trotzdem gegenüber der Umwelt sehr anspruchsvollen Wesens. Ein typisches Zeichen für unausbalancierte Krebse, die sich, völlig verausgabt und von Weltaufnahme strapaziert, aus heiterem Himmel oft zu absurden kategorischen Stellungnahmen entschließen, gegen die auch die logischsten Argumente nichts mehr auszurichten vermögen.

Wenn ein Krebs, dem es in der Hauptsache darauf ankommt, «von der Umwelt angenommen und bestätigt zu werden» (Döbereiner), auf entschiedene Weise nein sagt zur Umwelt, so ist er von diesem Augenblick an auf eine Art Notaggregat angewiesen, auf eine innere Kraftreserve, die nur begrenzte Zeit reicht. Wenn sie aufgebraucht ist, verfällt der Mensch.

Ingeborg Bachmann ist leider das traurige Paradebeispiel für einen Krebs, der ständig auf Kosten seiner Substanz lebte. Es paßt zu dieser Schrift, daß es ihr an Völle mangelt. Der Schreiberin mußte einfach alles «unter die Haut gehen», alles «zuviel werden». Leichte Erschöpfbarkeit, Zerstreutheit, Übermüdung (fehlende Buchstabenteile) waren die Folgen davon. Auch ohne die stark abfallenden Zeilen, sicheres Anzeichen für Depressionen, fühlt man den Mangel an Vitalität und Daseinsfreude. In den Nachrufen auf die verstorbene Ingeborg Bachmann hieß es immer wieder, sie habe sich in der Außenwelt nie zurechtgefunden. Astro-graphologisch müßte man hinzufügen: weil sie in ihrer Innenwelt nicht zu sich selber fand.

Ich gehe ruhig in
den Tod, der allein
meinen guten Namen
retten kann.

Dich herzlichst
umarmend, Dein
Dich liebender

Rudolf

Der verwirklichte Löwe

Erzherzog Rudolf von Österreich, geb. 21. 8. 1858

Die Mutmaßungen über die Ursache und den Ablauf der Tragödie von Mayerling, die das Leben des dreißigjährigen Kronprinzen und seiner Geliebten Mary von Vetsera beendete, sind fast stets mit einem negativen Urteil über den Charakter des Thronfolgers verbunden. Man hat ihn als sittlich verkommen und seelisch zerrüttet, sogar als geistesgestört bezeichnet. All das ist indessen mit seiner Schrift nicht zu vereinbaren. Wie konnte es zu einer solchen Fehleinschätzung kommen?

Die liberale Erziehung, die der Vater, Kaiser Franz Joseph – selbst ein ausgeprägter Löwe –, seinem Sohn angedeihen ließ, fiel auf äußerst fruchtbaren Boden. Rudolf entwickelte sich zu einer unkonventionellen, selbständigen Persönlichkeit, die aus ihren freidenkerischen Ansichten und Sympathien für die Idee des Weltbürgertums keinen Hehl machte. Damit nicht genug, ließ er seine Umgebung, vor allem die verknöcherte Hofkamarilla, die ganze Verachtung spüren, die er für sie empfand. Dadurch hatte er wenig Freunde. Als seine Ausbildung beendet war, wurde ihm klar, daß er den Beruf, auf den er so gründlich vorbereitet worden war, noch lange nicht ausüben können würde. Sein Vater hielt das Zepter weiterhin fest in der Hand und den Sohn fern von allen Regierungsgeschäften.

Wenn man sein Löwe-Naturell in Betracht zieht und seine Schrift studiert, wird deutlich, daß dieser Zustand für einen derart dynamisch veranlagten, seelisch und geistig aktiven, wirkungsbereiten jungen Mann schwer zu ertragen sein mußte. Dennoch ist seine Schrift, wie es sich für einen «normalen» Löwen schickt, aus einem Guß, großzügig, schwungvoll, mit Freude an Gestaltung (Anfangsbuchstaben) und gleichzeitig einem Bedürfnis nach Sachlichkeit (Vereinfachung). Die Lebendigkeit und Unmittelbarkeit ihres Ausdrucks müssen auch den graphologischen Laien beeindrucken, und jeder wird einsehen, daß ein solches Temperament nicht im Hofzeremoniell, nicht in den Mauern der Tradition gefangengehalten werden konnte.

Hier fordert ein Löwe sein Recht auf Teilhabe und Selbstbestätigung, er meldet seinen Wunsch nach Größe (Anfangsbetonung) an und wird, ein geborener Tatmensch mit leidenschaftlicher Einsatzbereitschaft (Rechtsschrägheit), durch die Umstände zu Untätigkeit verurteilt. Den vorliegenden Abschiedsbrief soll der Kronprinz zwei Tage vor seinem Tod geschrieben haben. Man erkennt, daß die Spontaneität und Frische bis zu diesem Zeitpunkt erhalten blieben. Trotz seiner großen Impulsivität gelingt es ihm, die Textmenge in einem ausgewogenen Verhältnis auf das Papier zu bringen: ein Zeichen innerer Geschlossenheit und der Gegenbeweis für die Behauptung, der Thronfolger sei schwer psychopathisch gewesen. Zu falscher Einschätzung seiner Qualitäten könnte ein Ungeübter zwar durch Rudolfs Neigung zu vorschnellem Urteilen (Merkmale: Eile, Druck, Größe, Lockerheit, Girlande) verleitet werden. Aber die innerhalb der Wörter immer kleiner werdenden Buchstaben zeigen an, daß der raschen Entflammbarkeit eine sachlichere Überlegung folgte und daß ihm die «Haltung» trotz aller Dynamik nicht verlorenging.

Warum sollte ein tatendurstiger junger Mann mit solchen geistigen Fähigkeiten «Selbstmord» begehen, wie es in der amtlichen Verlautbarung hieß; und warum sollte sich ein Rechtshänder und zugleich ein Mann ohne Finten und Heucheleien in die linke Schläfe schießen? Die hohen, für den Löwen jedoch untypisch schmalen Buchstabenformen weisen lediglich darauf hin, daß dieser Löwe ohne Reich für seinen brennenden Ehrgeiz keinen Spielraum fand. Seine ungefestigte Stellung, der unbefriedigte Ehrgeiz, störten zweifellos sein seelisches Gleichgewicht (Höhenschwankungen der Langlängen). Trotzdem wirkt die Schrift viel zu unternehmungslustig, um auf einen Freitod aus Verzagtheit und Selbstaufgabe schließen zu lassen. Sehr viel näher liegt die Vermutung, daß Rudolf ein Opfer seiner Neigung zu Eigenmächtigkeiten gegenüber den Prinzipien der Staatsräson wurde: Man beachte die lang ausgezogenen Endstriche; dazu paßt auch der energische Druck, der, verbunden mit Unregelmäßigkeit, Aufschluß gibt über den Eigensinn und den Drang, seine Absichten zu verwirklichen. Bezeichnenderweise vertreten manche Historiker die Auffassung, der Thronfolger sei von ultranationalen Gegnern seiner liberalen Ideen wegen ermordet worden.

Was wirklich geschah, vermag freilich auch die Astro-Graphologie nicht zu sagen. Sie kann nur ihre Skepsis äußern, daß ein Mensch, der sich in seinem letzten Brief so überströmend aktiv und lebensbejahend zeigt, noch ganz übereinstimmend mit seinem Verhaltensmuster als spontaner Löwe, zum Revolver gegriffen haben soll, um sich und die Geliebte umzubringen. Sämtliche Dokumente, die zur Erhellung der tatsächlichen Vorgänge hätten beitragen können, wurden angeblich auf höchsten Befehl vernichtet. Möglicherweise hatte sich der Kronprinz in der Ungarnfrage politisch zu weit vorgewagt, jedenfalls wurde er vom Ministerpräsidenten der Donaumonarchie wie ein Staatsfeind überwacht. Rudolf sah sich einem systematischen Rufmord ausgesetzt, in seiner Freiheit eingeschränkt und beklagte sich oft über diesen Zustand. Er fürchtete um sein Leben, besonders wenn er sich von der Hauptstadt entfernte.

Wahrscheinlich, um auf die Unwürdigkeit seiner Situation aufmerksam zu machen, drohte er mit Selbstmordabsichten. Mit löwischer Impulsivität und Nonchalance verfaßte er sogar einen Abschiedsbrief, ohne ihn, wie der lebendige Schwung der Schrift verrät, allzu ernst zu nehmen. Jemand, der von der Existenz des Schreibens wußte und dem Erzherzog nach dem Leben trachtete, hatte damit leichtes Spiel. Interessant ist, daß man den hier abgedruckten Brief nicht am «Tatort», also im Jagdschloß Mayerling, fand, sondern in Rudolfs Schreibtisch in Wien. Mit Sicherheit war er – wie ein graphologischer Vergleich mit anderen Briefen von seiner Hand beweist – nicht gefälscht. In der Kontroverse «Selbstmord oder politischer Mord?» tendiert die Astro-Graphologie unbedingt mehr zur Annahme eines Mordes. Eine Tendenz zur Selbstzerstörung ist nicht erkennbar.

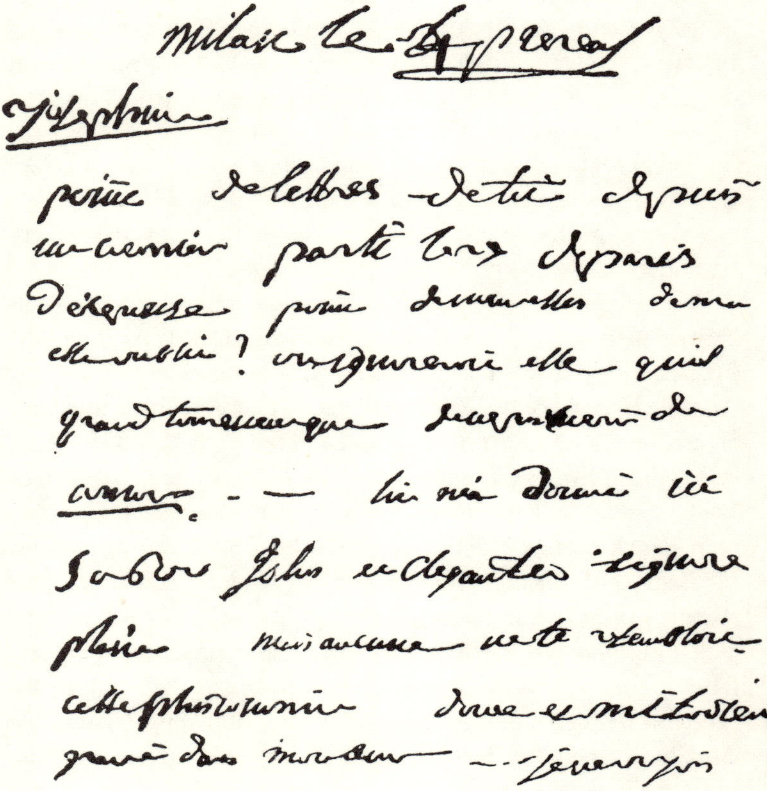

Der nicht verwirklichte Löwe

Napoleon I., Kaiser von Frankreich, geb. 15. 8. 1769

Es ist beinahe abgeschmackt, Napoleon Bonaparte als Paradebeispiel für einen Löwen heranzuziehen. Das Raubtierhafte seines Wesens, das in Europa eine Beute sah, die nur ihm zustand, legt es nur allzu nahe. Trotzdem wähle auch ich dieses Beispiel. Es zeigt nämlich, daß eine exzessiv betriebene Wesensverwirklichung unharmonisch enden muß. Die Klagessche Idee der Überwertigkeit, die alles ins Negative rückt, wird damit angesprochen. Der Napoleon-Biograph Friedrich Sieburg schreibt: «Es ist unmöglich, Napoleon eine Mission zuzuschreiben, der er gedient hätte. Er wollte sich. Er wollte seine Persönlichkeit vollenden, er wollte seinem schöpferischen Drang Genüge tun, *sein Ziel war er selbst.*» Und seine Zielstrebigkeit maßlos könnte man hinzufügen. Seine Schrift besteht aus Superlativen. Sie ist im Übermaß spontan, unregelmäßig und druckstark. Eine Löwe-Schrift soll zwar etwas Unmittelbares haben, aber bei ihm findet mit jedem Strich geradezu eine Explosion statt. Jede Eingebung wird sofort und auf intensivste Weise umgesetzt. Er dringt als willkürlich und getrieben handelnder «Abenteurer des Erlebens» (Pophal) in eine Weltordnung ein und bringt deren Gesetzmäßigkeit durcheinander.

Die Bestandsaufnahme seiner Schrift ist schwierig. Sie ist weder groß noch klein, hat sowohl große als auch kleine Längenunterschiede und weist alle Bindungsformen – Winkel, Arkade, Girlande und Faden – auf. Ihre einzige Konstanz besteht in ihrer Uneinheitlichkeit. Ein durchgehendes Form- und Bindungsprinzip fehlt total und zeigt damit einen Löwen im Exzeß. Jedes Schriftmerkmal spricht für sich von der Eigenwilligkeit des Schreibers, der, ohne inneren Schwerpunkt, mit stürmischer Kraft auch vor einem sinnlosen Unternehmen nicht zurückschreckt. Härte (Winkel) wechselt jäh mit absoluter Aufnahmebereitschaft (Girlande); neben Formlosigkeit (Faden) steht falsches Zeremoniell (Arkade) und über allem schwebt eine explosive Gereiztheit (Schwankungen im Druck und Richtungsänderung). Jede Regung seines Inneren spiegelt sich ungefiltert und unverarbeitet in seinem Äußeren wider, er verwirklicht sich sofort, spontan und intensiv. Der Abbé de Pradt, Napoleons Botschafter in Warschau, sagte dazu: «Sein Geist ist so überaus biegsam, daß er die Gabe hat, seine gesamten Kräfte sprunghaft umzustellen; er wirft sie im gegebenen Augenblick alle gleichzeitig auf die Sache, von der er gerade angetan ist.» Wenn man dazu den Druck in Betracht zieht, der hinter jedem Buchstaben steht, herrscht hier ein Opportunismus der Tat, eine Motorik des Verwirklichens, der kaum jemand standzuhalten vermag. Übliche Kennzeichen von Machtstreben sind Überstreichungen, harte Winkel, Abstriche, die vor Druck strotzen. Napoleon braucht nichts davon, ihm genügt seine Spontaneität, der intensive Druck und die überaus große Verbundenheit, die anzeigt, daß ihm der Atem nie ausgeht.

Als Mensch gewordenes kriegerisches Perpetuum mobile raste er über die Kriegsschauplätze Europas und führte seine Staatsgeschäfte ebenso von der Kutsche wie von den fremden, eroberten Residenzen aus. Mehr als vierzigtausend Briefe und andere Schriftstücke sind von ihm erhalten, und gemäß der dem Löwen eigenen Direktheit, die immer aufs Tatsächliche abzielt, ist kaum ein Handschreiben reflektierender Natur darunter. Sein Umgang mit der Feder macht sogleich deutlich, daß es ihm nicht schnell genug ging mit diesem Werkzeug. Wichtig waren für ihn die Fakten; über Formalitäten wie Rechtschreibung und Gestaltung setzte er sich hinweg. Ganz eindeutig zeigt seine Schrift den Tatbestand der Egozentrik und einen Mangel an Achtung gegenüber seiner Umwelt (Flüchtigkeit, Unleserlichkeit).

Löwen haben nun mal ein sehr ausgeprägtes Selbstbewußtsein. Als verkörperte Souveränität bringen sie gern zum Ausdruck, daß sie die Lage allzeit beherrschen, alles durchschauen und sich nach niemandem als sich selbst richten. Napoleon war insofern kein Ausnahme-Löwe. Er beging auch – wie viele

Löwen – den Fehler, andere Menschen zu vernachlässigen. Das unterstreichen die Partien der Linksläufigkeit in seiner Schrift, die trotz all seiner Äußerungswut auf den reservierten, mit sich selbst beschäftigten Mann hindeuten. Er kam sich stark genug vor, das Leben ohne Freunde zu meistern, und er hielt Schroffheit für die angemessene Umgangsform eines Imperators. «Er demütigt zuviel und straft nicht genug», klagt Hortense, seine Stieftochter. Damit nennt sie die Gefahr, in die sich jeder Löwe begibt, der zwar seine Umwelt durchschaut, aber keine Konsequenzen daraus zieht, weil er sich allzu sicher fühlt. Dieses selbstherrliche, unkluge Vertrauen auf die eigene Kraft macht Napoleon zum Extrem-Löwen, der scheitern muß. Kein Mensch kann sich auf die Dauer ein Leben leisten, das auf der Unwilligkeit basiert, übergeordnete Gesichtspunkte anzuerkennen.

Wer, wie Napoleon, mit seiner Schrift demonstriert, daß er einen durchgehenden Formgedanken ablehnt, verneint damit ein geistiges Richtmaß. In der tödlichen Verbannung auf St. Helena kam ihm diese Erkenntnis mit dem Satz: «Es gibt nur zwei Mächte auf der Welt, den Säbel und den Geist. Auf die Dauer wird der Säbel immer vom Geist besiegt.»

Messieurs, profondement touché des desas
la France, et du devoir que m'impose la
au maintien de l'ordre et de la tranquillité
cesse d'employer tous les moyens qu'elle
pour retablir l'ordre, et faire executer les
j'avois choisi pour mes premiers agents des
l'opinion publique, et l'honnesteté de leurs
recommandables; ils ont quittés le Minis
devoir les remplacer par d'autres accr
opinions populaires. vous m'avez si sou
que ce parti etoit le seul qui peut
malheurs actuels que j'ai cru devoir ne
qu'il ne reste aucune ressource à la
jetter des doutes sur le desir constant
toujours, de prendre tous les moyens
le bonheur de notre Pays. en conseq
fais part du choix que je viens de

Mr Roland de la Platière po
de l'interieur, et de Mr Clavière pour
contributions publiques

Louis

Die verwirklichte Jungfrau

Ludwig XVI., König von Frankreich, geb. 23. 8. 1754

Als letzter Vertreter eines fragwürdig gewordenen Regierungssystems war Ludwig XVI. dazu bestimmt, für die Fehler seiner Vorgänger zu büßen. Er war sozusagen der letzte, den dann die Hunde beißen, ganz gleich, ob er schuldig ist oder nicht. Die Geschichte brauchte ein Opfer, um eine Epoche abzuschließen und eine neue beginnen zu können. Sie hätte kein besseres finden können.

Ludwig XVI. besaß die typischen Eigenschaften des Jungfrau-Geborenen: Sanftmut, Zurückhaltung, Bescheidenheit, Anpassungsfähigkeit, Sorgfalt und viel Sinn fürs Detail. Er hätte einen braven Privatgelehrten abgegeben oder einen vorzüglichen Handwerker – eine seiner Lieblingsbeschäftigungen bestand darin, defekte Türschlösser, wackelnde Tischbeine und klemmende Schubladen zu reparieren –, vor allem aber einen gutbürgerlichen Familienvater. Doch das alles war ihm nicht vergönnt, denn er mußte einen Thron übernehmen.

Mit dem jungfrau-typischen Klarblick und kritischen Beurteilungsvermögen der eigenen Kräfte erkannte er schnell, daß er dieser Aufgabe nicht gewachsen war und machte auch keinen Hehl daraus. Er verfügte indessen auch nicht über die Gabe seiner Vorgänger, die Regierungsgeschäfte geeigneten Leuten zu überlassen. Mit seiner kleinen rechtsschrägen Schrift ohne große Längenunterschiede zeigt Ludwig XVI. deutlich die Bereitschaft, nach bestem Wissen und Gewissen seine Pflicht selbst zu tun.

Daran aber wäre in dieser Situation und zu diesem Zeitpunkt wohl jeder gutwillige Monarch gescheitert: Zwischen zwei Gegensätzen, der Tradition und der Volksmeinung hin und her gerissen, sollte er der französischen Nation eine neue Ordnung geben. Das konnte nicht ohne Kollisionen geschehen. Doch als Jungfrau mit einer verbindlichen Schrift und dem typischen Bedürfnis, Gleichgewichte herzustellen, glaubte er, unerschütterlich zwischen den Ansprüchen des Adels und den Forderungen des Dritten Standes lavieren zu können.

Die Jungfrau ist kein Entweder-Oder-Typ. Sie läßt es nicht auf harte Konfrontationen ankommen. Ludwig XVI. verdeutlicht das besonders durch die geringen Längenunterschiede, den mangelnden Druck und die Girlandenbindung, die noch dazu abwechselt mit der gelernten Bindungsform (Einhaltung der Schulvorlage beim Abgrenzen des *m* und *n* vom *u*). Besonders das zuletzt genannte Merkmal läßt deutlich erkennen, daß ihm ein eigenes Programm fehlte, daß er sich «willig den herrschenden Autoritäten unterordnete» (Pophal), und davon gab es eine ganze Menge. Seine Frau, seine Verwandten, seine Freunde – jeder wollte etwas von ihm. Beständig schwankend wurde er zum Werkzeug der verschiedensten Interessengruppen, und in seiner harmlos verbindlichen Art (Girlandenschreiber!) glaubte er, allen gerecht werden zu können.

Seine menschliche Größe liegt in der Schicksalsbereitschaft, mit der er die Ereignisse, die auf ihn zukamen, ertrug. Seine Schrift zeigt weiterhin Aufnahmebereitschaft, Schlichtheit, Lebendigkeit. Er blieb trotz allem – der Brief wurde 1792 im Gefängnis geschrieben – seelisch ungebrochen (Rhythmus trotz Unregelmäßigkeit und Verbundenheit) und unterwarf sich fast ohne Verbitterung seinem Los oder auch – da er aufrichtig religiös war – einer höheren Einsicht (ansteigende Formen des *n* und *M*).

Auffallend an dem Schriftstück ist der Kontrast zwischen der Normalschreibweise und der Unterschrift, der allein schon die ganze Tragödie seines Lebens erzählt. Hier rafft sich ein schlichter (einfache Buchstabengestaltung) Mann dazu auf, etwas gelten *zu wollen*, weil er etwas gelten *muß*. Dabei stehen die hochgestreckten Buchstaben auf einer derart schmalen Basis – das heißt, sie sind hoch, ohne breit zu sein –, daß von vornherein der Mangel an Standfestigkeit, der dieser falschen Größe zugrunde liegt, offenbar wird. Nach Langenbruch bedeutet der Unterschied zwischen einer kleinen Textschrift und einer großen Unterschrift eine Diskrepanz zwischen beruflicher Selbsteinschätzung und dem intimeren Selbstwertgefühl. Man sieht das öfter bei Beamten, die bei der Ausübung ihres Berufes unnahbar erscheinen, außerberuflich aber durchaus freundlich und zugänglich sind. Ludwig XVI. fühlte sich in seiner Rolle als König nicht besonders wohl, doch er akzeptierte die Notwendigkeit, eine andere Person darstellen zu müssen, als er war. Dank dieser vernünftigen Trennung von Pflicht und Neigung konnte er sich seine persönliche Eigenart erhalten.

Eine Bestätigung dieser Deutung liefert die Ironie des Schicksals. Man weiß heute, daß Ludwig XVI. erst im Gefängnis «sein Glück fand». Endlich war ihm – wenn auch unter sehr zweifelhaften Umständen und nur für kurze Dauer – die Ruhe vergönnt, nach der er sich so lange gesehnt hatte: Er mußte nicht mehr herrschen und genoß, was er am meisten liebte, das Leben in der Familie. Ganz ohne Zweifel war er lieber ein «normaler» Familienvater, der seine Kinder unterrichtete, als Politiker. Dieser König, dem es stets mehr um die Anpassung als um die Durchsetzung seines Ichs ging, blieb sich bis zum tragischen Ende auf dem Schafott gerade dadurch treu, daß er sich in alles fügte, was das Leben für ihn bereithielt.

Die nicht verwirklichte Jungfrau

Ludwig XIV., König von Frankreich, geb. 6. 9. 1638

Jungfrau-Geborener zu sein und Sonnenkönig sein zu wollen, ist schon vom Prinzip her ein Ding der Unmöglichkeit. Die Sonne herrscht im Löwen, sie äußert sich dort in ihrer unmittelbaren Kraft und schenkt so den Löwe-Geborenen das, was ein Sonnenkönig repräsentieren sollte: selbstverständliche, gelassene Souveränität. Die Jungfrau aber, das darauffolgende Zeichen, hat die Aufgabe, diese Fülle unter Kontrolle zu bekommen. Sie macht aus der Selbstverständlichkeit die bewußte Steuerung, aus dem Spontanen das Überlegte. Echt ist an Ludwig XIV. das Geburtsdatum, also muß sein Auftritt als Sonnenkönig eine Rolle gewesen sein, die er nur bravourös mimen, mit der er sich jedoch innerlich nicht identifizieren konnte.

Ein Blick auf seine Schrift bestätigt diese Vermutung. Der starke Raumanspruch, den er, seiner Rolle entsprechend, auch graphisch ausdrückt, entsprang keinem souveränen Bewußtsein, sondern war bewußte Allüre. Die Diskrepanz zwischen Sein und Schein, die sich in diesem «Der Staat bin ich!» äußerte, zerstörte seine natürliche Balance und führte schließlich zu einer seelischen Störung. Man erkennt das an dem disharmonischen unelastischen Schriftbild, das weder Wärme noch Ursprünglichkeit ausstrahlt. Das dominante Merkmal ist die Arkade. Sie wird für Groß- und Kleinbuchstaben, für Verbindungsstriche und sogar für Schleifen (das *ll* in «elle») eingesetzt und – was die Sache noch schlimmer macht – abgewinkelt und gestützt. Die Winkelarkade bedeutet betonte Förmlichkeit, die gestützte Arkade krankhafte Verschlossenheit. Das alles verbindet sich mit dem Druck, der dahintersteht, zu einem geradezu sturen Repräsentierenwollen. Der eigenen Jungfrau-Natur verschließt sich Ludwig XIV. entschieden. Sie würde kleinere Buchstaben verlangen, das heißt mehr Sachlichkeit, mehr Schlichtheit und Wirklichkeitssinn und – weil es ihr um die Anpassung und Integrierung geht – auf jeden Fall die Arkade, das Zeichen der Unzugänglichkeit vermeiden. Der Widerstreit im Wesen des Sonnenkönigs zeigt sich besonders deutlich in den ungleich hohen Kurzbuchstaben. Mal groß, mal klein zeigen sie, daß sich der Schreiber an kein Maß hält. Ohne den Sinn für die Angemessenheit von Verhältnissen aber ist der Jungfrau die Grundlage ihres Verhaltens entzogen. Sie fühlt sich dann wie in einem Niemandsland, ohne Orientierungspunkte, weil die Überschaubarkeit zugunsten aufgepfropfter Größe aufgegeben worden ist. Darunter leidet auch das geistige Beziehungsvermögen (teilweise unverbundene, zerrissene Schrift), und anstatt harmonisch zu koordinieren, stellt er willkürliche Zusammenhänge her. Die Unfähigkeit, natürliche Kontakte zu unterhalten, zeichnet den Weg vor in die innere Isolierung. Von einem solchen Menschen kann man kein Verständnis mehr erwarten, er hat sich den Zugang zu den eigenen Einsichtsmöglichkeiten verbaut und raubt der Schrift Tag für Tag mehr von der ohnehin sparsamen Fülle. Mager, eckig und scharf offenbaren sich innere Leere, Intoleranz und Härte.

Der glänzende Rahmen, der ihn umgab, täuschte über diese Eigenschaften hinweg – sogar den König selbst. Außerdem glaubte er, sich durch seine eigene Idolisierung auch innerlich zu dem verwandeln zu können, was er äußerlich zu sein vorgab. Das vor allem war die Motivation für den Bau von Versailles. Als Symbol seiner Macht sollte es der Vergöttlichung des großen Ludwig dienen.

Nach außen hin erreichte er sein Ziel. Der Sonnenkönig und sein Hof wurden zum Vorbild aller europäischen Monarchien. In Wirklichkeit aber entsprach der pompöse und ungemütliche Riesenbau von Versailles nicht dem Mann, der ihn hatte errichten lassen. Die Anlage diente nur als Kulisse und Dekoration zu einem Schauspiel, das tagtäglich mit größtmöglichem Aufwand aufgeführt wurde. In dem geometrisch gekünstelten Park war den Pflanzen vorgeschrieben, nach welcher Richtung sie zu wachsen hatten; die Natur sollte einem Machtwillen unterworfen werden. Ludwig brauchte einen solchen Hintergrund

und Rahmen, um seiner angemaßten Größe Halt zu geben, ebenso wie das tägliche Spektakel des bombastischen Hoflebens und seinen vielgerühmten «Kulturbetrieb». Doch diese Stimulantien wirkten nicht ewig. Der Sonnenkönig wurde ihrer mit der Zeit überdrüssig.

Es wurde ihm klar, daß bei allem Reichtum und aller Machtentfaltung seine Ansprüche an das Leben unerfüllt geblieben waren. Er zog sich zurück und wurde zu einem Misanthropen, krank an Seele und Körper, dem selbst die Lust an den üppigen Mahlzeiten durch die zunehmenden Beschwerden genommen wurde. Die unbewußte Sehnsucht nach einem «versäumten Ich» ließ ihn jungfrauhaft empfänglich werden für die Frömmelei der Marquise de Maintenon, mit der er sich heimlich trauen ließ. Er hoffte, auf ein neues Lebensgefühl durch die eigene Läuterung, verfiel aber – weil ihm der Weg wahrer Einsicht versperrt blieb – mehr und mehr sentimentaler Bigotterie. Die Durchsetzung der konfessionellen Einheit Frankreichs, die Vertreibung der Hugenotten und die damit verbundene große volkswirtschaftliche Schädigung des Landes – all das geht auf das Konto dieser Jahre.

Die letzten fünfzehn Jahre lebte er das Leben eines bereits Abgetretenen, ohne Anteilnahme, ohne seelische Resonanz und glich damit seiner Schrift, die in ihrer manierierten Starrheit diesen Zustand vorweggenommen hatte.

H. Herr A. Werner Cronquist
Stockholm

Brefven af 22 & 24 måste hafva blifvit något liggande i Hamburg ty jag erhöll dem först i går vid min återkomst hit.

Jag nästan betviflar möjligheten att medelst Eder method framställa stubin som ej är för skör och dock säkert leder elden under alla förhållanden som i praktiken kunna förekomma, t. ex. efter att hafva befunnits en timma i vattensjukt borrhål.

Hvad den Ryska affären angår så är det mig omöjligt att deri ingå ty hvarje bryst företag, hvari man deltager, förorsakar nytt bråk och arbete, hvaraf jag redan har mångfaldigt mer än passligt för min ålder, håg och förmåga. Det säges alltid, då man insätter penningar i ett företag, att participationen ej skall medföra besvär, men min erfarenhet, så långt den räcker, har alltid visat motsatsen.

Med utmärkt högaktning

Die verwirklichte Waage

Alfred Nobel, geb. 21. 10. 1833

Daß ausgerechnet der Erfinder eines hochexplosiven Sprengstoffs zu einem Förderer des Friedens wird, ist zweifellos ungewöhnlich. Um diese widersprüchliche Kombination zu erklären, wird häufig auf den Willen zum Ausgleich hingewiesen, auf den Wunsch, den Gewinn im Kriegsgeschäft durch eine Spende für den Frieden zu neutralisieren. Eine solche Argumentation aber wird der Person Nobels nicht gerecht, wie die Astro-Graphologie aufzeigen kann.

Zwei im Grunde unvereinbare Ausgangspunkte sind für Nobels Lebenslauf und seine Verhaltensweise von besonderer Bedeutung gewesen: Er wurde in die Sprengstoff-Fabrikation, die sein Vater betrieb, hineingeboren – und das als Waage-Geborener! Die Waage ist dem Widder polar entgegengesetzt. Da, wo dieser angreift und anderen seinen Willen aufzwingt, greift sie Vorgefundenes auf und entwickelt Methoden, die der Lage angepaßt sind. Mit ihrem Drang nach Gleichgewicht nimmt sie den Anstößen von außen die Spitze. Die Erfindung des Dynamits, die Nobels legendären Ruhm und Reichtum begründete, ist deshalb eine echte Waage-Leistung. Es gelang ihm, die unberechenbare Sprengkraft des Nitroglyzerins (der dynamische Widder) gewissermaßen zu harmonisieren (die ausgleichende Waage), indem er es mit Kieselgur verband. Erst dadurch wurde Nitroglyzerin gefahrlos transportabel und kontrolliert zündbar. Ebenso entspricht eine andere, für die Sprengtechnik noch bedeutendere Erfindung, nämlich die Sprengkapsel, dem Waage-Bedürfnis nach geplanter Aktion. Der bis dahin unberechenbare Simultanablauf von Zündung und Explosion wurde durch eine Initialzündung geregelt. Schritt für Schritt verfeinerte Nobel die Kombinationsmöglichkeiten, bis er mit seinem «Ballistit» einen Sprengstoff vorlegen konnte, der keinerlei «unkontrollierte Erregbarkeit» mehr besaß. Ballistit blieb «ruhig» –

ob man es zwischen heißen Walzen rollte oder unter Hitzeeinwirkung in Formen preßte – und explodierte nach der Zündung mit mathematischer Präzision.

Der Waage-Wunsch nach Ausgleich, selbst von Dingen, die in ihrer Schärfe und Herausforderung das genaue Gegenteil von Ausgewogenheit darstellen, war erreicht, und zwar genau auf Waage-Art. Nobel hatte, wie gesagt, Vorhandenes miteinander in Verbindung gebracht und harmonisiert. Er assoziierte und bildete Systemketten, wie auch seine im Übermaß verbundene Schrift zeigt. Selbst die längsten Wörter sind ohne Binnenlücken geschrieben. Das widerspricht dem intuitiven, erfinderischen Denken, denn gerade die Unterbrechung des logisch-traditionell Verknüpften, das heißt, graphologisch gesehen, die unverbundene Schrift, ermöglicht den Vorstoß ins Neuland, abseits von gegebenen Kausalketten. Die Erfindungen Nobels entstanden aus der Waage-Verhaltensweise des geistig geschmeidigen Verfahrenstechnikers. Und der Verwertung dieser Erfindungen widmete er sich mit der gleichen Gewandtheit und einem Elan (dynamische Eile), die er in alle Bereiche seiner geschäftlichen Aktivitäten einbrachte. Er war der geborene Unternehmer, doppelt und dreifach gekennzeichnet durch Antrieb (Eile), Zielstrebigkeit (Weite), Aufgeschlossenheit (Girlande), Kontaktfreude und Betriebsamkeit (Rechtsläufigkeit), voll Einfühlsamkeit (Rechtsschrägheit) und Willenskraft (Druckstärke).

Das einzige, was ihm bei seinem vielseitigen Einsatz und weitem Horizont fehlte, war Ruhe. Seine Schrift wirkt gehetzt. Die Eile und die übermäßige Verbundenheit zeigen an, daß er sich kaum eine Minute der Entspannung gönnte, daß zumindest sein Geist in permanenter Aktion war. Dadurch mangelt der Schrift das Ebenmaß, und Nobel fehlt die Kontemplation, die man zur eigenen Harmonisierung braucht. Wenn er also einen Ausgleich schaffen wollte für ein Leben, das man bis auf diese Ruhelosigkeit als erfüllt betrachten kann, dann auf eine Weise, die mehr den ruhigen Wissenschaftler in ihm als den gehetzten Industriellen hervorkehren sollte. Nobel wußte, daß er ein Ausnahmefall war und daß wissenschaftliche Bahnbrecher selten ihre Erfindungen auch in gewinnbringende Produkte umzusetzen verstehen. Intuitives Erfinden einerseits und geschicktes Verwerten sowie das Anpassen einer Erfindung an technische Normen andererseits sind Fähigkeiten, die fast immer einander ausschließen. Genaugenommen baute ja auch er auf der von dem Italiener Sobrero gemachten Erfindung des Nitroglyzerins auf. In Anerkennung dieser «Pfadfinder der Wissenschaft», die, wie er aus eigener Erfahrung wußte, Unabhängigkeit brauchten, um in Ruhe arbeiten zu können, stiftete er seine hoch dotierten Preise und machte im Sinne seiner Waage-Konzeption zur Bedingung, daß die jeweiligen Forschungen, Literaturwerke oder humanitären Leistungen, die preisgekrönt werden, dem Wohl der Menschheit und der Verbrüderung der Völker dienen.

Um dieses harmonische Zusammenleben der Menschheit als Ganzes ging es ihm in letzter Konsequenz sogar bei der Entwicklung seiner Kriegsmaterialien. Er entwarf Pläne für Vereinigungen wie den Völkerbund oder die UNO als institutionalisierte Waage-Prinzipien, forderte aber auch die Entwicklung einer Superwaffe, die als abschreckendes Massenvernichtungsmittel jeden weiteren Krieg verhindern sollte.

Mit der Atombombe wurde Nobels Idee eines «furchtbaren Friedensstifters» Realität. Sie entsprang dem überwertig betonten Waage-Prinzip, «das selbst dort zur Harmonisierung drängt, wo Unabwägbares vorliegt» (Döbereiner) – was auch dem leicht zwanghaften Verbindenwollen in Nobels Schrift entspricht. Das Streben nach Harmonie um jeden Preis kann aber, wie die Devise «Frieden durch Atomrüstung» gelehrt hat, zu einer tödlichen Gefahr werden, wenn der Blick für das noch moralisch Vertretbare verlorengeht.

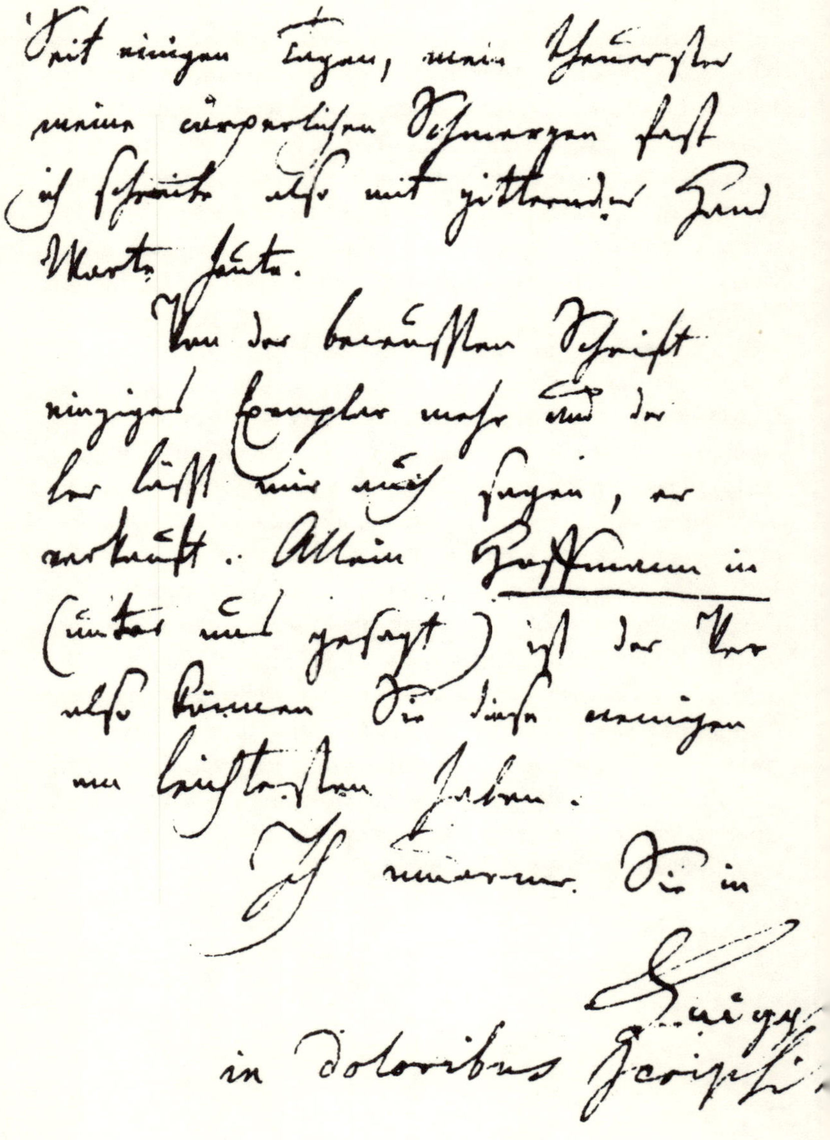

Seit einigen Tagen, mein Theuerster
meine körperlichen Schmerzen fast
ich schreibe also mit zitternder Hand
Worte heute.
Von der bewußten Schrift
einziges Exemplar mehr und der
[illegible] läßt mir auch sagen, er
erkennt. Allein Hoffmann [illegible]
(unter uns gesagt) ist der [illegible]
also können Sie diese wenigen
[illegible] leichtesten Jahre.
Ich umarme Sie in
Guigg
in doloribus scripsi.

Die nicht verwirklichte Waage

Adolph Freiherr von Knigge, geb. 16. 10. 1752

Ein Waage-Geborener, der ein Buch schreibt *Über den Umgang mit Menschen,* ist eine astrologische Delikatesse. Der Versuch, die praktischen Fragen des Zusammenlebens verbindlich zu regeln, entspricht in typischer Weise dem Waage-Bedürfnis nach Umweltharmonie.

Ein Blick auf Knigges Handschrift allerdings genügt, um zu erkennen, daß es mit seinem Sinn für Ausgewogenheit eher schlecht bestellt war. Die winzige Mittelzone steht in keinem Verhältnis zu den enormen Ausschlägen der Ober- und Unterzone, die eingestreuten absurden Bereicherungen passen nicht zu der anspruchslosen Kargheit der übrigen Buchstaben. Allerdings, die Kurzbuchstaben sind alle gleich groß, und es besteht eine Regelmäßigkeit der Formen, die nur von gedrechselten Verschnörkelungen durchbrochen wird. Dadurch erscheint die Schrift bis auf die übertriebene ästhetische Stilisierung wenigstens einheitlich.

Um diese Regelmäßigkeit zu erreichen, unterdrückt Knigge seine individuelle Lebendigkeit zugunsten einer imponierenden Form. (Die Schwankungsbreite der Schriftelemente wird peinlichst eingehalten.) Er verwirklicht durch ästhetische Schematisierung seinen Waage-Wunsch nach einem geregelten Miteinander der Buchstaben wie auch der Menschen. Er verkennt indessen – ein nicht nur auf Waage-Geborene beschränktes Problem –, daß man Harmonie nicht erzwingen, nicht erlernen und auch nicht vorschreiben kann. Genauso wie das optische Gleichgewicht auf dem Papier von der inneren Balance abhängt, wird auch die praktische Lebensgestaltung von dieser inneren Steuerungszentrale gelenkt. Eine allgemeingültige Gebrauchsanweisung für den Umgang mit Menschen kann es deshalb nicht geben, und den Beweis dafür liefert uns Knigge selbst. Er starb mit 43 Jahren als vorzeitig gealterter, am Leben gescheiterter Mann, der sich in keiner seiner zahlreichen Positionen hatte behaupten können. Immer auf der Flucht – als betrügerischer Anwerber eines obskuren Illuminatenordens, als Aufklärer und Befürworter der französischen Revolution oder auch nur als Urheber von Pamphleten, die ihm peinliche Gerichtsverhandlungen eintrugen –, demonstrierte er, daß er sich auf den Umgang mit Menschen am wenigsten verstand. Der angeblich so abgeklärte, weltkluge Mann machte vor allem sich selbst etwas vor und versuchte krampfhaft, die eigene Disharmonie durch formale Äußerlichkeiten zu neutralisieren.

Sein winzig kleines Mittelband (Kurzbuchstaben) zeigt auch, daß er aus Mangel an Selbstgefühl mit der Welt nicht fertig wurde. Das muß besonders schmerzlich für ihn gewesen sein, da die ausgreifenden Längenunterschiede übersteigerte Ansprüche deutlich machen. Sein Geltungsdrang ging also nicht konform mit dem Mut, sich zu seinem Ich zu bekennen. Er schwankte zwischen maßlosem Aufbauschen seines Ichs und ängstlichem Selbstzweifel. Die Größe, die er sich durch die sehr hohen Ober- und Unterlängen anmaßte, entspricht keiner inneren Größe. (Die Mittelzone kann zur Gesamtlänge kaum in Beziehung gesetzt werden.) Er braucht also die Pose, er braucht fremde Federn, um sich zu schmücken und seinen Traum von Macht und Ruhm zu realisieren. Eines dieser Mittel, ohne direktes Handeln zu geistiger und moralischer Vervollkommnung zu gelangen, sah er im Eintritt in einen Geheimorden. Mehrere Jahre verbrachte er in der Erwartung großer Erleuchtungen über die Harmoniegesetze der Welt. Vergebens, die Organisation erwies sich als Schwindel, und Knigge mit seinen moralischen Gebrauchsanweisungen und der ihnen entsprechenden engen, unspontanen, gedrechselten Schrift gibt ein ausgezeichnetes Beispiel dafür, wie leicht man sich ohne eigenen Schwerpunkt und ohne natürlichen Instinkt von außen steuern und nasführen läßt.

Die unwillkürliche Äußerung des persönlichen Verhaltens setzt ein unverkrampftes Wesen voraus. Je ungekünstelter und ungestörter der Ablauf der Schrift vor sich geht, um so mehr

Ebenmaß wird darin zu finden sein. Und Ebenmaß wünscht sich die Waage. Ohne Ebenmaß aber wird das eigene Sicherheitsgefühl allzu leicht erschüttert, und aus Angst vor dem unübersehbaren Leben fordert man dessen Reglementierung.

Knigge scheiterte deshalb am Leben, weil er sich nie natürlich gab, weil er mit seiner Künstelei immer den falschen Ton traf und – für eine Waage ein tödliches Vergehen – mit dem Verlust seiner Mitte in seinen Forderungen und Ansprüchen maßlos wurde. Die Konfrontationen, die sich dadurch ergaben, sind für eine Waage psychisch untragbar. Schon mit 36 Jahren versagten seine Nerven, mit 40 litt er an Gallensteinen und Gicht. Der große Erfolg seines Buches *Über den Umgang mit Menschen,* das früher in jeder gutbürgerlichen Familie neben der Bibel lag, stimmt eher traurig. Zeigt er doch, wie viele Menschen sich lieber hohlen Regeln fügen, als den Mut zur eigenen Individualität aufbringen.

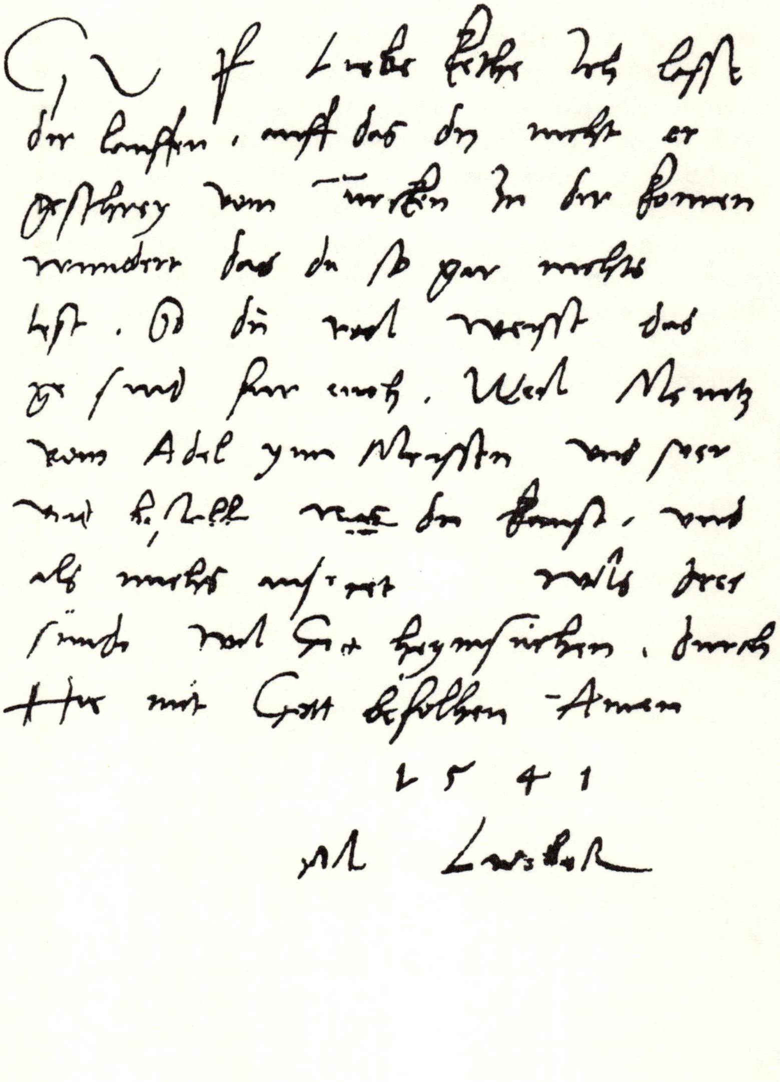

1541

Der verwirklichte Skorpion

Martin Luther, geb. 10. 11. 1483

Eine Reformation des Kirchenwesens war zu Beginn des 16. Jahrhunderts fällig. Die zahlreichen kirchlichen Mißstände, die übermäßigen Machtansprüche des Papstes und des Klerus hatten geradezu ein Verlangen danach ausgelöst. Regional waren bereits Reformversuche unternommen worden, aber sie mißlangen; auch die Dispute auf den Reformkonzilien waren nur Gelehrtenstreit. Was fehlte, war ein neues Glaubensmodell.

Das war genau die richtige Aufgabe für diesen Skorpion. Immer auf der Suche nach absoluten Maßstäben, soll er wie kein anderer geeignet sein, in dieser Situation eine geistige Neuordnung anzubahnen. Luther lieferte die Idee, die stark genug war, der herkömmlichen kirchlichen Autorität entgegenzutreten. Wie kam es dazu?

«Es ist die Tragik des Skorpions, daß er die Verhaltensmechanismen des reinen Prinzips leben muß, ohne es selbst zu sein, daß er sich dem reinen Prinzip der Treue verpflichtet fühlt und dabei Mensch ist, Mensch sein muß. Darin liegt für ihn die Auseinandersetzung mit Gott», sagt Wolfgang Döbereiner. Luthers Ausgangsbasis könnte astro-graphologisch nicht besser beschrieben werden. Schon als junger Mensch verzweifelte er an dem für ihn aussichtslosen Problem, Mensch zu sein und eben nicht «reines Prinzip». Damit wurden die göttlichen Forderungen nach Einhaltung der Gebote für ihn unerfüllbar und die Sünde unvermeidbar, denn Menschsein bedeutete, Sünden zu begehen. Und sündig zu sein, bedeutete die Verdammnis. Da half ihm die Einfalt der Frömmigkeit wenig, die sakramentalen und asketischen Trostmittel hielt er für unzulänglich und den Ablaßkauf natürlich auch. Und doch fand Luther die Lösung des Konflikts. Er erkannte, daß die göttliche Gerechtigkeit nicht nach irdischen Prinzipien handelt, die «Rechtfertigung» also nicht durch «gute Werke», sondern «allein durch den Glauben» erfolgt. Damit wollte Luther dem Christentum seinen Status als Gnadenreligion wiedergeben. Und damit wäre für ihn als Skorpion die Welt wieder in Ordnung.

Mit den typischen Skorpion-Mitteln verteidigt Luther seine reformatorischen Thesen mutig gegen eine Phalanx von Widersachern. Er ist unerbittlich, unbeirrbar, auf noch elastische Weise fanatisch. Das zeigt seine trotz quirlender Lebendigkeit gebändigte, druckstarke Schrift. Der Unterschied zwischen den steilen Kurz- und den schrägen Langlängen ist zwar mehr ein Schönheitsideal seiner Zeit, es hat aber seinen tieferen Grund in dem allgemein herrschenden Widerstreit zwischen Gefühl und Verstand. Jede Zuneigung, jede Hinneigung muß kontrolliert werden, sie könnte ja sündhaft sein. So würde die Schrift eigentlich sehr steil wirken, wenn die Langlängen nicht wären.

Das Indiz der bewußten Kontrolle des Ichs wird vollends bestätigt durch die Arkaden, die die Loyalität zum eigenen Gewissen zeigen. Sein Gewissen ist ihm Gesetz. Einwirkungen störender Faktoren werden abgeschirmt. Die Anpassung nach außen – an das Dogma – wird notfalls verweigert. An manchen Stellen wird der Arkaden-Rundbogen nochmals gebrochen, so wie die gesamte Schrift eher etwas Winkliges, Gotisches als etwas Bogiges, Lateinisches hat. Das verrät die Widerstandskraft, die Entweder-Oder-Natur, die die Gegensätze verschärft und zu keinem Kompromiß bereit ist. Die großen Längenunterschiede, die noch zusätzlich auf die Tendenz zum Kontrast hinweisen, unterstreichen das. Sie bezeugen den Zweifler, den Sucher, dem das, was er hat, nicht genügt. Eben diese Längenunterschiede und die winkligen runenhaften Buchstaben zeigen ganz klar Luthers «deutsches Erbe». Der faustische Drang des Forschens und Spekulierens steckt dahinter, der die hohlen Formen des religiösen Lebens verachtet.

Die Kühnheit, mit der Luther vorging und die ihm Acht und Bann eintrug, ist typisch für einen Skorpion, der von seinem Leitbild überzeugt ist. Er kann radikal sein, weil er sich sicher fühlt, und er fühlt sich sicher, weil er mit seiner Denk- und Handlungsweise den Urmechanismen seiner Skorpion-Art gehorcht – was die Identität seiner Schrift mit seinem Tierkreiszeichen erweist. Die geforderten Merkmale: Längenunterschiede, Arkade, Winkel, Steilheit, Abstand und Vereinfachungen, Magerkeit und Schärfe sind vollzählig vorhanden. Die beiden letzten verdeutlichen, wie sehr ihm Klarheit ein Bedürfnis war und wie wenig er auf Äußerlichkeiten Wert legte. Die Einstreuungen der Völle, der Teigigkeit und die leichte Unregelmäßigkeit verraten Abweichungen vom Skorpion-Prinzip. Trotz Scharfsinn, Intellektbetonung und Kritiklust steht Luther denn auch wie kein zweiter Theologe im Zeitalter des Humanismus mittendrin im Leben und im Volk. Seiner Anschauungsfreude und seinem Ausdrucksreichtum entsprang die kraftvolle, bildhafte Sprache seiner Bibelübersetzung (Völle und Teigigkeit als Zeichen seiner Urwüchsigkeit).

Manchmal allerdings schwillt der Federzug etwas zu heftig an. Das deutet auf die Neigung zu Derbheiten und Zornausbrüchen hin – man denke an den Teufel und das Tintenfaß wie auch an Luthers temperamentvolle Streitschriften. Im großen und ganzen jedoch wahrt die vitale Wucht seiner Bahnbrechernatur die Form. Dieser Skorpion war ein sinnlicher Asket. Das dürfte das «Erfolgsgeheimnis» des Reformators und meistgelesenen Autors deutscher Sprache gewesen sein.

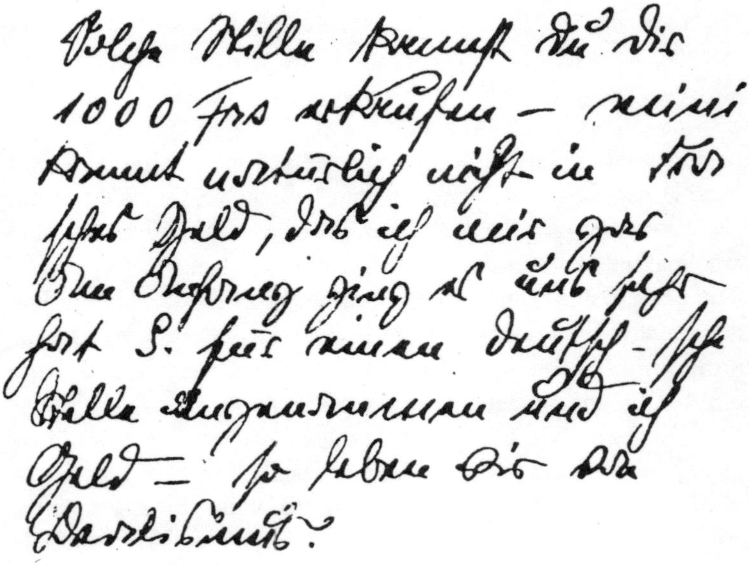

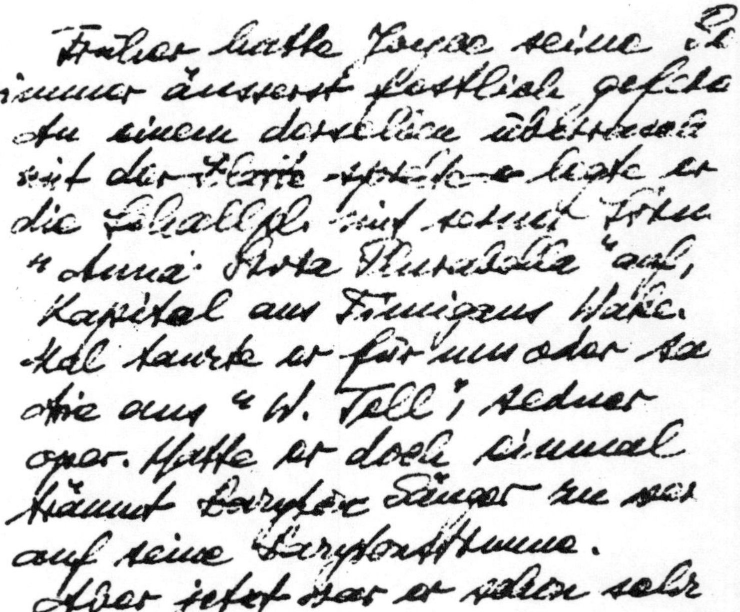

Der nicht verwirklichte Skorpion

Claire Goll, geb. 29. 10. 1891

Nur ein Skorpion bekommt es fertig, seine Memoiren unter die unversöhnliche Devise «Ich verzeihe keinem» zu stellen. Denn da der Skorpion das Denkmodell, nach dem sich das Leben für ihn zu vollziehen hat, über alles stellt, gilt für ihn nur das kompromißlose Streben nach Vollkommenheit ohne Verständnis für Allzu-Menschliches und damit Unperfektes. Die Dichterin Claire Goll, die in den zwanziger und dreißiger Jahren im Mittelpunkt des kulturellen Lebens in Berlin, Zürich und Paris stand, konnte niemandem verzeihen, weil sie niemand traf, der ohne Fehler war. Sie begegnete unter den vielen Berühmtheiten, die sie in ihrem abwechslungsreichen Leben kennenlernte, nie einem Heiligen.

Einen Heiligen hätte sie aber auch gar nicht erkannt, denn es ging dieser Skorpion-Frau nicht um das Absolute im *überpersönlichen* Sinn, sondern in krassester Weise um das *Persönliche.* Die Gradlinigkeit ihrer Skorpion-Motivation, das Modellhafte, Wertbeständige einer jeden Sache herauszuschälen und dabei auch unbequeme Wahrheiten auszusprechen, wird durch zu viel eigene Emotionen und subjektive Bezüge verfälscht. Es werden hier ausnahmsweise zwei Schriftproben vorgeführt, um zu veranschaulichen, wie weit die im Grunde noch originell-vitale Jugendschrift bereits die skorpion-untypischen Merkmale für Egoismus und alle seine Spielarten im Ansatz enthält – Merkmale, die in der Altersschrift nahezu alle Kennzeichen positiver Eigenschaften verdrängt haben.

Die Buchstaben der Altersschrift (unten) zeigen keine klaren Ausformungen mehr. Die teigige Völle macht sie pastos, das Begrenzende tritt mehr und mehr in den Hintergrund, und die Zeilen verhaken sich ineinander. Die Schreiberin ist ganz ihren Emotionen verfallen, was zu Subjektivismus und Ungeniertheit führen muß. Hinzu kommt, daß die linksläufigen Bereicherungen und Einrollungen die ursprünglich gerade Ausrichtung ablenken. Das Klare, Eindeutige des Skorpions gerät auf «Abwege», das Subjektive lädt die latente marsische Aggression mit Bösartigkeit auf. Claire Goll steckt für einen Skorpion viel zu sehr in der Auseinandersetzung mit ihrem exaltierten Ich, was den Blick für objektive Tatbestände trübt. Mit einer derart subjektiven Einstellung lassen sich keine Werte sondieren, vielmehr werden nur die eigenen Spannungen abreagiert. Dies geschieht allerdings auf skorpionische Art.

Mit der Jagdlust einer Spinne erfaßt sie einen Menschen und sucht sofort seine schwache Stelle. Ohne Erbarmen wird der Eingefangene in der Analyse seziert. Danach schwindet das Interesse, Claire Goll sucht sich das nächste Opfer. Diese Frau, die, wie es heißt, «mehr geniale und berühmte Männer ihrer Zeit kannte, beeinflußte und liebte als ein Pantheon fassen kann», verstand es meisterhaft, ihre Netze auszuwerfen. Ihre Linksläufigkeiten, die sich in jeder Zone ob als Oberzeichen, ob als speziell linksläufig konstruiertes *g* (frühe Schrift) oder als Verschnürungen in der Mittelzone wie im *a* bei «Kapital», im *s* oder gekippten *e* (Altersschrift) äußern, zeigen das Umgarnen und Einwickeln, die Einkreisungstaktik, derer sie sich bediente, um die Menschen, auf die es ihr ankam, zu betören. An der gefesselten Girlande, die das Entgegenkommen hier weniger bremst als genau dosiert, wie auch an der sogenannten geschleiften Girlande, deren Abstrich in starker Linksläufigkeit vor dem Aufstrich geführt wird (in beiden Schriften bei *m* und *n*), ist das Ausweichen um jeden Preis ablesbar, eine Scheinaufrichtigkeit, die üblicherweise den Wolf im Schafspelz, hier aber mehr die anerkennungs- und besitzhungrige Frau in der Rolle der verständnisvollen, alles durchschauenden und von allen begehrten Liebhaberin zeigt.

Claire Goll wollte etwas darstellen (ansteigende Buchstabenformen in der frühen Schrift, bei *F* in «Frcs», und ansteigende Oberzeichen), sie war ehrgeizig und wußte sich in Positur zu setzen (Bereicherungen). Aber der Mangel an Geschmack in ihren linksläufigen Verzierungen (siehe «Geld» in der frühen

Schrift, von den zahlreichen Merkmalen in der späten ganz zu schweigen) entspricht dem ihrer Lebensbeichte – die Maßstäbe fehlen. Sie greift zu diesen unechten Schnörkeln, weil das Geltungsbedürfnis da, wo der gewünschte Effekt ausblieb, kompensiert werden mußte. So stellt sie unbedeutende Erfolge sich selbst und anderen gegenüber als bedeutend hin, verbucht Mißerfolge als Erfolge. Mit Befriedigung, in die auch Selbstgefälligkeit hineinspielt, gedenkt sie ihrer Eroberungen, ähnlich den Menschen, die mit Behagen ihren materiellen Besitz überblicken. (Im Gegensatz zu ihrer frühen Schrift zeigt sie im Alter eine Fülle der sogenannten «Besitzpunkte», kleine linksläufige Ausrollungen zu Beginn des *M* oder auch bei *A, F, G* etc.) Diesen Reichtum will sie erhalten, und um ihn unantastbar zu machen, versucht sie denjenigen, die ihr nicht so ganz glauben wollen, soviel Festigkeit wie möglich entgegenzustellen.

Ihre Altersschrift ist auffälligerweise beinahe genauso regelmäßig wie ihre Jugendschrift, der trotz aller Lebendigkeit schon etwas Eigensinniges anhaftet. Sie weiß genau, was sie darstellen möchte, ja, noch mehr, sie friert sich als *«femme fatale»* und *«femme de lettres»* geradezu ein. Dabei brachte sie es fertig, als lebensungewandte, nur für die Liebe und die Dichtung lebende Muse zu gelten. In Wirklichkeit jedoch war sie eine erfolgshungrige Schriftstellerin mit extrem ausgeprägtem Besitztrieb, viel Geschäftssinn und einem hervorragenden Geschick in der Ausnutzung menschlicher Schwächen (Linksläufigkeit, ausgeprägte Unterzone, niedrige Oberzeichen). Aber das Eingeständnis von Schwächen hätte sie sich freilich selbst nie verziehen. Zur Selbsterkenntnis fehlte ihr jeder Abstand zu sich selbst, und das mußte sich rächen: Dieser Skorpion nährte sich von seinem eigenen Gift.

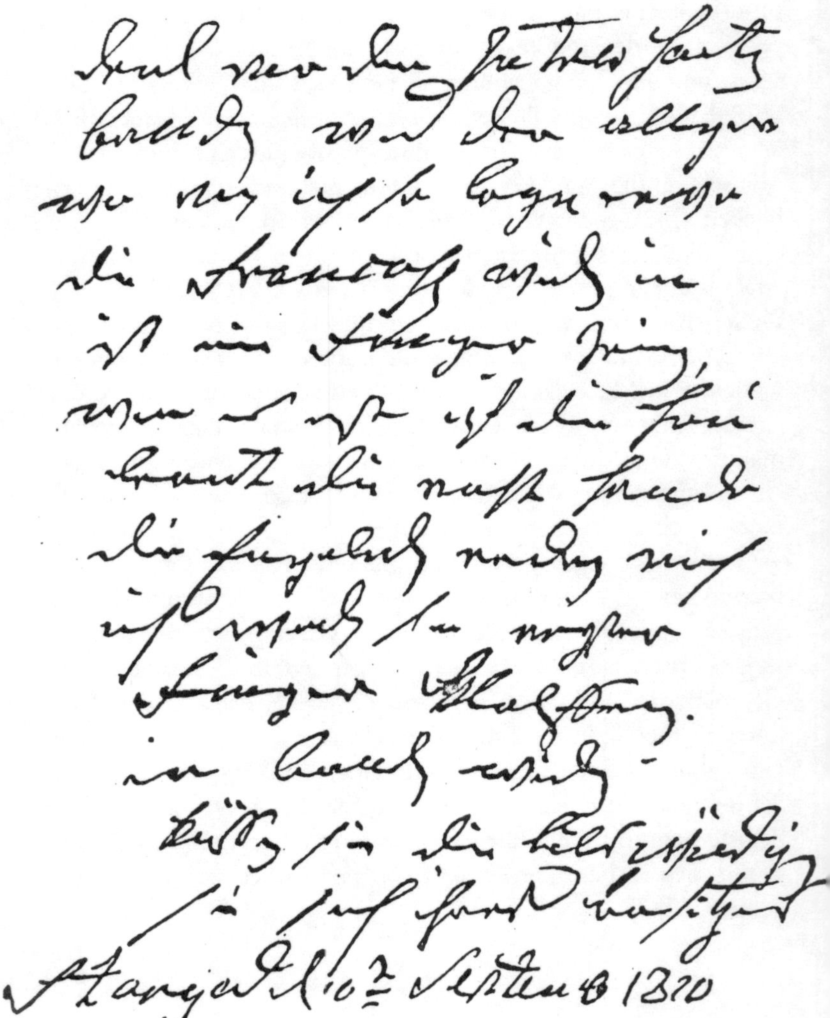
[illegible]

Stargard d. 10. Septemb. 1810

Blücher

Der verwirklichte Schütze

Gebhard Leberecht von Blücher, geb. 16. 12. 1742

Unter «Ran wie Blücher!» verstehen wir eine dynamische Aktivität, bei der weniger theoretisch überlegt als instinktiv gehandelt wird. Durch diese Art des Eingreifens führte der berühmte Feldmarschall als Oberbefehlshaber des preußischen Heeres in der Schlacht bei Waterloo den Sieg über Napoleon herbei. Es war zugleich der Schlußpunkt seiner militärischen Laufbahn, die er trotz seines furchtlosen Draufgängertums heil überstand. Und das hieß viel angesichts des harten Kampfstils der Zeit und vor allem in Anbetracht seines Alters; denn Blücher schlug sich in Waterloo zwar wie ein Zwanzigjähriger, war aber bereits 73 Jahre alt! Eine solche Leistung basiert auf innerer und äußerer Elastizität; astro-graphologisch gesehen demnach auf einer wesensgemäßen Verwirklichung.

Blücher war nicht einfach nur ein Schütze, er war ein preußischer Schütze, was diesem zuweilen vom Feuer der Begeisterung hingerissenen Tierkreiszeichen-Typ einen stabileren Unterbau gibt. Das astrologische Symbol zeigt den Schützen mit gespanntem Bogen in die offene Welt hineinschießend. Wolfgang Döbereiner nennt diese Haltung «blitzblank aggressiv», weil sie aus der schnellen dynamischen Bewegung kommt und ohne Ecken, ohne Komplexe, ohne Erbarmen, aber auch ohne Bösartigkeit ist. Der Schütze braucht diese dynamische Bewegung für die eigene Balance; er ist wie ein Radfahrer, der je schneller, desto sicherer fährt, beim Langsamfahren indes leicht in Gefahr gerät, das Gleichgewicht zu verlieren. Er sucht darum ständig nach Motiven, um in Schwung zu bleiben, und so ist es nicht abwegig, daß man Blücher scherzhafterweise nachsagte, er hätte jeden Abend um einen netten kleinen Krieg gebetet.

Diese schütze-typische Abhängigkeit von der Umwelt insofern, als ein Widerstand in der Außenwelt geradezu gesucht wird, um aktiv werden zu können, zeigt sich vollendet in Blüchers Schrift. Hinter ihren temperamentvollen spontanen Zügen mit den weitausholenden Bögen steht Druck. Aber kein Druck, der krampfhafte Bemühung zeigt, innere Widerstände zu überwinden, kein Druck also gepaart mit Enge, Langsamkeit und Steifheit, sondern Druck mit Eile und Weite. Daraus spricht aktive Willenskraft, eben jene Energie, die Widerstände hervorrufen und sich dann gegen sie behaupten will. Der Wunsch nach dem Erleben der eigenen Macht wird wach und weckt Kühnheit und Mut. Deshalb pflegte Blücher in vorderster Reihe zu kämpfen und immer als erster zuzuschlagen.

Man hat ihn als einen Mann ohne jede Furcht geschildert, was im übrigen auch auf den Jupiter-Anteil des Schützen zurückzuführen ist, der als Symbol der Fülle und des Reichtums leicht den Glauben an die eigene Unverwundbarkeit aufkommen läßt. Blücher stellte sich nie in Frage. Sein Optimismus und seine Selbstsicherheit gaben ihm eine Überzeugungskraft, mit deren Hilfe er auch in fast aussichtslosen Situationen seine Soldaten mitriß. So bestimmte er die Atmosphäre in der Armee vor allem durch sein starkes Solidaritätsgefühl. Er wußte den Wert und die Bedeutung seiner Soldaten richtig einzuschätzen und fühlte sich immer als ein Teil von ihnen, wie die Höhen-Angleichung seiner Anfangsbuchstaben an den übrigen Schriftduktus bestätigt.

Selbst seine fähigsten Mitstreiter, Hardenberg und Gneisenau, die bei der Waterloo-Planung kritisierten, daß Blücher trotz seines Alters und seiner Unfähigkeit, Aufmarschpläne zu lesen, vom König wieder den Oberbefehl erhielt, erkannten später, daß der überragende Menschenführer Blücher mehr wert war als ein perfekter Stratege. Wie der russische General Graf Langeron in seinen Memoiren berichtet, vermochte Blücher tatsächlich weder kompliziertere Pläne zu lesen noch Truppendispositionen auf dem Papier auszuarbeiten. Nein, er war kein zweiter Clausewitz. Theorie und Schreibkram langweilten ihn. Seine unregelmäßige, teigige und volle Schrift zeigt das urwüchsige soldatische Naturtalent, das aus der konkreten Anschauung lebt und im Gegensatz steht zum Taktiker, der regelmäßig, mager und steil schreibt. Ein solcher Mann ist viel zu impulsiv, um seine an sich klaren Absichten (Vereinfachungen, Wegkürzungen, Rechtsläufigkeiten) fein säuberlich zu demonstrieren.

Blüchers Schrift strotzt vor aggressivem Optimismus. Er haute sich mit der Feder genauso durch die deutsche Sprache und ihre Orthographie wie mit seinem Säbel durchs Schlachtgetümmel. Es gibt kaum eine Berühmtheit aus dieser Zeit, die eine so mangelhafte Bildung besaß. Blüchers Briefe wimmeln von Fehlern, zeitlebens verwechselte er mir und mich. Trotzdem hat er keineswegs eine infantile Handschrift. Sie ist sinnvoll gestaltet, betont das Wesentliche; nichts wirkt gemacht, nichts aufgesetzt. Und wenn die ungestüme Schreibspur durch die ungleichmäßige Druckbetonung auch ein gutes Maß an Unbeherrschtheit und Jähzorn erkennen läßt und die Völle zuweilen ins Bizarre ausartet, ist der Gesamtkörper der Buchstaben doch noch organisch. Ungeachtet der winkeligen deutschen Schulvorlage erscheint die Schrift auch mehr kurvig als eckig. Es schwebt sozusagen die Ahnung eines Fadens über dem Ganzen, obwohl klar Girlanden, ein paar Winkel und Arkaden zu identifizieren sind. Das bedeutet: Der Schreiber besitzt zwar großen Mut zur Konfrontation, aber er kennt auch alle Winkelzüge, und er wird stets versuchen, mit dem rationellsten Aufwand den größtmöglichen Effekt zu erzielen. Auch in der Attacke. Blücher fühlte sich keineswegs zum patriotischen Märtyrer geschaffen, der dem Feind die Brust mit Begeisterung als Zielscheibe anbietet. Er suchte im Schlachtgetümmel seinen Vorteil – und war überzeugt, daß es auch der Vorteil Preußens sein würde.

In der bewundernswert vitalen Sicherheit Blüchers, die sich klar in seiner Schrift abzeichnet (starke Verbundenheit, unregelmäßige Lockerheit, Druck und Gestaltungskraft), lag gewiß auch das Geheimnis seiner beinahe mysteriösen Unverwundbarkeit. Dieser «Marschall Vorwärts» – wie er wegen seines ungestümen Drauflosgehens genannt wurde – war durchaus keine unbedachte Entweder-Oder-Natur, sondern ein schlauer Fuchs und dementsprechend ein exemplarischer Schütze.

Помните, любите,

Ильича, нашего учителя, нашего

Боритесь и побеждайте

гов, внутренних и внешних, –

Ильичу.

Стройте новую жизнь,

быт, новую культуру – по

Никогда не отказывайтесь

малого в работе, ибо из малого

идёт великое, – в этом один

важных заветов Ильича.

И. Сталин

Der nicht verwirklichte Schütze

Josef Stalin, geb. 21. 12. 1879

Wenn man alles, was über Leben und Wirken des Schreibers bekannt ist, mit seiner Schrift in Einklang zu bringen versuchte, könnte man an der Graphologie zweifeln. Zwar wird auf den ersten Blick offenbar, daß man keinen besonders umgänglichen Menschen vor sich hat (kantiger Schriftduktus, abrupte Wortendungen), doch das Ausmaß seiner Brutalität, seiner Verbrechen, die sich mit denen Hitlers vergleichen lassen, sind aus der Schrift nicht ersichtlich.

Die eiligen, vereinfachten, dabei geschmackvoll gegliederten Schriftzüge verraten den Intelligenzler, der mit rascher Auffassungsgabe und scharfem, logischem Denken gewiß leicht zum Klassenbesten und Stipendiaten eines Priesterseminars werden konnte. Darüber hinaus machen die natürliche Verbundenheit und die Winkelbindung klar, daß zur Denkgewandtheit eine Stabilität hinzukommt, die auch großen Belastungen standhält.

Auffallend sind allerdings die starken Druckunterschiede; manche Buchstabenteile sind angeschwollen und verkleckst. Hier äußern sich Affektivität und spontane Heftigkeit (Wechseldruck), Eigenschaften, die eine Unterordnung auf die Dauer unmöglich machen und auf die Neigung zu Auseinandersetzungen und Gewalttätigkeit hinweisen. Dank der Kombination von Gerissenheit, Forschheit und Organisationsbegabung (auffallend gute Schriftgliederung) behielt Stalin jedoch stets die Kontrolle über sich wie über seine Gefolgsleute und wurde das, was wir heute einen gefürchteten Terroristenchef nennen würden. Zur Finanzierung seiner Untergrundorganisation überfiel er Banken, erpreßte Industrielle und betrieb einen Bordellring. Daß er nicht lange mit sich reden ließ, zeigt die bereits erwähnte Abruptheit seiner Wortendungen, vor allem der nach abwärts gerichtete scharfe Schlußstrich, der gleichsam keinen Widerspruch zuläßt.

Auch das ungeheure Ausmaß der Macht, zu der Stalin es bringen sollte, geht aus den Merkmalen seiner Handschrift nicht hervor. Nur die abnorme Überhöhung der Anfangsbuchstaben des ersten Wortes und der Unterschrift läßt ahnen, daß der Schreiber in der Wahl der Mittel zum Zweck keine Bedenken zu kennen schien: ihm fehlte augenscheinlich das rechte Verhältnis zwischen Übergeordnetem und Untergeordnetem. Dieser Höhenkontrast (der Buchstaben) muß zum Abreißen der Beziehungen zwischen dem Oben (Machthaber) und Unten (Volk) führen. Die Folge ist Isolierung, Entfremdung vom Lebensgefühl der Allgemeinheit, Verlust der allgemein-menschlichen Komponente im eigenen Ich.

Das ist der Schlüssel zum Verständnis der Schrift. Erst vor diesem Hintergrund erhalten die weiteren Merkmale ihre Bedeutung. Ohne die zuvor erwähnte Proportionsverschiebung würde die Schrift aufgrund ihrer intelligenten, niveauvollen Einfachheit der Gestaltung, in die sogar Girlanden als Anzeichen echten Gefühls eingewoben sind, einen negativen Eindruck kaum aufkommen lassen. Stalin verstand es meisterhaft, alle Welt, sogar seine Verbündeten im Zweiten Weltkrieg, über die Abgründe seines Wesens hinwegzutäuschen.

Bisher wurde nicht berücksichtigt, daß der Schreiber ein Schütze war. Seine Schrift gibt auch bis auf die Rechtsschrägheit und Verbundenheit keinen Anhaltspunkt dafür. Es fehlt die Weite, es fehlen die großen Längenunterschiede, vor allem aber die Schwünge – alle Merkmale, «mit denen sich der Schütze sein Sicherheitsgefühl aus der Expansion holt» (W. Döbereiner). Er braucht Enthusiasmus, um sich «positiv geladen» forttragen zu lassen und so viel Erfahrungen wie möglich zu sammeln. Erst wenn er sich über die Motivationen der anderen im klaren ist, ihr Handeln begreift, wird er «einsichtig». Diese Einsicht, dieses Verständnis ist für den Schützen Ausgangspunkt zur Kommunikation mit der Umwelt.

Was aber bleibt einem ungewöhnlich nüchtern schreibenden Schützen, wenn «Verständnis» und «Einfühlung» Fremdwörter für ihn sind, weil er den idealischen Teil seiner Natur gar nicht entwickelt hat? Angewiesen auf sein Tierkreisprogramm, kann er nicht, wie der Widder, seinen Ausdrucksschwerpunkt in der Dynamik finden – oder im Intellekt, wie der Zwilling. Ihm fehlt ein wesentliches Stück, um auf die ihm gemäße Art die notwendige Balance zu finden. Astro-graphologisch gesehen, könnte man Stalin daher als einen gestutzten Schützen definieren, als einen Schützen, dem der Sinn für den «Sinn des Lebens» abging. Eine Weltanschauung, in der für den Lebenswert, also für Humanität als Grundprinzip des Handelns, kein Platz ist, muß sich indessen für die von dieser Doktrin regierten Menschen verhängnisvoll auswirken. Daß es so geschah, belegt die Geschichte. Übrigens finden sich bei den meisten Despoten und Diktatoren (Napoleon I., Hitler etc.) graphologische Anzeichen der Überwertigkeit eines bestimmten Prinzips (hier die Proportionsverschiebung). Und «alle Überwertigkeit geht ins Negative», wie Klages lehrt.

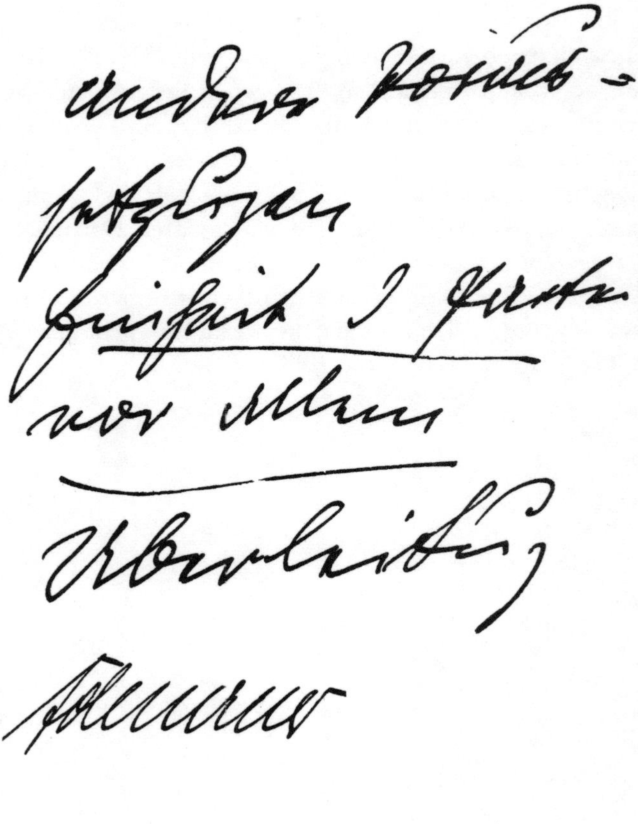

Der verwirklichte Steinbock

Konrad Adenauer, geb. 5. 1. 1876

«Saturn, griechisch *kronos,* die Zeit, ist mit seinem Willen zur Dauer der Herr des Zeitlichen» (Fankhauser). Saturn und Adenauer, der mit achtundachtzig Jahren immer noch deutscher Bundeskanzler war, haben ihr «Domizil» – wie es astrologisch heißt – im Steinbock. Der Saturn aber konzentriert, verdichtet jede Substanz, auch das Leben. Es wird quasi «eingekocht», abstrahiert, keimfrei und zeitlos gemacht zur Konserve – wenn auch nicht von völlig unbegrenzter Haltbarkeit. Steinbock-Schriften müßten eigentlich, ihrem Wunsch nach äußerster Konzentration entsprechend, wie gedruckt aussehen. Das Allzu-Menschliche, Zufällige aber verlebendigt sie.

Adenauer war ein typischer Steinbock, aber zur gleichen Zeit auch das, was man ein «Schlitzohr» zu nennen pflegt. Immer wieder schleicht sich in seine Schrift, die sonst als Musterbeispiel steinbockiger Kompromißlosigkeit angesehen werden könnte, das genaue Gegenteil davon ein: als plötzliche Unregelmäßigkeit oder, noch versteckter, als sogenannte Lautzeichenmischung, was bedeutet, daß der gleiche Buchstabe – wie in der Schriftprobe zu erkennen – einmal deutsch und einmal lateinisch (Unterschrift) geschrieben ist. Für einen Steinbock ein Zeichen der Mißachtung von Konventionen und hier ohne Zweifel ein Signal für das Bestreben, den eingeschlagenen Kurs auf jeden Fall beizubehalten – wenn nicht auf geradem Weg, dann auf geschickten Umwegen. Die Rechtsschrägheit verweist auf das Talent zur Tarnung bzw. auf die Gewohnheit, den Anschein der Teilnahme zu erwecken. Echte Teilnahme ist bei einer Schrift mit derartiger Winkelbindung, Schärfe, Enge und Magerkeit wohl kaum zu erwarten. Zuviel Strenge und Selbstdisziplin sprechen daraus, gepaart mit der Schläue eines Fuchses und Kritiklust. Der Winkel, der sogar vor den Rundbuchstaben «o» und «a» nicht haltmacht, verrät das ganze Ausmaß der Stabilität des Schreibers, seine enorme Widerstandskraft, Ausdauer und Konsequentheit in der Verfolgung gesetzter Ziele. All diesen Schriftmerkmalen fehlt in steinbock-typischer Weise das Gelöste, Weiche. Der Unterbau – hart und fest, dicht und kühl – ist echt und tragfähig; der scheinbar verbindlich entgegenkommende Überbau ist sozusagen nur ein Potemkinsches Dorf auf granitenem Fundament.

Die arkadenförmigen U-Bögen lassen den Taktiker erkennen, der mit Berechnung im richtigen Moment eingreift und der Umwelt seinen Willen aufzwingt. Dabei wird alles außer acht gelassen, was nicht unbedingt berücksichtigt werden muß; denn nichts ist dem Steinbock mehr zuwider als Spekulation, Komplikation und das Experiment, Buchstaben wie Probleme werden auf das Wesentlichste reduziert, doch lassen sich freilich nicht alle Schwierigkeiten durch Vereinfachung allein aus der Welt schaffen. Dazu gehört auch noch das Bewußtsein, daß man es sich aufgrund der eigenen Souveränität leisten kann, ab und zu fünfe gerade sein zu lassen. Man muß nur wissen, wann und wo es angebracht ist, «nicht so pingelig» zu sein. So läßt Adenauer zwar zuweilen Buchstaben unter den Tisch fallen, aber es geschieht bezeichnenderweise bei den ohnehin gehäuften «ung»-Endungen (hier fehlende «n» in «Voraussetzu*n*gen» und «Oberleitu*n*g»).

Ein Widerspruch zu der Beharrlichkeit, die aus der Schrift spricht, scheint die sporadisch auftretende Unregelmäßigkeit zu sein. Sicher ist der Schreiber auch erregbar, doch der Druck und die Langsamkeit zeigen an, daß er die «Schwäche» nicht nur unter Kontrolle zu halten versteht, er schöpft aus dieser Empfänglichkeit auch seine strategischen Einfälle. Alles, was er von außen aufnimmt, macht er sofort seinen Plänen dienstbar. Damit diese viel gerühmte, viel kritisierte List nicht allzusehr auffällt, gibt er hin und wieder Proben seines urwüchsigen Humors, die, lässig dargeboten, leicht darüber hinwegtäuschen, welch eine Zähigkeit in diesem Mann steckt. Zu diesem Zweck, könnte man beinahe sagen, füllt er die Magerkeit seiner Buchstaben ohne Eile durch sporadisch gesetzte Blasen auf. Dies und die anderen Unregelmäßigkeiten (Lautzeichenmischung etc.) sichern dem Eigensinnigen, dem Dogmatiker (spitzwinklige Unterzone), den Bezug zur Wirklichkeit und geben der knappen, präzisen Ausdrucksweise ihre Würze.

Churchill nannte Adenauer den klügsten deutschen Staatsmann seit Bismarck. Und das läßt sich sogar graphologisch untermauern, denn die Schriften von Adenauer und Bismarck ähneln sich auf frappierende Weise. Doch der Widder Bismarck forderte die Umwelt ständig heraus, in ihm arbeitete geballte Dynamik. Der Steinbock Adenauer dagegen will keine Widerstände brechen, sondern «formiert sie auf ein Ziel hin» (W. Döbereiner). Noch ruhiger, noch abgeklärter würde «der Alte» wirken, wenn nicht auch ihn schließlich der Ehrgeiz triebe (große Längenunterschiede und innerhalb des Wortes größer werdende Oberlängen). Der entscheidende Unterschied in der Schrift der beiden «Eisernen Kanzler» bleibt jedoch, daß die Schrift Bismarcks vor innerer Spannung vibriert, während die Adenauers mehr Gleichmut ausdrückt. «Es riecht nie nach Pulver um ihn», charakterisierte der Bonn-Chronist Walter Henkels den «Dauerbrenner», der seine Energie konstant hielt und lieber vorsorglich mit seinen Kräften (und auch mit Geld) geizte, als daß er sich verausgabte.

jay été desolée de la fausse couche
de md la dauphine mais j'espere
que cela se reparera bientost
le roy se porte grace au ciel a merveille
et moy aussy vous croyés que nous
ne voyageons plus vous vous trompés
nous sommes toujours en chemin choisy
la muette petit chateau et certain
hermitage près la grille du dragon
a versailles ou je passe la moitié de ma vie il a
8 toises de long sur 5 de large et rien
au dessus jugés de sa beauté mais j'y suis
seule ou avec le roy et peu de monde
ainsy j'y suis heureuse on vous aura
mandé que c'est un palais ainsy que
meudon qui aura 9 croisées de face
sur 7 mais c'est la mode aprésent a
paris de deraisonner et sur tous les
points bonjour ma tres grande femme
je feray une chambre pour vous a
meudon et je veux que vous me
prometties d'y venir

le 27 fev La Mise de pompadour

Der nicht verwirklichte Steinbock

Madame de Pompadour, geb. 29. 12. 1721

Auch ohne das Porträt von Boucher, das eine kokette Schönheit in schleifenübersäter Robe zeigt, stellt man sich unter der berühmten Mätresse Ludwigs XV. eine verführerische, verspielte Hofdame vor, die das Leben von der angenehmen Seite nahm. Der Rokokokünstler malte sie in ihrem sechsunddreißigsten Lebensjahr. Sechs Jahre später starb sie. Nicht etwa an einer der zahlreichen damals noch unheilbaren Krankheiten, sondern an Überanstrengung. Es heißt, sie brach physisch und psychisch zusammen, und daß diese Behauptung glaubwürdig ist, bestätigt ihre Schrift.

Von Gleichmut und Gelassenheit ist darin keine Spur, ebensowenig von Pomp und Luxus (Kleinheit, Vereinfachungen). Voll Hast und Unruhe, gehetzt und überstürzt scheint sie mit der Feder über das Papier zu fliegen. Die Rastlosigkeit ihres Denkens und Handelns wird deutlich an den waagerechten Strichen am Wortende, die in ihrem Vorwärtsdrängen nach rechts zum Neuen, Unerledigten hin die Wortabstände oft auf einen Minimalabstand schrumpfen lassen. Der innerhalb des Wortes häufig unterbrochene Strich offenbart das kurze, nervöse Atemholen; die starke Unregelmäßigkeit und die schwankenden Zeilen machen bewußt, wie dünn und ungeschützt ihr «Nervenkostüm» war, wie sehr sie jedes laute Geräusch, jede schlechte Nachricht mitnahm. Diese Unruhe und Hast, die an jeder Schrift störend auffallen, bekommen eine gefährliche Bedeutung, wenn man berücksichtigt, daß die Pompadour ein Steinbock war, der langsam und gleichmäßig schreiben sollte.

Ihrer Steinbock-Natur verdankt sie – was ihre Karriere betrifft – gewiß viel. Von bürgerlicher Herkunft, bestand ihr Kapital zunächst nur in ihrer überaus vorteilhaften Erscheinung, ihrem guten Geschmack und ihrer erstaunlichen Bildung. Daß sie beinahe zwanzig Jahre lang die einflußreichste Frau am Hof

Ludwigs XV. war, geht auf die typische Steinbock-Fähigkeit zurück, sich auf ein Ziel zu konzentrieren und dieses Ziel, nachdem es erreicht ist, mit äußerster Hartnäckigkeit festzuhalten. Das kostete sie enorme Kraft. Das Leben am Hof war ohnehin anstrengend genug, doch die Pompadour – ohne familiären Anhang, angefeindet von Rivalinnen und anderen Hofleuten, die ihren eigenen Einfluß schwinden sahen, täglich in Frage gestellt durch ein neues hübsches Gesicht – wollte dem König *und* dem Hof gerecht werden, wollte sich in jeder Beziehung unentbehrlich machen. Dazu mußte ein geradezu unmenschliches Tagesprogramm bewältigt werden. Fast nie kam sie vor 2 Uhr nachts zur Ruhe, erschien aber bereits um 8 Uhr in der Schloßkapelle. Dann folgten Aufwartungen bei der königlichen Familie, unzählige Besucherempfänge, das tägliche Briefpensum – sie war die Privatsekretärin des Königs – und die Planung der Galasoupers, bei denen der König durch künstlerische Darbietungen unterhalten werden mußte, um sich nicht anderen Zerstreuungen zu widmen. Zu allem hatte sie immer gut auszusehen und nicht zuletzt auch noch den König speziell zu erfreuen.

Ihr Steinbock-Naturell forderte von ihr, in allem mustergültig zu sein. Dieser Perfektionswunsch wurde ihr zum Verhängnis. Ein Steinbock will nichts dem Zufall überlassen. Wenn er mehr übernimmt, als er mit seiner gründlichen Arbeitsweise verkraften kann, zehrt er von der Substanz.

Madame de Pompadour, die sich sehnlichst ein Kind vom König wünschte, erlitt mehrere Fehlgeburten. Sie war nicht bereit, sich die für die Schwangerschaft notwendige Schonung aufzuerlegen, ebensowenig wagte sie nach einem solchen Unglück im Bett zu bleiben, aus Angst, sie könnte ihre Pflichten versäumen und ihren Einfluß verlieren. Ein Zeichen für dieses Gefühl chronischen Ungenügens sind die großen Längenunterschiede. Die Kurzbuchstaben der Mittelzone werden manchmal bis zur Unkenntlichkeit zusammengepreßt, die Langlängen oft überlang ausgezogen. Sie spart an sich ein (winzige Mittelzone), was sie in äußeren Aktivitäten verschwendet.

Steinböcke gelten als kühl, weil sie meist die Kontrolle über ihre Kräfte und Emotionen behalten. Ein Zuviel wie ein Zuwenig stört ihr Bedürfnis nach geregelter Einteilung. «Leidenschaften» sind ihnen deshalb so gut wie unbekannt. Madame de Pompadour machte einen großen Fehler, indem sie in ihrem Wunsch nach Karriere und Einfluß unbeachtet ließ, daß der König sich vor allem aus erotischen und praktischen Gründen eine Mätresse nahm. Sie war keine unsinnliche Frau (Teigigkeit), aber Leidenschaftlichkeit gehörte nicht zu ihrem Repertoire. Es war die – vielleicht unbewußte – Angst vor dieser Unzulänglichkeit, die die Pompadour zu übertriebenen Ausgleichsaktivitäten und damit auf einen frühen Tod zutrieb.

Die Freundschaft Ludwigs XV. erhielt sie sich bis zuletzt, doch hätte es dafür all ihrer Anstrengungen nicht bedurft, wie ein Ausspruch von ihm enthüllt. «Ich habe sie nie geliebt», gestand er der Marquise de Séran, «aber es hätte sie umgebracht, wenn ich sie weggeschickt hätte.»

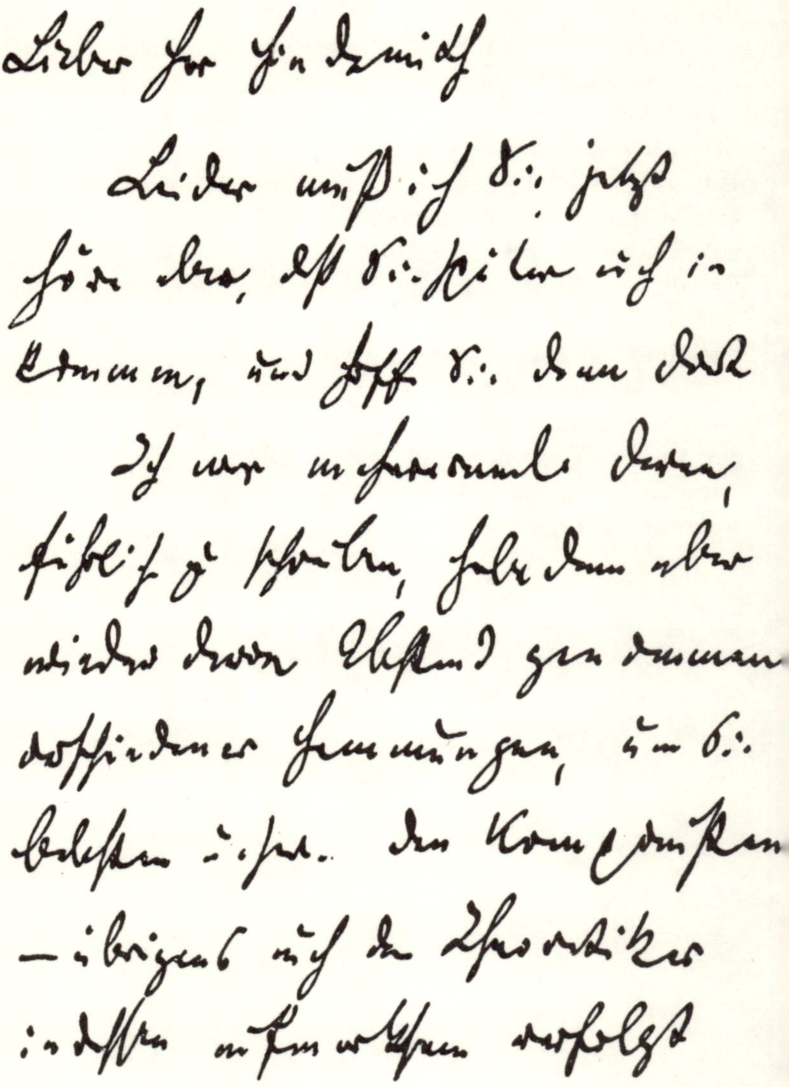
Lieber Herr [illegible]

Leider muss ich Sie jetzt
hören aber, dass Sie [illegible] auch in
[illegible], und hoffe Sie dann [illegible]
Ich war ursprünglich daran,
[illegible] zu [illegible], habe dann aber
wieder davon Abstand genommen
verschiedener Hemmungen, um Sie
[illegible] den Kompositionen
— übrigens auch der Theoretiker
in dessen [illegible] verfolgt

Der verwirklichte Wassermann

Wilhelm Furtwängler, geb. 25. 1. 1886

Als Opponent zum Sonnenzeichen Löwen reflektiert der Wassermann das Leben, anstatt sich darauf zu stürzen. Er denkt darüber nach, wie sich alles im Idealzustand abspielen könnte. Was sich tatsächlich vollzieht, hat für ihn nur sekundäre Bedeutung. Er schafft lieber Denkverbindungen, Möglichkeiten geistiger Harmonie oder flüchtet sich in ideelle Bereiche. Der Wassermann ist stets mit seinen Einfällen beschäftigt, er versucht sie abzuwandeln, auszuarbeiten und in Werke umzusetzen, sei es dilettierend oder professionell, in Musik, Malerei oder Dichtung ... Auffallend ist jedenfalls die Häufung berühmter Künstler in diesen Bereichen. Bei den Musikern wären Mozart, Schubert, Mendelssohn-Bartholdy, Alban Berg, Menuhin und auch Furtwängler zu nennen.

Seine Schrift kennzeichnet den chronischen Sucher, der mit großer geistiger Beweglichkeit und dem Gefühl eigenen Ungenügens unbedingt über sich hinauswill. Die geringe Größe der Kurzbuchstaben steht in offensichtlichem Kontrast zu den Ausschlägen nach oben und unten, wobei die Oberzone mit ihrer Betonung und Bereicherung ein Zeichen der Hingabe an Ideale ist.

Bis an sein Lebensende widmete sich der große Dirigent der Erfahrung des «Überwirklichen», wie er es selbst nannte. Zu dieser Beschäftigung gehörte auch das Komponieren, die Möglichkeit, freie Assoziationen von Klängen herzustellen und dadurch «ein Stück seelisch erlebte Logik» zu gewinnen. Beim Dirigieren fühlte er sich dagegen stets eingeengt, es zwang ihn, festgelegten Routen zu folgen. «Es war nur das Dach, unter das ich mich geflüchtet habe, weil ich im Begriff war, als Komponist zugrunde zu gehen», schrieb er einmal an den Archäologen Ludwig Curtius. Das klingt nach einer typisch wassermännischen Entschuldigung dafür, nicht mehr geleistet zu haben. Es drückt sich darin aber auch die Abneigung gegen Routine und der Wunsch nach persönlicher Uneingeschränktheit aus, wie ja beim Wassermann «unbegrenzte Räume überhaupt das größte Wohlgefühl auslösen» (Döbereiner). Ein Wassermann wählt sich nach Möglichkeit einen Standort an der Peripherie des entscheidenden Geschehens. Diese Position befriedigt noch am ehesten sein Bedürfnis nach Unabhängigkeit. Er möchte sich weder durch Leidenschaften noch durch unüberschaubare Verpflichtungen fesseln lassen.

Ein Beispiel typisch wassermännischen Verhaltens gab Furtwängler denn auch mit seinem Verbleib im Nazi-Deutschland. Von vielen Emigranten, u. a. von Thomas Mann, deswegen gerügt, fühlte er sich doch in keiner Weise schuldig. Er machte Musik und vermied jedwedes politische Engagement. Musik ist ein relativ neutraler Bereich. In ihm allein wollte Furtwängler wirken, für ein Volk, das er «für eines der musikbedürftigsten» hielt. Hier wird die «Flucht in eine überlegene Neutralität» sichtbar, der «Ehrgeiz, sich hervorzutun, ohne sich mit der Umwelt zu identifizieren» (Döbereiner). Dieser nicht eingestandene Anspruch zeigt sich in den hohen und schmalen Buchstaben genauso wie in der Tatsache, daß der hochgewachsene Mann und weltberühmte Dirigent stets nur einen VW-Käfer fuhr. Er schaffte es, auf neutrale Weise unkonventionell zu sein, sich ohne großen inneren und äußeren Aufwand von den anderen abzuheben – ein typisches Wassermann-Bedürfnis.

Die Schrift belegt dies beispielsweise durch die schon erwähnte freie Behandlung der vorgeschriebenen Buchstabengrößen. Da kann – wie in dem Wort «Abstand» – der Großbuchstabe *A* kleiner sein als die folgenden Kleinbuchstaben oder ein Buchstabe auf ganz ungewöhnliche Art mit dem nächsten verbunden werden – wie das *p* und *o* in «Komponisten». Zusammen mit der Unregelmäßigkeit deutet das auf eine große Eigenwilligkeit. Immerhin weiß man von diesem dynamischen Wassermann (Eile), daß er imstande war, selbst nach gründlichen Proben mit dem Orchester die Tempi von einem Tag auf den andern zu ändern, was ihm manchmal den Vorwurf der

Willkür einbrachte. Aber – wie man an seinem Leben und an seiner Schrift sieht – er hatte die erforderliche Souveränität, um dieser «Willkür» Anerkennung zu verschaffen.

Untypisch und unsouverän sind dagegen die Winkel mit der Neigung zur Arkade sowie die Enge. Sie nehmen der Schrift viel von ihrer Lockerheit, dem Schreiber von seiner Elastizität. Der eigentlich aufnahmebereite Furtwängler (schalenförmige *u*-Bogen) demonstriert durch linksumgebogene Arkadenbogen, daß er sich selbst dann und wann ausweicht. Der ursprüngliche (Lebens-)Rhythmus verliert dadurch an Schwung. Das hektische Leben, das sein Beruf ihm aufzwang, und die Vielfältigkeit der Eindrücke belasteten den Dirigenten bis zur psychischen Überforderung. Er fürchtete, die Übersicht zu verlieren, ja, sich selbst zu verlieren und seine Seele «um ein Linsengericht zu verkaufen» (Brief an Curtius). Nichts fürchtet der Wassermann mehr, als «verkauft» zu sein, denn gebunden und abhängig – und damit ohne Abstand – ist er nicht in der Lage, sich den notwendigen Überblick zu verschaffen. Er will zwar mitten im Leben stehen, aber als einzelner. Was eignet sich besser dazu als ein erhöhtes Dirigentenpult vor einem großen Sinfonieorchester? Und der Wassermann Furtwängler gibt die Einsätze, wann er es für richtig hält.

Monsieur et Cher Confrère,

Vous me demandez l'opinion de mon pays sur M. Zola et sa candidature à l'Académie Française. D'abord il faut vous dire que mon pays ne soutient jamais et par principe la même opinion que moi, mais si vous désirez ~~mon opinion~~ savoir ce que je pense sur M. Zola en voici le resumé.

Émile Zola est le poëte de l'époque et le maître. Vers l'an 1870 une nouvelle philosophie fait son entrée dans le monde occidental. Donc une nouvelle littérature doit s'ensuivre comme conséquence, et c'est à Zola de

Der nicht verwirklichte Wassermann

August Strindberg, geb. 22. 1. 1849

Strindberg steht im Ruf, ein mystischer Exzentriker, ein Frauenhasser und Psychopath gewesen zu sein. Andererseits heißt es, daß Psychiatrie und Psychotherapie aufgrund ihrer allgemeinen metaphysischen Blindheit Strindbergs mystische Erlebnisse mit Neurosen und Psychosen verwechselt haben (H. Fritsche).

Ob seelisch krank oder nicht, diese Frage kann auch die Astro-Graphologie zu beantworten helfen, indem sie die Divergenz zwischen Strindbergs Wassermann-Konstitution und seinem am Schriftverlauf erkennbaren Verhalten aufzeigt und daraus Schlüsse zieht über die Intensität und Zielrichtung der exzentrischen Neigungen des Dichters.

Laut Döbereiner geht es dem Wassermann um die Suche nach dem reinen Ideal, und die Voraussetzung dafür ist die Aufhebung der Spannung zwischen dem Ich und dem Du. Losgelöst von eigenen Emotionen, befreit von der «menschlichen Animalität» erhebt sich der Wassermann in lebensferne Regionen und erfreut sich seiner so gewonnenen Überlegenheit.

Strindberg ist insofern ein echter Vertreter dieses Zeichens, als seine Sehnsucht der «übergeschlechtlichen Liebe» galt. Er idealisierte die Vorstellung asketisch-unberührter Männlichkeit und beschrieb das Eheleben als erniedrigende Fessel, als *Inferno* – wie bezeichnenderweise der Titel einer seiner autobiographischen Erzählungen lautet. Aus ständiger Angst, der materiellen Welt und der nur als Haßliebe erlebten Sexualität zu verfallen, plante er einen eigenen Orden, dessen Mitglieder nach mönchisch strengen Regeln nur der Meditation leben sollten.

Aber gerade dadurch, daß er versucht, seine Ideen über einen vermeintlichen gesellschaftlichen Idealzustand in die Wirklichkeit zu transponieren, vergeht er sich an seinem Wassermann-Wesen. Er verläßt das weite Reich der Ideen und geistig-utopischen Pläne und wagt sich auf die viel eingeschränktere Ebene des Konkreten – damit jedoch gewissermaßen aufs Glatteis. Denn außerhalb seines «Traumspiel»-Raums besitzt er aus Unkenntnis der realen Verhältnisse keine Souveränität. Das lastet er indessen eben dieser Außenwelt an, in die er träumend aufgebrochen ist und, schrecklich erwachend, wieder flieht.

Dieses Träumen-Wachen-Dilemma, das sich durch sein ganzes schriftstellerisches Werk zieht, spiegelt sich deutlich auch in Strindbergs Schrift, die trotz aller wassermännischer Distanziertheit und Reserve (weite Wortabstände, Steilheit) teigig und voll ist. Hier kollidieren die Sehnsucht, sich hinzugeben, und die – berechtigte – Furcht, sich in der Emotion zu verlieren. Wassermänner, die mit ihrem neutralisierten Gefühlsbereich den eigenen Motor stillgelegt haben, brauchen zum Ausgleich Reiz von außen. Sie lieben das ständige Unterwegssein, das Unverbindliche eines Flirts, ein ungefährliches Abenteuer. Strindberg hingegen steigerte sich stets in Leidenschaften hinein. Er schreibt nicht locker, rechtsläufig und gelöst, sondern voll, unregelmäßig und teigig. Seine daran erkennbare Labilität der Sinne ist unvereinbar mit dem Wassermann, der das Emotionale, Animalische in sich, wie gesagt, gern überwinden möchte.

Strindberg fehlte die Einsicht für den Hintergrund seiner Spannungen. Er hätte sonst versuchen können, von sich selbst mehr Toleranz für sein Wassermann-Wesen zu verlangen und seelische Konflikte eher zu meiden, als sich ihnen widerstandslos auszuliefern. Strindberg ließ sich treiben, und typisch dafür ist seine im ganzen gesehen enttäuschend unausgeprägte, labile Schrift mit der sogenannten Doppelbindung (einem etwas stabileren Faden). Sie ist Ausdruck einer Haltung, die schnell und mühelos von einer Eingebung zur anderen überwechselt. Was hinter der Verbindung «Strindberg und labiler Doppelbogen» steht, hat treffend Hans Schwarz formuliert, der von Strindbergs zwischen Traum und Wachen geplagter Psyche sagt: «Man braucht kein Okkultist zu sein, um das Gefährliche und Unheimliche dieser fließenden Konturen zu spüren, die sich nur im Schaffen verdichten ... Es ist die Furcht eines Kindes darin, zu den Plagen des Alltags zu erwachen ..., und zugleich die Hölle eines Gewissens, das nicht robust genug für die Wirklichkeit ist.»

Seine druckschwache, kleine, linksläufige und langsame Schrift zeigt den Hypochonder, der einem «sensitiven Beziehungswahn» (Kretschmer) verfallen ist. Ohne Abstand zu sich selbst, alles auf sich beziehend und ohne den notwendigen vergleichenden Seitenblick zu einem Du hat er keine Möglichkeit, die Bedeutung seiner Erfahrungen richtig einzuschätzen. Was auch geschieht, es «widerfährt ihm», und die Kränkbarkeit geht ins Abnorme (abgeknickte *d*-Köpfe, eingebuchtete Grundstriche beim *h*).

Zwar entwickelte Strindberg mit überdurchschnittlicher Sensibilität und Intuition (Druckschwäche, Doppelbogen, Völle, Linksläufigkeit) einen genialen Seherblick für sich selbst, der, in Dramen und Erzählungen literarisch artikuliert, zum Erfolg seines Werks entscheidend beigetragen hat – sein Leben vermochte er jedoch nicht zu klären. Aus chronischer Lebensangst (überweite Wortabstände), versucht er durch die Flucht vor der Wirklichkeit in die Isolation (weiche Steilheit) zu entkommen. Daß hinter diesem Rückzug keine asketische Bescheidenheit steht, machen die niedrigen und breiten *n* und *m* und die im Verhältnis überhöhten Anfangsbuchstaben klar. Es spricht daraus eher die Anmaßung der Menschenverachtung, vor allem aber eigensinnige Passivität und Mißmut (nach abwärts gerichtete Schlußstriche, die in «monde» und «nouvelle» kraftlos herunterhängen).

In jeder Beziehung in sich selbst verstrickt, verlor Strindberg die für den Wassermann so wichtige Horizontweite. Ohne Möglichkeit aber, sich «dicken Gefühlen» und engen Situationen zu entziehen und das Geschehen vom Rand her zu beobachten, mußte dieses Leben in psychischem Chaos enden.

während das Intellekt
Raum beschreibt, und
den Raum und seine
realität gefangen

Die Griechen um
diese Bildübersetzung
dem Wort symbolon
fehlende Hälfte'
brochenen Münze'

Der verwirklichte Fisch

Wolfgang Döbereiner, geb. 28. 2. 1928

Fische haben es schwer in unserem Zeitalter. Dank ihres Zugangs zum «anarchischen Urgrund» (Pophal) liefern sie zwar «den Stoff, aus dem die Träume sind», aber dieses Produkt wird von unserer zweckorientierten Gesellschaft kaum gewürdigt. Entsprechend kraß wird offenbar, daß die Fische aufgrund ihres starken irrationalen Engagements mit der Realität schlecht zurechtkommen. So kann man beispielsweise an der Schrift des bekannten Astrologen Wolfgang Döbereiner feststellen, daß er eine nahe Beziehung zum Chaos unterhält. Einmal, weil er – wie die geradezu genialen Fadenbindungen zeigen – unseren formalen Zwängen kaum Beachtung schenkt und der Konjunktiv, der sich hier in unkonkreten, teilweise nur angedeuteten Buchstabenformen ausdrückt, für ihn denselben Wert besitzt wie für andere Menschen der Indikativ. Zum anderen, weil sein Zugang zum Chaos (Völle trotz Vereinfachung und Faden) als dem noch nicht verstofflichten Reservoir des Lebens, den Blick hinter die Wirklichkeiten überhaupt erst ermöglicht. Und genau das ist Döbereiners Stärke: dem funktionellen Lebensvordergrund den geistigen Hintergrund hinzuzufügen.

Am Beispiel der Astrologie erklärt er den Bildreichtum des Lebens. Sie dient ihm als Schlüssel, mit dessen Hilfe er in die verschiedensten Bereiche wie Medizin, Meteorologie oder Kunst eindringt, ihre Fundamente in Frage stellt und durch empirisches Erkennen mit Hilfe der Astrologie ihre Grundwerte neu bestimmt. Durch synthetische Betrachtungsweise erfaßt er den Gesamtaspekt (einheitlicher Schrifteindruck obwohl vielgestaltige Buchstabenformen). Trotz dieser Ganzheitsschau ist die Schrift teilweise stark unverbunden, ein Zeichen für das absichtliche Unterbrechen üblicher Assoziationen. Döbereiner will sich nicht intellektuell assimilieren, sondern mit der intuitiv-schöpferischen Veranlagung seiner Fischnatur bisher unerforschte Zusammenhänge entdecken. Er ist nicht im normalen Sinn einordnungsbereit, weder intellektuell noch ökonomisch, weshalb die Ergebnisse seiner Überlegungen oft etwas verloren im Raum stehenbleiben.

Das wird noch unterstrichen durch die fische-typische Scheu vor der endgültigen Fixierung. Allgemein bevorzugen Fische das Unbegrenzte, Fließende, weil sie sich durch Konkretisierungen zu stark eingeengt fühlen. Ein Eindruck, ein Gefühl läßt sich nicht präzis umrissen wiedergeben, weshalb auch die impressionistischen Maler – zum Beispiel der Fisch Renoir – die Umrisse auflösten.

Wie sehr Döbereiner der Festlegung ausweicht, zeigt seine aufgelöste Bindungsform, die man als Faden mit Girlanden- und Arkadeneinschlag definieren könnte. Auch bei dieser eigenwilligen Schrift gilt der Faden als Ausdruck des Unbestimmten und Angepaßten. Aber hier handelt es sich um die Anpassung an den Hintergrund. Mit dem Faden pirscht er sich gewissermaßen vorsichtig tastend an die zu formulierende Aussage heran. Insofern steht der Faden in Döbereiners Schrift nicht für die aufgelöste, sondern für die noch nicht gewordene Form. Mit dem Scharfsinn, den die stark vereinfachten, sachlichen Buchstaben anzeigen, und der Völle, die auf die innere Bildkraft hinweist, versucht er das Stimmungsmäßige einer Situation zu artikulieren. Er läßt Leben auf sich wirken (teigige und weite Schrift), beobachtet dabei detailliert (kleine Buchstaben) und aktiviert dann die gewonnenen Eindrücke. Seine Sensibilität erhält dadurch eine vitale Komponente. Es geht hier nicht um hauchzarte Geistigkeit, auch nicht um Phantastik (keine unnormal aufgeschwollene, sondern organisch runde Schrift), vielmehr darum, indirekte Zusammenhänge begrifflich klarzumachen. Das Tasten nach dem richtigen Begriff braucht einerseits den Faden, andererseits die Unterbrechung, um immer wieder in Frage zu stellen und zu überprüfen. Allerdings – und hier zeigt sich ein fisch-untypisches Verhalten – sind die Abstände mitunter zu weit. Zwischen den Buchstaben, zwischen den Worten, zwischen den Zeilen erscheinen zu große Lücken. Das eigentlich

Mitteilsame, Aufgeschlossene (Weite, Rechtsschrägheit, Eile) wird dadurch gestört, was auch die Schwankungen der Schriftlage beweisen. Es ist der Kampf zwischen Kopf und Herz, eine aufgesetzte Reserviertheit zur Kontrolle der Impulse.

Diese Reserviertheit hat ihren Grund darin, daß, wie gesagt, jeder Fisch, der sich wesensgemäß verwirklicht, mehr oder weniger im Widerspruch steht zu den allgemeinen Tendenzen unserer Zeit. Das zwingt ihn zu einem Leben «im Untergrund» und zu äußerster Vorsicht mit den Erkenntnissen, die er zutage fördert, weil sie in unserem Schema keinen «Marktwert» haben. Wolfgang Döbereiner liefert Lebenssubstanz, er regeneriert unseren Bilderreichtum – so, wie es einem echten Fisch zukommt. Das «Verdienstwürdige» dieser Arbeit kann nur von denen geschätzt werden, die, nach Klages, in dem «Gehalt an Lebensfülle» die eigentliche Lebensqualität sehen.

Ein Fisch aber der sachlich wird, im Sinne seines Gegenzeichens Jungfrau, lebt gefährlich. Die Jungfrau braucht das Fassbare, die Überschaubarkeit, um sich sicher zu fühlen. Der Fisch dagegen findet seinen Halt im Vertrauen auf eine universelle Ordnung, wobei die konkrete Welt für ihn mehr in den Hintergrund rückt. Er erahnt mehr, als er anderen begreiflich machen kann, deshalb bietet das Jungfrau-Instrumentarium ihm keine Möglichkeit, sich zu artikulieren. Das "zerlegende Wort" wird der fische-typischen Zusammenschau nicht gerecht. Wenn er statt Stimmungsbild und Symbol, Kontur und Definition gebraucht, betritt er fremdes Territorium. Ein Engagement im Jungfrau-Stil muss ihm deshalb sei-

Der nicht verwirklichte Fisch

Eva Dietrich, geb. 1. 3. 1939

Das Ineinandergewobene dieser Schrift mit ihrer Unregelmäßigkeit entspricht dem Fisch. Der Mangel an genauer Einzelausführung der Buchstabendetails und die Faden-Anklänge zeigen, daß in echt neptunischer Weise das Andeuten dem präzisen Formulieren vorgezogen wird. Im übrigen aber ist die Richtung nach rechts durch Rechtsläufigkeit, Girlande, Schrägheit, übermäßige Verbundenheit und Eile überbetont. Das ist selbst für die sprichwörtliche Offenheit des Fischs zuviel. Dem «Besinnen» wird nicht genug Raum und Zeit gelassen. Das Zweckmäßige (Magerkeit, Vereinfachung) bedrängt die organische Formausgestaltung, die Sachlichkeit beschneidet die Phantasie und nimmt der Schrift zugleich die Völle.

Ein Fisch aber, der betont sachlich ist, im Sinne seines Gegenzeichens Jungfrau, lebt gefährlich. Die Jungfrau braucht das Faßbare, die Überschaubarkeit, um sich sicher zu fühlen. Der Fisch dagegen findet seinen Halt im Vertrauen auf eine universelle Ordnung, wobei die konkrete Welt für ihn in den Hintergrund rückt. Er erahnt mehr, als er anderen begreiflich machen kann, deshalb bietet das Jungfrau-Instrumentarium ihm keine Möglichkeit, sich zu artikulieren. Die verbale Darstellungsform wird der fische-typischen Zusammenschau einfach nicht gerecht. Wenn er, statt sich an Stimmungsbilder und Symbole zu halten, Konturen und Definitionen bietet, betritt er fremdes Territorium. Ein Engagement im Jungfrau-Stil muß ihn deshalb seinem Sicherheitsgefühl entfremden. Unsicherheit aber wird unweigerlich zu einer Störung seiner Selbstverständlichkeit führen. Noch gefährlicher ist, daß mit der Betonung der vordergründigen Realität das «ahnende Erkennen» verlorengeht, die unmittelbare Eingebung, die ja gerade auf einem nicht verstandesmäßigen Bewußtwerden von Sinngehalten beruht.

Wenn theoretische Aspekte wichtiger werden als stimmungsmäßige, besteht die Gefahr der Abwendung vom Anschaulichen. Der Mangel an Teigigkeit und die Wendung zur Schärfe – die ja für Begrifflichkeit steht – unterstreicht dies bereits. Noch ist genug Fische-Substanz vorhanden, von der gezehrt werden kann (linksläufige Abbiegungen). Das Abstrakte kann damit immer noch belebt werden. Ohne Rückkehr zu der angestammten Verhaltensweise aber verliert sich die Regenerationsfähigkeit mit der Zeit. Der Bildreichtum schwindet, das intuitive Erkennen läßt nach, und übrig bleibt ein Fisch, der sich aufgrund seiner übermäßigen Wendung nach rechts, zum Außenbereich und zum logisch folgernden Verstand, von seinem eigenen Instrumentarium entfernt zugunsten eines anderen, das er nicht beherrscht und auch nicht beherrschen kann. Zwischen zwei Welten stehend, wird er so die Sicherheit seines instinktiven Verhaltens verlieren.

Um meine Schlußfolgerungen auf die Realität des Lebens zu übertragen, brauche ich nur auf dieses Buch hinzuweisen. Es ist zwar typisch für einen Fisch, auf die Vielfalt der Motive und Zusammenhänge des Lebens hinzuweisen. Aber Regulative aufzuzeigen, also Rezepte zu geben, die ein Fehlverhalten korrigieren könnten, verrät eine moralische Nutzanwendung, und die ist nicht im Sinne des Fische-Typs. Je mehr bewußte Sinngebung in die noch unreflektierte Anschauung hineingebracht wird, um so mehr hört der Fisch auf, seiner Anlage gemäß zweckfrei zu denken. Insofern wird jedem einleuchten, daß ein Buch wie dieses, das noch dazu mit einem didaktischen Teil und mit Schriftbeispielen eine Bestätigung des transparent gemachten Hintergrunds bieten will, einem Fisch entschieden zu viel abverlangt. Trotzdem war die Autorin bei der Arbeit an diesem Buch zur Formulierung klar umrissener praktischer Nutzanwendungen gezwungen, denn da, wo der Fisch lieber andeuten und Struktur, Richtung und «Stimmung» angeben würde, sind präzise Aussagen und Ergebnisse gefragt.

Fische sind meist klüger, als sie wissen. Jede bewußte Analyse aber verhindert, daß der unbewußte Reichtum in ihnen den adäquaten Ausdruck findet. Sie handeln allerdings mit ihrem Gespür für Zusammenhänge gegen jede Vernunft dennoch richtig. Nur paßt eine solche Veranlagung schlecht zu dem Vorhaben, ein Buch zu schreiben, das auch vom logischen Gesichtspunkt her hieb- und stichfest sein soll und das die oft nur erspürten Zusammenhänge allgemeinverständlich wiedergibt. Eine solche Aufgabe zwingt die Autorin, ihre Intelligenz fische-untypisch zu Kritik und Kennzeichnung zu mobilisieren, Grenzen zu setzen und damit gegen ihre Überzeugung, daß sich die Natur immer selbst reguliert, durch ihren astro-graphologischen Rat ins Leben anderer einzugreifen.

Davon bleibt die Schrift nicht unberührt. Der ursprünglich weiche Fische-Duktus mit den organisch-runden Ausprägungen bekommt etwas Gerades. Es ist zuviel Bestimmtheit und Sachlichkeit in der Schrift. Aber trotz dieser bedenklichen Wendung zur fische-fremden «Vernunft» enthielt das Manuskript zu diesem Buch nach Ansicht des Lektors – eines Stiers mit einfühlsamer Schrift – noch immer viel zuwenig methodische Sachbezogenheit und logische Disziplin, dagegen viel Ungefähres, Ausweichendes, Nur-Erfühltes. Es ist symptomatisch für den Fisch, daß sich die Autorin über eine solche Kritik sogar noch gefreut hat.

Ein astro-graphologisches Quiz

Dieses Buch verlangte Ihre Mitarbeit, lieber Leser, und ich hoffe, daß Ihnen die in der Einleitung geweckte Neugierde genug Motivation gab, sich durch den Graphologie- und Astrologieteil hindurchzuarbeiten. Die darauf folgenden 24 vorgelebten Beispiele dienten in erster Linie dazu, den gelernten Inhalt sichtbar zu machen. Es sollte demonstriert werden, wie die Astro-Graphologie angewandt werden kann.

Offen blieb dabei noch, ob Sie am Schluß des Buches in der Lage sein werden, selbständig astro-graphologische Aussagen zu machen. Diese Frage läßt sich am besten durch einen Test beantworten. Ich habe dazu eine Schrift ausgesucht, an der Sie Ihren astro-graphologischen Wissens- und Erkenntnisstand prüfen können. Jetzt wird also Ihre persönliche Stellungnahme zu der graphischen Lebensäußerung einer Fische-Frau von etwa 30 Jahren verlangt. Sie sollen beurteilen, ob sie sich «verwirklicht» hat oder nicht.

Der Test umfaßt 4 Fragenkomplexe und beginnt mit einer zu diesem Zweck sinnvoll gekürzten graphologischen Bestandsaufnahme, bei der die Merkmale der Schrift festgestellt werden sollen. Bei den diesbezüglichen Fragen müssen Sie sich – wie bei einem Quiz – immer für *eine* Antwort entscheiden.

Die nächste Seite bringt die Auflösung dieser Merkmalsbestimmungen, verbunden mit der Frage nach den möglichen Bedeutungen. *Von den jeweils 5 Vorschlägen sind nur 3 zutreffend.* Um diese herauszufinden, dürfen Sie die graphologischen Tabellen in Teil II zur Hand nehmen, das machen selbst geübte Graphologen, um die Aussagen der Merkmale besser gegeneinander abgrenzen zu können.

Überzeugen Sie sich wiederum auf der nächsten Seite (Seite 301) von der Richtigkeit ihrer Lösungen und beantworten Sie anschließend die Fragen nach dem astrologischen Hintergrund. Sie haben damit alle Voraussetzungen für Ihre astrographologische Schlußfolgerung, die Sie bitte zuerst schriftlich fixieren, bevor Sie Ihr Ergebnis mit dem meinen vergleichen.

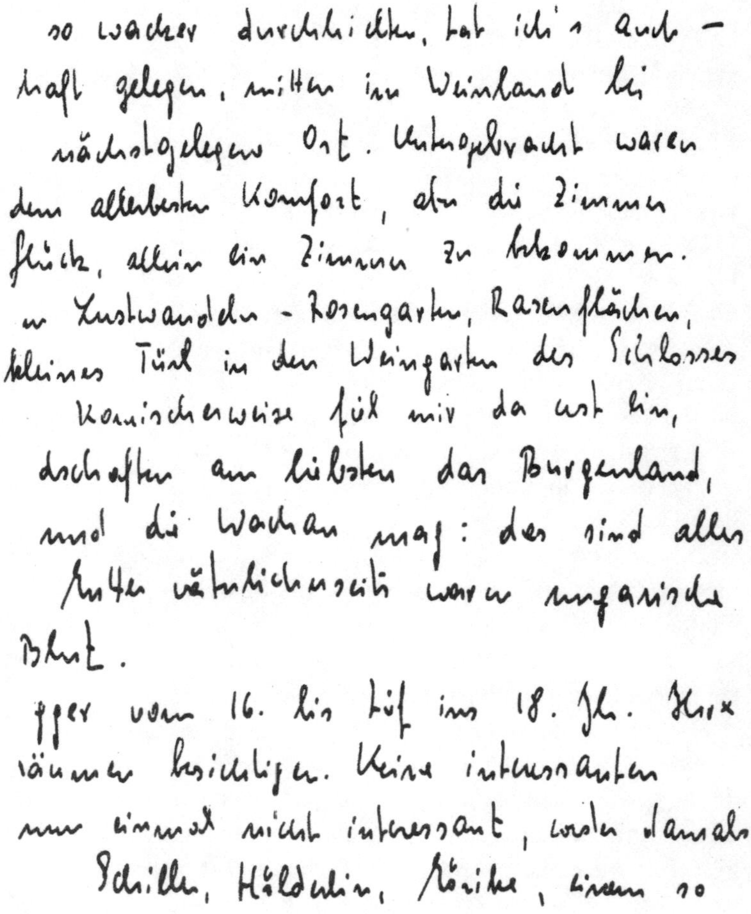
so wacker durchblickten, hat ich's auch -
haft gelegen, mitten im Weinland bei
nächstgelegenen Ort. Untergebracht waren
dem allerbesten Komfort, aber die Zimmer
Glück, allein ein Zimmer zu bekommen.
zu Lustwandeln - Rosengarten, Rasenflächen,
kleines Türl in den Weingarten des Schlosses
Komischerweise fiel mir da erst ein,
dschaften am liebsten das Burgenland,
und die Wachau mag: denn sind alles
Mutter väterlicherseits waren ungarisches
Blut.
gger vom 16. bis hin ins 18. Jh. Herr
räume besichtigen. Keine interessanten
nur einmal nicht interessant, wurden damals
Schiller, Hölderlin, Mörike, einem so

Erster Fragenkomplex

1. A Ist die Schrift linksläufig?
   B Ist die Schrift rechtsläufig?

2. A Ist die Schrift groß?
   B Ist die Schrift von durchschnittlicher Größe?
   C Ist die Schrift klein?

3. A Ist die Schrift weit?
   B Ist die Schrift eng?

4. A Ist die Schrift rechtsschräg?
   B Ist die Schrift steil?
   C Ist die Schrift linksschräg?

5. Welche Bindungsformen können Sie feststellen?
   A Girlande? C Arkade?
   B Winkel? D Faden?

6. A Ist die Schrift verbunden?
   B Ist die Schrift unverbunden?

7. A Ist die Schrift vereinfacht?
   B Ist die Schrift bereichert?

8. A Ist die Schrift mager?
   B Ist die Schrift voll?

9. A Ist die Schrift teigig?
   B Ist die Schrift scharf?

10. A Ist die Schrift regelmäßig?
    B Ist die Schrift unregelmäßig?

11. A Ist der Wortabstand weit?
    B Ist der Wortabstand eng?

Auflösung und zweiter Fragenkomplex

1 A Die Schrift ist linksläufig, da rechtsläufige Verbindungsstriche und rechtsläufige Schlußstriche vermieden werden. Die *n*-Endungen beispielsweise hängen in der Luft. Die *o* sind alle linksläufig gedreht.

Welche 3 Bedeutungen kommen dafür in Frage?

a) Meditative Geisteshaltung
b) Anpassungsmangel
c) Zurückhaltung
d) Erwerbssinn
e) Selbständigkeit

2 C Die Schrift ist klein bis extrem klein (siehe Mittelzone).

Welche 3 Bedeutungen kommen dafür in Frage?

a) Mangel an vitaler Kraft
b) Ängstlichkeit
c) Realismus
d) Genügsamkeit
e) Pedanterie

3 B Die Schrift ist eng, teilweise sogar gequetscht.

Welche 3 Bedeutungen kommen dafür in Frage?

a) enger Horizont
b) Berechnung
c) Hemmung
d) Verkrampfung
e) Selbstschutztendenz

4 B Die Schrift ist steil, zuweilen linksschräg.

Welche 3 Bedeutungen kommen dafür in Frage?

a) Kälte
b) Lebensangst
c) Gezwungenheit
d) Fanatismus
e) Mangel an Natürlichkeit

5 C Es besteht die Tendenz, Girlanden zu schreiben. Trotzdem überwiegt die Arkade.

Welche 3 Bedeutungen kommen dafür in Frage?

a) Formungswille
b) Erlebnisscheu
c) Vorsicht
d) Gehemmtheit
e) Belastbarkeit

6 B Obwohl teilweise verbunden, ist die Schrift mehr unverbunden, wenn nicht sogar zerstückelt. Manchmal ist sogar die Strichführung innerhalb des Buchstabens unterbrochen (z. B. *f* in «Landschaft», *e* in «fiel»).

Welche 3 Bedeutungen kommen dafür in Frage?

a) Zivilcourage
b) Kontaktschwäche
c) Sprunghaftigkeit
d) Ausdrucksbehinderung
e) Eigenständigkeit

7 A Die Schrift ist vereinfacht, stellenweise aufs äußerste reduziert.

Welche 3 Bedeutungen kommen dafür in Frage?

a) Härte
b) Gleichgültigkeit
c) Einfachheit
d) Unauffälligkeit
e) Sinn für das Wesentliche

8 A Die Schrift ist mager, aber nicht winkelig oder spitz. Die Schleifen, etwa beim *e*, fallen in einem Strich zusammen.

Welche 3 Bedeutungen kommen dafür in Frage?

a) Reduzierte Individualität
b) Dürre
c) Schematisierung
d) Mangel an Selbstbewußtsein
e) Überwiegen des theoretischen Denkens

9 B Die Schrift ist eher scharf als teigig. Trotz der winzigen Buchstaben ist jeder Strich vom anderen präzise unterschieden. Dennoch gibt es vereinzelte teigige Einstreuungen.

Welche 3 Bedeutungen kommen dafür in Frage?

a) Gefühlskälte
b) Taktik
c) Sensibilität
d) Intellekt
e) Gezwungenheit

10 B Die Schrift ist unregelmäßig. Der Neigungswinkel schwankt, die Buchstaben hüpfen auf der Zeile, die Höhe der Kurzbuchstaben und die Längenunterschiede sind nicht einheitlich.

Welche 3 Bedeutungen kommen dafür in Frage?

a) Empfänglichkeit
b) Feingefühl
c) Instinktive Durchsetzung
d) Unruhe
e) Haltlosigkeit

11 A Der Wortabstand innerhalb der Zeile ist weit, und die Worte stehen ohne ausschwingende Striche isoliert.

Welche 3 Bedeutungen kommen dafür in Frage?

a) Verlust an Unmittelbarkeit
b) Großzügige Disposition
c) Intellektualität
d) Beanspruchung der Umgebung
e) Isolation

Auflösung und dritter Fragenkomplex

1	A	a, b, c	7	A	c, d, e
2	C	a, b, d	8	A	a, d, e
3	B	c, d, e	9	B	c, d, e
4	B	b, c, e	10	B	a, b, d
5	C	b, c, d	11	A	a, c, e
6	B	b, c, d			

I Welche der festgestellten Merkmale:
a) Linksläufigkeit
b) Kleinheit
c) Enge
d) Steilheit
e) Arkade
f) Unverbundenheit
g) Vereinfachung
h) Magerkeit
i) Schärfe
k) Unregelmäßigkeit
l) Weiter Wortabstand

1. passen zum Wesen des Fisches?
2. stehen im Widerspruch zum Wesen des Fisches?

II Verhält sich die Schreiberin, astro-graphologisch gesehen, ihrem Fische-Wesen entsprechend?
a) vollkommen
b) beinah
c) kaum
d) überhaupt nicht

Auflösung und Schlußfrage

I 1 g, eventuell noch k und b

I 2 c, d, e, h, i

II c

III In welcher Weise äußert sich das Fehlverhalten dieser Fische-Frau?

Anleitung und kleine Hilfestellung: Vergleichen Sie die vorhandenen typischen Merkmale mit den typmäßig widersprüchlichen Merkmalen und stellen Sie darüber hinaus fest, welche der fische-typischen Ausdrucksmöglichkeiten fehlen. Den kritischen Ausgangspunkt für eine Fehlentwicklung erhalten Sie am eindeutigsten, wenn Sie die tierkreis-typischen Merkmale aufspüren, die durch ihre Uneinheitlichkeit den bereits eingetretenen Wandlungsprozeß zeigen, wie hier die fische-untypisch scharfe Schrift mit noch fische-typischen teigigen Einstreuungen. Oder ebenso die Arkade, die hier nicht durchgehalten wird, sondern immer wieder ihre fische-untypische Bedeutung durch «entgegenkommende» Girlanden relativiert.

Auflösung der Schlußfrage

III Für einen Fisch von hochgradiger Sensibilität wird die Breite des Erlebens zu sehr eingeschränkt (Schärfe mit einem Rest von Teigigkeit, Enge, Steilheit, Arkade). Zwar ist die Schreiberin Augenblickseindrücken gegenüber bedenklich wehrlos (Unregelmäßigkeit), sie versucht aber, anstatt sich emotional auseinanderzusetzen, ihr Verhältnis zur Umwelt begrifflich zu klären (Magerkeit, Schärfe).

Genauso wie sie die Schrift versachlicht, reduziert sie auch ihre eigene Individualität, sie will ein «Es» aus sich machen. Dadurch entzieht sie sich der seelischen Identifikation und lebt im abstrakten Raum, auf einer Insel, dem seelischen Zugriff entzogen. Weite Wortabstände und abrupte Endungen machen diesen Verlust an Unmittelbarkeit deutlich. Der persönliche Ausdruck wird behindert, es fehlt an Mut, sich so zu geben wie man ist; was zu Kontaktarmut und Vereinsamung führen kann.

Ganz besonders einem Fisch gebührt ein Leben ohne Rückversicherung, er muß sozusagen auf Quittungen verzichten können im Vertrauen darauf, daß das Leben und nicht die Theorie alles reguliert. Seine Unverwüstlichkeit liegt in der Elastizität. Wenn er sie aufgibt und ein Leben nach Plan (Arkade, Steilheit) vorzieht, wird die Stärke seiner Labilität zur Schwäche. Dann reagiert er nicht mehr flexibel und verliert damit die Fähigkeit, sich fische-typisch intuitiv durchs Leben zu winden (Mangel an Faden). Der Sinn fürs Wesentliche, der dem Fisch dabei als Kompaß dient, verstärkt in einem solchen Fall die Tendenz zum begrifflichen, abstrakten Denken. In der Folge hält er sich krampfhaft am Denkgerüst fest, ohne den alltäglichen Mut zum Leben oder zum eigenen Schicksal überhaupt aufzubringen. Die extreme Kleinheit mancher Buchstaben verrät den Mangel an vitaler Kraft, die Schreiberin fühlt sich nicht wohl in ihrer Haut, ist übernervös und empfindet Lebensangst. Mit fast panikartiger Abwehr versucht sie nach innen zu flüchten und sich

meditativen Geisteshaltungen zuzuwenden (Linksläufigkeit). Ein stürmischer See aber läßt sich nicht beruhigen, indem man nur die Wasseroberfläche glättet. Die seelische Unruhe (Unregelmäßigkeit) dieser Schreiberin ist mit einem gesteuerten Ablenkungsversuch nicht zu besänftigen, denn das Unbewußte kann nicht vom Intellekt erobert werden. Das, was sie weiß, hat sie erlebnismäßig nicht nachvollzogen und sie sträubt sich auch dagegen, es zu tun (Schärfe, Arkade).
Da aber – wie zu Anfang des Graphologie-Teils erläutert wurde – in die Höhe nur derjenige gehen sollte, der Tiefe und Mitte hat, und sich nur derjenige dem inneren Erleben, dem «Linken», zuwenden sollte, der das «Rechte», das äußere Erleben, ausgekostet hat, müßte dieser Fisch erst seine Angst davor verlieren, sich dem Leben zu stellen (Linksläufigkeit, abgebrochene Enden, Unverbundenheit), bevor er sich davon abwendet.

Astro-graphologische Selbstbeurteilung

Viele von Ihnen werden jetzt mit Betroffenheit auf die eigene Schrift schauen und feststellen, daß sie mehr oder weniger wesensfremde Merkmale aufweist. Ehe Sie voreilige Schlüsse ziehen, bedenken Sie, daß ein gewisser Prozentsatz «Fremdes» erlaubt, ja sogar notwendig ist. (So müssen Sie sich beispielsweise als Widder Ihres Waage-Anteils entsinnen, um die dynamische Widder-Energie damit etwas auszubalancieren. Oder Sie brauchen als Krebs auch ein Stück Steinbock-Ordnung, wenn Sie nicht im Chaos untergehen wollen.) Andernfalls würde ein Prinzip überwertig werden und die Ausgewogenheit des Schriftbilds von vornherein in Frage stellen. Überwiegt aber die Anzahl der wesensfremden Merkmale oder dominiert eines davon über alle anderen, so ist Ihre Selbstverwirklichung mit Recht in Frage gestellt.

Was wäre dagegen zu tun?

Eine Therapie, die darin bestünde, die Handschrift willkürlich zu verändern, würde nichts fruchten. Entgegen zuweilen geäußerten Ansichten kann nicht durch Änderung der äußeren Bewegungen, zu denen auch die Schrift gehört, eine innere Einstellung korrigiert werden. Wenn Sie beispielsweise Ihre Trägheit dadurch überwinden wollen, daß Sie große Längenunterschiede schreiben, legen Sie sich nur selbst eine Zwangsjacke an. Die für das Quiz gewählte Handschrift sollte unter anderem verdeutlichen, daß man per Intellekt das Unterbewußtsein nicht erreicht. Eine intellektuell erzwungene Schriftveränderung wäre darum nutzlos und hätte eher negative Auswirkungen im Sinne von Bewußtheit, Gemachtheit oder sogar Unaufrichtigkeit. «Wir machen keine Erfahrungen, sondern die Erfahrungen machen uns» (Ionesco). Das, was in uns geschieht, während wir uns dem Leben aussetzen, ist bewußt nicht steuerbar.

Erst die Auseinandersetzung mit den äußeren Umständen mobilisiert die inneren Kräfte. Jede kritische Konfrontation mit dem eigenen Ich birgt die Möglichkeit, das Verhältnis zu sich selbst zu überdenken. Erkannte Fehler stellen nämlich Ansprüche, und zwar, indem sie die Einsicht vergrößern, die Naivität sich selbst gegenüber verringern und stumm dazu auffordern, sich den notwendigen Schlußfolgerungen nicht zu entziehen.

Jeder kennt diesen Moment, in dem man plötzlich über eine bestimmte Situation hinausgewachsen ist und Kraft sammeln muß für eine Neuorientierung. Wenn ich dabei erkenne, was an meiner Schrift falsch ist, verändere ich unwillkürlich etwas in mir, und das verändert meine Schrift. Gezielt kann eine solche Veränderung nicht vorgenommen werden. Man begünstigt nur die Umstände dafür, indem man seinen geistigen Einfallswinkel durch Astro-Graphologie vergrößert. So betrachtet ist die Astro-Graphologie eine wertvolle Hilfe zur Selbst*verwirklichung* dadurch, daß sie Anstoß zur Selbst*veränderung* gibt.

Dieses Buch ging von dem Konzept aus, in der Entsprechung zwischen Sternbild und Schriftbild einen neuen Beweis für die verschiedenen Analogiegesetze des Mikro- und Makrokosmos zu liefern. Daß ein «Lehrbuch» daraus geworden ist, liegt am Trend der Zeit, alles nach seiner praktischen Anwendbarkeit zu bewerten. Bei den gewiß erstaunlichen Aussagen, die Sie nach der Lektüre im «Do-it-yourself-Verfahren» machen können, bedenken Sie jedoch, daß hier verständlicherweise nur die Grundlagen von Graphologie und Astrologie vermittelt wurden. Wer noch tiefer in die Materie eindringen möchte, sollte seine Kenntnisse durch entsprechende Fachliteratur erweitern.

Literaturverzeichnis

Graphologie

Ernst Hoferichter: *Das wahre Gesicht,* Icking 1966.
Charlotte Jäger und Richard Harder: *Kleiner Führer durch die Graphologie,* Freiburg–München 1951.
Ludwig Klages: *Der Geist als Widersacher der Seele,* Bonn 1972 (5. Aufl.).
Ludwig Klages: *Handschrift und Charakter,* Bonn 1968 (26. Aufl.).
Wilhelm Langenbruch: *Praktische Menschenkenntnis auf Grund der Handschrift,* Berlin 1922.
G. Lomer: *Der Teufel im Tintenfaß,* Berlin o. J.
Rudolf Pophal: *Graphologie in Vorlesungen,* Bd. I–III, Stuttgart 1968.
Max Pulver: *Symbolik der Handschrift,* Zürich 1955 (6. Aufl.).
Robert Saudek: *Wissenschaftliche Graphologie,* München 1926.
Hartfrid Voss (Hrsg.): *Lyrische Handschrift unserer Zeit,* Ebenhausen 1958.

Astrologie

Oskar Adler: *Das Testament der Astrologie,* Bd. I, Wien–Zürich 1950.
Wolfgang Döbereiner: *Heyne Tierkreisbücher,* München 1974.
Wolfgang Döbereiner: *Astrologie.* Aus unveröffentlichten Manuskripten.
Alfred Fankhauser: *Horoskopie,* Zürich 1946.
Thomas Ring: *Astrologische Menschenkunde II,* Zürich–Stuttgart 1959.
H. A. Strauß: *Psychologie und astrologische Symbolik,* Zürich 1953.

Allgemeine Literatur

Stefan Andres: *Der Knabe im Brunnen,* München 1953.
Ingeborg Bachmann: *Malina,* Frankfurt/M 1977.
Erik Bergengren: *Alfred Nobel,* München 1965.
J. Rives Childs: *Casanova,* Reinbek 1960 (Rowohlt-Monographien 48).
Jack Fishman: *Das Privatleben des Josef Stalin,* München 1967.
H. Fritsche: *August Strindbergs Erweckung durch Emanuel Swedenborg,* Leipzig 1940.
Wilhelm Furtwängler: *Briefe,* Wiesbaden 1965.
Claire Goll: *Ich verzeihe keinem,* Bern–München 1978.
Johannes Carsten Hauch: *Das Schloß am Rhein oder Verschiedene Standpunkte,* Wurzen 1851.
Walter Henkels: *99 Bonner Köpfe,* Frankfurt/M 1965 (Fischer-Bücherei 687).
Hans Holzer: *Fenster zur Vergangenheit,* Genf 1970.

Ernest Jones: *Sigmund Freud,* Frankfurt/M 1969.
Ernst Kretschmer: *Körperbau und Charakter,* Berlin 1961 (24. Aufl.).
L. A.-A. Graf von Langeron: *Mémoires,* Paris 1902.
Claude Mettra: *Die großen Dynastien Europas,* Bd. II: *Die Bourbonen,* Lausanne 1969.
Nancy Mitford: *Madame de Pompadour,* Hamburg 1954.
Oskar von Mitis: *Das Leben des Kronprinzen Rudolf,* Wien–München 1971.
Zoé Oldenbourg: *Katharina die Große,* München 1977.
Roger Parkinson: *Blücher,* München 1976.
Holger Pausch: *Ingeborg Bachmann,* Berlin 1975.
Wilhelm Polzer: *Licht über Mayerling,* Graz 1954.
Fritz J. Raddatz: *Karl Marx,* Hamburg 1975.
Klaus Schröter: *Thomas Mann,* Reinbek 1964 (Rowohlt-Monographien 125).
Friedrich Sieburg: *Napoleon,* Stuttgart 1966 (10. Aufl).
Monica Stirling: *Der wilde Schwan. H. Chr. Andersens Leben und Zeit,* München 1965.
August Strindberg (mit Nachwort des Herausgebers Hans Schwarz): *Aus meinem Leben,* München o. J.
Fritz Zorn: *Mars,* München 1977.

Dank

Die Autorin und der Verlag danken der Handschriftensammlung der Bayerischen Staatsbibliothek München und dem Deutschen Literaturarchiv/Schiller-Nationalmuseum, Marbach a. N., für ihre freundliche Unterstützung bei der Beschaffung von graphologischem Anschauungsmaterial.